D1170774

LA NOUVELLE BALLE AUX MOTS

LANGUE FRANÇAISE

CYCLE 3
CM2

Grammaire

Vocabulaire

Orthographe

Conjugaison

Expression écrite
et production de textes

Jean-Paul Dupré
Conseiller pédagogique

Martin Olive
Conseiller pédagogique d'École Normale

Roger Schmitt
Inspecteur de l'Éducation Nationale

Alain Rausch
Professeur en IUFM

Maurice Obadia
IPR-Inspecteur d'Académie

Collection dirigée par Henri Mitterand

LA NOUVELLE BALLE AUX MOTS

LANGUE FRANÇAISE

CYCLE 3

CM2

Grammaire

Vocabulaire

Orthographe

Conjugaison

Expression écrite
et production de textes

NATHAN

AVANT-PROPOS

Pour le maître

La Nouvelle Balle aux mots CM2, conforme aux programmes pour l'École primaire, est destinée aux élèves du Cycle 3, troisième année.

Cet ouvrage regroupe, selon une progression rigoureuse, l'ensemble des activités de langue française et d'expression qui peuvent être proposées à ce niveau. La grammaire, la conjugaison, le vocabulaire et l'orthographe ne sont pas une fin en soi, mais des moyens de mieux parler, de mieux lire, de mieux écrire et d'acquérir progressivement des outils de réflexion sur la langue.

Le découpage en unités-semaines offre une répartition claire et équilibrée. Chaque unité se compose de quatre séquences de deux pages, dans l'ordre suivant : **grammaire, vocabulaire, orthographe, conjugaison.** Ces séances sont complétées par des unités d'entraînement à **l'expression écrite,** qui doteront l'élève d'outils et de techniques spécifiques et qui s'articulent avec des doubles pages de **production de textes** de types différents.

Des sommaires trimestriels, en tête de chacune des trois parties, guident la progression dans chaque domaine de la langue.

Les chapitres accompagnés du symbole ✳ concernent des notions qui ne sont pas mentionnées dans les nouveaux programmes mais qui, néanmoins, nous ont semblé pouvoir figurer utilement à ce niveau.

Pour l'élève

Tu vas faire connaissance avec ton livre *La Nouvelle Balle aux mots.* Pour mieux te repérer, tu dois bien comprendre comment il est organisé.

Ce livre comprend **trois grandes parties,** qui correspondent aux trois trimestres de l'année scolaire. Chaque partie est composée de séquences-leçons de deux pages, appelées unités, qui portent sur **la grammaire, le vocabulaire, l'orthographe, la conjugaison, l'expression écrite et la production de textes.**

À la fin de chaque partie, un **bilan** va te permettre de faire le point sur tes connaissances et de consolider tes apprentissages.

À la fin de la deuxième et de la troisième parties, tu trouveras deux « **tests-bilans** » pour vérifier tes connaissances avant ton entrée en 6ᵉ.

Chaque **unité** comporte :

1. **Un petit texte** dans lequel tu observeras un aspect particulier de la langue (par exemple, les types de phrases).
2. À gauche du texte, quelques pistes de **réflexion** et des **questions.**
3. Dans l'encadré, **ce que tu dois retenir.**
4. Des **exercices d'apprentissage.**

Enfin, tu peux consulter, à la fin de ton livre, les tableaux récapitulatifs qui te rappelleront les règles les plus importantes.

Illustrations : Pierre Ballouhey
Couverture : Kube

© Éditions Nathan, Paris 1995 - ISBN 2-09-120621-0

1re partie
(unités 1 à 10)

Grammaire	**La phrase . Le groupe nominal sujet . Le groupe verbal**
Vocabulaire	**La formation des mots . Quelques champs sémantiques . Le dictionnaire . Le sens des mots . Les mots composés . Les abréviations et les sigles**
Expression écrite	**Éviter *il y a* . Employer un adverbe . Donner des instructions . Employer *aucun, aucune* . Le verbe *faire* . Déduire . Conclure . Comment dire . Le style direct . Jeux poétiques . Reconstitutions de textes**
Production de textes	**Donner des consignes . Démontrer et convaincre . Écrire un dialogue de théâtre**
Orthographe	**Code oral - Code écrit . Les accents . Confusions à éviter**
Conjugaison	**Le verbe : généralités . Le présent de l'indicatif**

Sommaire de la 1re partie

Communiquer : signaux et signes
Le langage verbal

- **On peut communiquer à l'aide de signaux et de signes.**

— Quel est le sens de chacun des signaux et signes ci-dessous ?

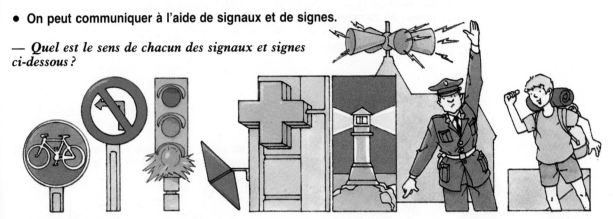

— Quel est le rôle de ces signes ?

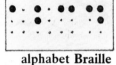

alphabet Braille
pour aveugles

alphabet Morse

Cherche d'autres exemples.

- **Le système de signes le plus riche est le langage verbal.**

La communication peut être orale :

conversation   téléphone   radio   télévision

LE TEMPS RESTERA PLUVIEUX. LE VENT...

NOUVEAU TIR RÉUSSI POUR LA FUSÉE ARIANE QUI A MIS EN ORBITE UN SATELLITE...

ALLÔ ?

Cherche d'autres exemples.

Elle peut être écrite :

RAMBOUILLET 8

le panneau   la lettre   le journal   le livre   l'ordinateur

Cherche d'autres exemples.

Généralement, une situation de communication nécessite :
— un **locuteur** (celui qui communique le message) ;
— un **interlocuteur** (celui qui reçoit le message) ;
— un **message** (le contenu de ce qui est communiqué et reçu) ;
— un **moyen de communication** (téléphone, lettre...) ;
— un **langage** commun (des mots, des signes... compris par ceux qui échangent des messages).

1 **Quel est le sens des signaux suivants ?**

2 **Même exercice.**

3 **Écrire en Morse**

En Morse, *mare* s'écrit : — — / . — / . — . / .
Écris en Morse : rame, amer.
Carte s'écrit : — . — . / . — / . — . / — .
Écris : trace.

Avec tous ces renseignements, écris en Morse le mot caractère.

4 **À l'aide des éléments ci-dessus, écris en Morse les mots :**

terre - cratère - rater - écarter - tracter.

5 **Dans la vie quotidienne, on rencontre fréquemment ces signes. Quel est leur sens ?**

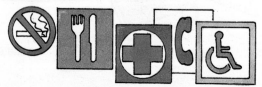

6 **Sur un guide touristique on a relevé les signes suivants. Sais-tu à quoi ils correspondent ?**

7 **Saurais-tu associer chaque signe du zodiaque au symbole qui lui correspond ?**
Ex. : Lion →

a) Taureau   b) Bélier   c) Balance
d) Poissons   e) Sagittaire

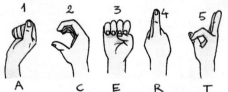

8 **Voici quelques signes du langage des sourds-muets.**

Forme les mots : car - carte - tarte - rater - crête...
Ex. : car → 214.

9 — Allô ! Julien ?
— Oui !
— Je vais à la piscine. Tu viens avec moi ?
— D'accord, Sylvain, je préviens maman.
— Rendez-vous à l'entrée, je pars tout de suite.

Lis le texte puis réponds aux questions :
Qui est le locuteur ? L'interlocuteur ?
Quel est le message ? Quel est le moyen de communication utilisé ?
Quel est le langage utilisé ?

La formation des mots

- *Lis le texte.*
- *Observe :*
— siècle est un mot simple. On ne peut ni ajouter ni ôter d'élément.
— découvrir est un mot dérivé. Il est formé du mot simple couvrir *et du préfixe* dé-.
— gagne-pain est un mot composé. Il est formé de deux mots simples.
- *Cherche dans le texte un mot simple, un mot dérivé.*

MÉTIERS DU FOND DES MERS

Depuis des siècles, hommes et femmes de certains villages côtiers cherchent d'autres trésors, naturels ceux-ci, nés dans les profondeurs des eaux : éponges ou corail, perles ou nacre.

Ce que ces pêcheurs accomplissent chaque jour nous semble à peine croyable. Ils — ou elles — s'enfoncent sous les flots, inlassablement, coulant à pic, entraînés vers le fond par une lourde pierre...

Ces pêcheurs fouillent la rocaille des yeux pour y découvrir leur précieux gagne-pain. Puis ils crèveront la surface, dans un râle de soulagement, remontant de 30, 40, 50 mètres de profondeur. Le temps de vider leur panier dans une barque, de reprendre souffle, et ils recommencent !

PIERRE AVÉROUS, *À la découverte du fond des mers*, Éd. Nathan.

Les mots français peuvent être :
- des **mots simples** (radicaux), auxquels on ne peut plus enlever aucun élément : *femme, voir, tôt* ;
- des **mots construits** :
— soit des **mots dérivés** formés à partir d'un mot simple auquel on ajoute un **préfixe** *(couvrir → dé couvrir)*, ou bien un **suffixe** *(soula-ger → soulag ement, pêche → pêch eur)*, ou les deux à la fois *(in lass ablement)* ;
— soit des **mots composés**, formés d'au moins deux mots simples *(gagne-pain, sous-marin).*

1 *Trouve le mot simple (mot radical) pour chaque série de mots construits :*

... lenteur, lentement, ralentir
... éclater, éclatement, éclatant
... miner, mineur, minerai
... après-demain, lendemain, surlendemain
... lignée, aligner, alignement
... nombreux, dénombrer, innombrable
... couture, couturier, découdre
... gardien, garderie, garde-robe
... trouvaille, retrouver, introuvable
... tissage, tisserand, tissu-éponge

2 *Trouve les mots construits dérivés que l'on peut former en ajoutant au mot simple (radical) les préfixes et les suffixes donnés :*

dé-
re-   class(e)   -ement
              -able

dé-
re-   gonfl(é)   -age
              -able

en-
dé-   courag(e)   -ement
              -able

en-
dé-   racin(e)   -ement
              -able

3 *Dans ces deux familles de mots, indique ceux qui contiennent un préfixe, un suffixe ou les deux à la fois :*

	avec préfixe	avec suffixe	avec préfixe et suffixe
nommer			
dénommer			
renom			
renommé			
nominal			
largeur			
élargir			
largement			
largesse			
élargissement			

4 *Complète les mots composés suivants :*

un tire-..., un presse-..., un hors-..., une longue-..., un sous-..., le porte-..., un pare-..., une petite-..., un arrière-..., l'avant-....

7

Expression écrite

Éviter *il y a*

☐1 *Remplace* il y a *ou* il y avait *par un verbe choisi dans la liste suivante :*

vivre - sentir - stationner - passer - flotter.

Il y a de nombreuses voitures sur le parking de l'Esplanade. - Dans le mur de l'école, il y avait un essaim d'abeilles et les élèves n'ont pas voulu qu'il soit détruit. - Depuis hier, il y a dans l'espace un vaisseau habité. - Il y a une odeur de papier brûlé dans le quartier. - À la télévision, en ce moment, il y a un film sur la vie des insectes.

Employer un adverbe

☐2 **Cet élève est intelligent. Il a répondu à la question qu'on lui posait.**
→ *Intelligemment*, cet élève a répondu à la question qu'on lui posait.
Transforme, de même :

L'antiquaire est *patient*. Il a recollé le vase cassé.
Le gardien de but est *calme*. Il renvoie la balle à ses avants.
Les enfants sont *joyeux*. Ils préparent l'anniversaire de leur grand-mère.

☐3 **Il traversa la route *avec prudence*.**
→ Il traversa la route *prudemment*.
→ Il traversa *prudemment* la route.
→ *Prudemment*, il traversa la route.
Comme dans l'exemple ci-dessus, remplace le groupe prépositionnel en italique par l'adverbe équivalent, placé en différents endroits de la phrase.

La danseuse évolue sur la scène du théâtre *avec grâce*. → . . .
Le pompier se lança dans le feu *avec courage*. → . . .
Je soigne ma chatte Minette *avec tendresse*. → . . .
Il secoua la branche de l'amandier *avec vigueur*. → . . .

Donner des instructions

☐4 *Mets le verbe à la deuxième personne du singulier du présent de l'impératif pour donner des instructions.*

Coller l'étiquette.
Mettre l'adresse.
Peser la farine.
Mélanger le beurre et les œufs.
Prendre une cuillerée à café de sirop.

Jeu poétique

☐5 *Certains mots se ressemblent parce qu'on y entend les mêmes consonnes ou les mêmes voyelles.*
Quand on entend les mêmes consonnes, on parle d'allitération ; quand on entend les mêmes voyelles, on parle d'assonance.

Cherche des allitérations et des assonances à partir de noms de pays, d'animaux, etc.

Par exemple :
Voici l'abricot qui bricole à l'abri des briques
→ allitérations en « br », assonance en « i ».
L'alligator lit dans son lit l'histoire d'Eulalie qui a tort → allitération en « l », assonance en « i ».

Reconstitution de texte

☐6 LA MER

Daniel aurait bien voulu être marin. Il n'avait qu'un désir : voir la mer...

Il apprit comme cela le cheminement de l'eau qui monte, qui se gonfle, qui se répand comme des mains le long des petites vallées de sable. Les crabes gris couraient devant lui, leurs pinces levées, légers comme des insectes. L'eau blanche emplissait les trous mystérieux, noyait les galeries secrètes. Elle montait, un peu plus haut à chaque vague, elle élargissait ses nappes mouvantes. Daniel dansait devant elle, comme les crabes gris, il courait un peu de travers en levant les bras et l'eau venait mordre ses talons. Puis il redescendait, il creusait des tranchées dans le sable pour qu'elle monte plus vite...

J.-M. G. LE CLÉZIO, *Celui qui n'avait jamais vu la mer*, Éd. Gallimard.

8

Code oral — Code écrit

AVEC ROBINSON

Lis le texte.
● *Relève les différentes façons d'écrire :*
[e], [ɛ], [ɑ̃], [ɔ̃], [s].
● *Quelles remarques peux-tu faire sur les lettres soulignées dans les mots suivants ?*
la curiosité - la cervelle immense - brisé
● *Relève des mots du texte dont les lettres finales ne se prononcent pas.*
● *Relève des accords de noms, de verbes que l'on n'entend pas à l'oral.*

Il est nuit.

Je m'en aperçois tout d'un coup. Combien y a-t-il de temps que je suis dans ce livre ? — quelle heure est-il ?

Je ne sais pas, mais voyons si je puis lire encore ! Je frotte mes yeux, je tends mon regard, les lettres s'effacent, les lignes se mêlent, je saisis encore le coin d'un mot, puis plus rien.

J'ai le cou brisé, la nuque qui me fait mal, la poitrine creuse : je suis resté penché sur les chapitres sans lever la tête, sans entendre rien, dévoré par la curiosité, collé aux flancs de Robinson, pris d'une émotion immense, remué jusqu'au fond de la cervelle et jusqu'au fond du cœur...

JULES VALLÈS, *L'Enfant.*

● On utilise **36 sons ou phonèmes** pour parler : 16 voyelles, 17 consonnes, 3 semi-consonnes (voir le tableau de l'alphabet phonétique, p. 214).
On utilise **26 lettres** (alphabet graphique), plus **5 signes complémentaires** (accents et cédille), pour écrire.
Alphabet phonétique et alphabet graphique ne coïncident donc pas.

● **Quelques difficultés de l'orthographe française :**
— Certains phonèmes apparaissent sous plusieurs formes écrites :
[ɛ̃] peut s'écrire : ***in*** *(le vin) ;* ***im*** *(le timbre) ;* ***ain*** *(du pain) ;* ***ein*** *(le rein).*
— On ne prononce pas toujours les lettres telles qu'on les voit :
*Une fe**mm**e ; un **g**obelet rou**g**e ; un ta**x**i, il est di**x** heures.*
— Beaucoup de mots s'écrivent avec des lettres finales muettes :
*Le cor**ps** ; le doi**gt** ; les oiseau**x** chant**ent**.*

---

1 *Quel est le phonème commun aux mots : rue, sur, lu, vue ? Écris-le en alphabet phonétique.*

2 *Quel est le phonème commun aux mots : rouge, vous, roux, mou ? Écris-le en alphabet phonétique.*

3 *Quel est le phonème commun aux mots : paille, panier, soleil, crayon ? Écris-le en alphabet phonétique.*

4 *Recherche les formes graphiques des phonèmes suivants : [o], [a], [f], [k]. Écris un mot-exemple pour chacun d'eux.*

5 *Transcris en orthographe usuelle la phonétique. Tous ces mots sont dans le texte.*

[rɔbɛ̃sɔ̃] - [lə livr] - [œ̃ mo] - [le lɛtr] - [lə rəgar].

6 *Écris ces mots et expressions et entoure les lettres qui ne se prononcent pas :*

le temps - les lignes se mêlent - je tends mon regard - collé aux flancs - le fond du cœur - le coin d'un mot.

7 *Dictées à préparer.*
● *Autodictée : 3ᵉ paragraphe du texte (« J'ai le cou brisé... »).*

● À LA BIBLIOTHÈQUE
J'inscris sur un bulletin vert mon nom, mon adresse, ma profession. Après quoi, essayant de faire le moins de bruit possible avec mes gros souliers, je me dirige vers le fond de la salle où des gens cherchent dans un grand fichier le titre du livre désiré. Je suis intimidé. Je n'ose pas manipuler tous ces cartons avec mes grosses mains gonflées d'engelures.

BENIGNO CACÉRÈS,
La Rencontre des hommes, Éd. du Seuil.

Passé — Présent — Futur
Temps simples — Temps composés

AVEC ROBINSON

Conjugaison

• *Relève des passages du texte :*
— *au temps présent,*
— *au temps passé,*
— *au temps futur.*
Quel mot marque chacun de ces temps ?
Fais varier ces mots pour obtenir des temps différents.
• *Compare les formes :* je vois - je rêve, *aux formes :* il m'avait oublié - il s'est souvenu.
Quelles remarques peux-tu faire ?

(L'auteur rêve…)

En ce moment où la lune montre là-bas un bout de corne, je fais passer dans le ciel tous les oiseaux de l'île, et je vois se profiler la tête longue d'un peuplier comme le mât du navire de Crusoé ! Je peuple l'espace vide de mes pensées, tout comme il peuplait l'horizon de ses craintes ; debout contre cette fenêtre, je rêve à l'éternelle solitude et je me demande où je ferai pousser du pain…

Clic, clac ! on farfouille dans la serrure.

Est-ce Vendredi ? Sont-ce des sauvages ?

C'est le petit pion qui s'est souvenu, en se levant, qu'il m'avait oublié, et qui vient voir si j'ai été dévoré par les rats, ou si c'est moi qui les ai mangés.

JULES VALLÈS, *L'Enfant.*

L'axe du temps

• *Il m'avait oublié.*   *Je rêve.*   *Je ferai du pain.*

——**Passé**——————**Présent**——————**Futur** ⟶
(avant)   (maintenant)   (plus tard)

Le verbe marque le temps de la phrase : **passé, présent, futur.** Il varie selon ce temps. La conjugaison est l'étude de ces variations.

• Le verbe peut être employé :
— à un **temps simple** : *La lune se montre. — Je ferai du pain.*
ou :
— à un **temps composé**, c'est-à-dire accompagné d'un auxiliaire, *avoir* ou *être* : *Il **a oublié**. — Il **s'est souvenu**.*

---

1 *Indique le temps de chaque phrase.*

Robinson a échoué sur une île. Il croit que cette île est déserte. Est-ce vrai ? Il grimpe au sommet d'une falaise. Il scrute longuement la mer. À cet endroit, chaque soir, il allumera un feu. Bientôt, il entreprendra la construction d'un radeau.

2 *Même exercice.*

Le vent s'était levé. D'énormes vagues déferlaient sur le pont. Le bateau s'inclinait dangereusement. « N'ayez pas peur, nous dit le capitaine. Nous atteindrons bientôt le port sans encombres. »

3 *Fais varier le verbe pour changer le temps de chaque phrase.*

Robinson fait le tour de l'île. Il ne rencontre aucun habitant. Il construit un abri. Un jour, il remarque des traces de pas sur le sol. Il n'est pas seul sur l'île. Qui est cet inconnu ?

4 *Trouve le mot ou l'expression qui pourrait se trouver au début de chaque phrase.*

… on voyageait en diligence. - … le réveil va sonner. - … nous nous déplacerons en fusée. - … les voyages en avion sont sûrs. - … j'ai rencontré Pascal qui allait à la piscine. - … ce film passera à la télévision. - … j'étais en CM_1. - … je suis en CM_2. - … je serai en 6e.

5 *Récris les phrases en changeant le temps composé en temps simple.*

Tous ces voiliers ont traversé l'Atlantique. - Julien n'a pas acheté de planche à voile. - À l'heure prévue, le navire a pris la mer. - Les chalutiers sont rentrés au port avec la marée. - Qui avait lancé un S.O.S. ? - Une forte tempête aura ravagé la côte. - Les dégâts ont été importants.

La phrase. La ponctuation

LA LONGUE-VUE

* *De combien de phrases se compose le texte ?*
* *Les suites de mots suivants constituent-elles des phrases ? Pourquoi ?*
Je Jérôme Burns m'appelle.
La longue-vue ouvrit la porte.
D'après ces exemples, indique ce qui caractérise une phrase.
* *Existe-t-il des phrases sans verbe ? En trouves-tu dans le texte ?*
* *Comment repère-t-on une phrase écrite ?*
Relève les différents signes de ponctuation du texte. Rappelle leur emploi.

« Vous désirez, Monsieur ? »

L'inconnu s'inclina devant mon père et dit :

« Je m'appelle Jérôme Burns. Jérôme Burns, chirurgien de marine. Il y a dans votre vitrine une longue-vue d'occasion qui me paraît de bonne maison. Puis-je la voir ? »

Mon père ouvrit la vitrine et sortit la longue-vue qui reposait dans une boîte tapissée de velours vert. C'était une magnifique pièce d'optique, signée et garantie...

L'étranger examina l'instrument avec soin ; une convoitise avertie se lisait sur son visage.

« Quel est le prix de cet objet ? » demanda-t-il.

Mon père le lui fit savoir.

« Je la prends, dit M. Jérôme Burns. C'est une lunette de premier ordre. »

Ce disant, il la mettait à son œil en faisant jouer la vis de l'oculaire. Il ouvrit la porte et regarda longuement dans la direction du quai.

PIERRE MAC ORLAN, *L'Ancre de miséricorde*, © groupe Fleurus Mame.

---

* Un texte est fait de phrases. **La phrase** est l'unité de base d'un texte. Elle est formée d'une suite de mots ordonnés ayant **un sens.**

* Une phrase écrite commence par une majuscule et se termine par un point.

* À l'oral, la phrase est coupée de légères **pauses** (ou silences). Celles-ci sont également marquées par des changements dans **l'intonation** (montée ou descente).
À l'écrit, c'est **la ponctuation** (virgules et points) qui joue ce rôle. (Voir le tableau, p. 12.)

---

1 *Récris seulement les suites de mots qui forment une phrase.*

Il achète une longue-vue. - C'est pièce une magnifique. - Ces jumelles bonne qualité. - La mer observait le capitaine. - À l'horizon paraissait une voile. - Du port, les marins sortaient. - Avec le ciel, il observe la lunette. - Regarde, le voilà ! - Allons-y ! - Ne penche-toi pas par la fenêtre.

2 *Même exercice.*

Quel jour est-il ? - Qu'y a-t-il ? - D'accord ! - Voici son camarade. - Il plus que grand est lui. - La pluie soufflait en rafales. - Nous partirons. - Bien sûr, entendu ! - À six heures, l'avion entra en gare. - Qui est-ce ? - C'est pas moi qui l'a fait. - Où qui va ? - J'ai été en Espagne. - Est-ce toi qui as exprimé ce souhait ?

3 *Mets en ordre les suites de mots pour former des phrases. Place correctement les majuscules.*

derrière se cache la Lune les nuages - j'ai une étoile vu de ce côté filante - avec les cratères on voit cette lunette de la Lune - la station rejoint le cosmonaute orbitale - aussi Vénus l'étoile s'appelle du berger - satellite la Lune est un de la Terre - au sommet l'observatoire est situé de la montagne - nuit quelle belle étoilée !

4 *Même exercice.*

partez-vous quand ? - vous pays quel visiterez ? - arrive son heure à quelle train ? - ne si fort pas criez ! - ce chemin, il est prenez plus court. - ouvrez pour aérer la fenêtre.

5 *Récris sous forme de phrases complètes les messages télégraphiques suivants :*

— Arriverai dimanche train onze heures. Baisers.
— Naissance Sandrine ce matin. Maman bonne santé. Grand bonheur.
— Bon voyage. Bien arrivés. Beau temps. Lettre suit.
— Accident voiture. Aucun blessé. Rentrons train dix heures.

6 *Récris sous forme de phrases complètes les petites annonces suivantes.*

— Perdu chatte blanche. Offre récompense si renseignements.
— Loue appart. 3 pces. S'adresser Mme LEBAIL.
— Vds voit. récente. Visible domicile le soir ap. 18 h.
— Achète timbres ts pays pour collection.

7 *En te servant de ces phrases comme modèles, invente, puis écris cinq phrases sans verbe.*

— Graves inondations en Dordogne.
— Forte augmentation des prix ce mois-ci.
— Linge plus blanc grâce à Belécla.

8 *Retrouve les cinq phrases du texte. Place les majuscules et les points.*

Jean de la Sorgue m'aida à monter dans l'arbre il me rejoignit à son tour nous choisîmes avec soin notre emplacement nous étions bien à l'abri et nous pouvions, en plus, découvrir la plaine et la route que nous avions suivie pendant la nuit au loin apparaissait une maison isolée.

D'après PIERRE MAC ORLAN.

9 *Retrouve les cinq phrases du texte. Place les majuscules, les virgules et les points.*

quelques maisons apparurent au détour du chemin elles étaient basses fraîchement repeintes et soigneusement closes l'une d'elles précédée d'un petit jardin bien entretenu malgré l'hiver me parut celle que je cherchais j'ouvris le portillon du jardin dans l'entrebâillement j'aperçus une vieille dame d'une cinquantaine d'années.

D'après PIERRE MAC ORLAN.

10 *Même exercice (3 phrases).*

je retins mon souffle et tournant un peu la tête j'aperçus quatre cavaliers qui occupaient toute la largeur de la route ils avançaient contre le vent et pour cette raison nous ne les avions pas entendus venir fort heureusement Jean de la Sorgue ne se trouvait jamais en défaut.

D'après PIERRE MAC ORLAN.

11 *Place les majuscules et mets la ponctuation manquante (. , ; : « »).*

ils chevauchaient doucement bercés par le pas de leurs montures l'un d'eux dit
ce n'est pas aujourd'hui que nous toucherons la prime
un camarade lui répondit
attends la fin de la nuit nous ne tarderons pas à apercevoir des feux alors Bel-Œillet tu pourras parler de la prime.

D'après PIERRE MAC ORLAN.

12 *Place les majuscules et mets la ponctuation manquante (. , ? ! ... « »).*

que se passe-t-il Louis
— ah monsieur Morgat vous ne savez pas
on vient de retrouver le corps de M. Duglois le commissaire il a été assassiné ce matin à la première heure et dans son lit
— c'est la première fois qu'un pareil événement se produit dans notre ville
mon père était indigné

D'après PIERRE MAC ORLAN.

• **Les signes de ponctuation** sont :

le point **.**	les deux points **:**
le point d'interrogation **?**	les guillemets **« ... »**
le point d'exclamation **!**	le tiret **—**
la virgule **,**	les points de suspension **...**
le point-virgule **;**	les parenthèses **( )**

Autour du mot *route*

- *Que signifie R.N. ?*
- *Qu'appelle-t-on* ouvrage d'art ? aire de pique-nique ? signalisation ?
- *Relève les mots du texte qui ont un rapport avec le mot* route.
- *Trouve des synonymes du mot* liaison *employé en parlant des routes.*

ENTRE CHÂTEAUNEUF ET PUZOL

IMPORTANTS TRAVAUX SUR LA R.N. 84

Sur la R.N. 84 entre Châteauneuf et Puzol, des travaux se dérouleront à partir du premier trimestre 1996 et se poursuivront jusqu'à la fin de l'année 1997.

Ces travaux consistent principalement en : la mise en œuvre de tapis d'enrobés sur la chaussée existante ; la rectification de virages et carrefours ; l'élargissement et la réparation d'ouvrages d'art.

Ils sont complétés par la mise en place de la signalisation, des glissières et l'équipement d'aires de pique-nique.

En raison de leur nature, ils entraîneront des restrictions de circulation.

La direction départementale de l'équipement prie les usagers et les riverains de la R.N. 84 de bien vouloir l'excuser de la gêne momentanée causée par ces travaux entrepris dans le souci d'améliorer la liaison Châteauneuf-St-Argan.

---

1 **Des routes différentes. Complète.**

Route à grande circulation entretenue aux frais de l'État : une route . . . (R.N.)
Route entretenue grâce au budget du département : une route . . .
Route à voix large, à deux chaussées séparées comptant plusieurs voies et sans croisement : une . . .

2 **Complète à l'aide des noms suivants :** circulation, gare, trafic, réseau, tunnel, carte.

L'autocar partira de la . . . routière à 15 h. - Un . . . routier est un ensemble de routes. - Allumez vos phares dans le . . . routier qui traverse la montagne. - Pour nous diriger dans cette région que nous ne connaissons pas, nous consultons une . . . routière. - Le . . . routier sera important avec le départ en vacances ; on dit aussi la . . . routière.

3 **La famille du mot route. Complète :**

la *(n. f.)* | R | O | U | T | E |

une carte *(adj. f.)* | . | . | . | . | . | . | . |

Les *(n. m.)* | . | . | . | . | . | . | . | conduisent des poids lourds.

4 **Les voies de communication. Complète avec des croix.**

	voie de communication	sur terre	dans une agglomération	entre deux agglomérations	plutôt large	à deux chaussées séparées sans croisement
route						
rue						
autoroute						
avenue						

13

5 *Des verbes qui vont avec le groupe* **sa route.** *Trouve-les.*

chercher - demander - mettre - trouver - modifier - lever - tracer - s'écarter de - perdre - suivre.

6 *Trouve des mots synonymes de* **route :**

Pour aller à Paris, nous avons choisi :

la ⬚r⬚⬚o⬚⬚u⬚⬚t⬚⬚e⬚ la plus courte.

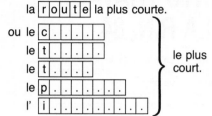

ou le ⬚c⬚⬚.⬚⬚.⬚⬚.⬚⬚.⬚⬚.⬚

le ⬚t⬚⬚.⬚⬚.⬚⬚.⬚⬚.⬚

le ⬚t⬚⬚.⬚⬚.⬚⬚.⬚ } le plus court.

le ⬚p⬚⬚.⬚⬚.⬚⬚.⬚⬚.⬚⬚.⬚⬚.⬚

l' ⬚i⬚⬚.⬚⬚.⬚⬚.⬚⬚.⬚⬚.⬚⬚.⬚⬚.⬚⬚.⬚

7 *Complète à l'aide d'adjectifs contraires :*

Tu peux doubler, la route est . . . - Cette petite route est si . . . qu'il est difficile aux véhicules de s'y croiser. - On ne voit pas de courbure sur cette route, elle est bien . . . - Celle-ci suit la vallée, les virages se succèdent, elle est . . . - Cette route du bord de mer est . . . en ce moment, aucune voiture n'y circule. Mais pendant les mois d'été elle est très . . .

8 *Comment sont les routes ?*
Rapproche les expressions de leur signification :

une route accidentée • • on y roule bien dans un beau paysage

une route en lacets • • avec des montées, des descentes et des virages

une bonne route • • un éboulement empêche le passage des véhicules

une route glissante • • à cause des pluies ou du verglas

une belle route • • les torrents d'eau l'ont labourée

une route défoncée • • conduit au sommet de la montagne

une route coupée • • on y roule bien

9 *Des expressions toutes faites.*
Rapproche chaque expression de sa signification :

être sur la bonne route • • commencer à faire un travail

barrer la route à quelqu'un • • remettre dans la bonne direction

être en route • • montrer le chemin

mettre en route un travail • • être en bonne voie

remettre sur la bonne route • • ne pas continuer

trouver sa route • • être en chemin

s'arrêter en route • • choisir ce qui convient à son caractère, à ses aptitudes

ouvrir la route • • empêcher de continuer

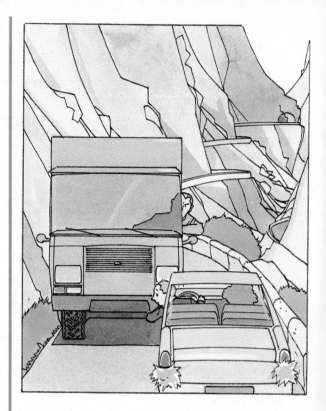

10 *Emploie une expression contenant le mot* **route** *et prise au sens figuré. (Observe l'exercice n° 9.)*

Ce garçon travaille bien, il réussira car il est . . . *(en bonne voie)* - Il faut . . . *(empêcher)* à la pollution des cours d'eau. - Sa maison n'a pu être finie, il s'est . . . *(ne pas continuer).* - Maintenant, tout va bien dans sa vie, il a . . . *(choisir ce qui convient pour soi).* - La tempête annoncée par la météo. . . *(arriver).* - On a . . . *(commencer)* les travaux de percement du tunnel sous la Manche en 1988. - Par sa découverte, ce savant a . . . *(montrer le chemin)* à des recherches nouvelles.

11 *Explique les expressions suivantes :*

le code de la route, une feuille de route, un carnet de route, la prévention routière, la police de la route, les accidents de la route, les géants de la route, les victimes de la route.

12 *Donne une signification aux expressions suivantes :*

la route des épices, la route des Indes, la route du soleil, la route des vacances, la route du sel, la route Napoléon.

13 *Trouve des expressions contenant le mot* **route** *et synonymes des expressions données :*

faire démarrer un moteur → . . .
s'écarter du chemin prévu → . . .
partir → . . .
pendant le voyage → . . .
Nous partons ! → . . . !
Bon voyage ! → . . . !
se diriger vers → . . .

Les accents

UNE RENCONTRE

Au centre du village, ils rencontrèrent un homme de haute taille qui marchait au milieu de la route.

— Qui va là ? cria cet homme en arrêtant le cheval.

Ayant aussitôt reconnu Vassili Andréitch, il saisit un des brancards et parvint ainsi en tâtonnant jusqu'au traîneau sur le rebord duquel il s'assit.

C'était Issaï, un marchand que connaissait bien Vassili Andréitch, un voleur de chevaux célèbre dans tout le district.

LÉON TOLSTOÏ, *Maître et Serviteur*, trad. B. de Schloezer, Éd. Gallimard.

- *Quelles lettres du texte portent un accent grave ? Cet accent peut-il se placer sur d'autres lettres ? Lesquelles ? Donne des exemples.*
- *Mêmes questions pour l'accent aigu, l'accent circonflexe.*
- *Sur quelles lettres peut-on placer le tréma ? Donne des exemples.*

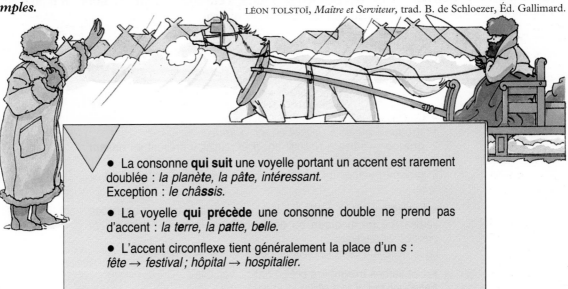

- La consonne **qui suit** une voyelle portant un accent est rarement doublée : *la planète, la pâte, intéressant.*
Exception : *le châssis.*

- La voyelle **qui précède** une consonne double ne prend pas d'accent : *la terre, la patte, belle.*

- L'accent circonflexe tient généralement la place d'un *s* :
fête → festival ; hôpital → hospitalier.

---

1 *Mets les accents manquants dans le texte suivant :*

Les hommes se disposaient a se regaler de the ; le samovar grondait deja sur le plancher, pres du poele. Sur le poele, et sur les planches placees au-dessus, des enfants etaient couches ; une femme etait assise sur un banc pres du berceau. La vieille, la menagere, au visage tout creuse de plis minces qui marquaient meme ses levres, s'affairait aupres de Vassili Andreitch.

LÉON TOLSTOÏ

2 *Même exercice avec les phrases suivantes.*

— De ce cote, je ne vois rien ; il faut regarder par la.
— Chaque annee, les chretiens celebrent la fete de Noel.
— Il reste peut-etre une chambre dans cet hotel.
— Cette piqure de guepe lui brule la peau.

3 *Récris les mots suivants. Mets les accents manquants.*

terminer - preciser - esperer - verser - presser - feter - accepter - repeter - reciter - chercher.

4 forestier → forêt. *Trouve le mot de la même famille montrant le rôle de l'accent circonflexe (il remplace le s).*

arrestation - bestial - déguster - bastonner - ancestral.

5 *Écris les adjectifs formés à partir des noms suivants.*
Ex. : la célébrité → célèbre.

la sévérité - la fidélité - la nécessité - la perplexité - l'extrémité.

6 *Dictées à préparer.*
- *Autodictée : le texte d'étude jusqu'à « s'assit ».*

- LA TEMPÊTE
L'endroit où s'arrêta Nikita était en contrebas et se trouvait quelque peu protégé de la tempête par la crête du ravin. À certains instants, le vent paraissait faiblir, mais ces accalmies relatives ne duraient pas, et après cela, comme si elle eût voulu rattraper le temps perdu, la tempête se remettait à souffler avec une force décuplée.

LÉON TOLSTOÏ

Le verbe : groupes, radical et terminaison

● Relève les verbes du texte ; écris leur infinitif.
Classe ces verbes selon le groupe auquel ils appartiennent.
Pourquoi glapir et venir n'appartiennent-ils pas au même groupe ?
● Il glap/issait ; il glap/ira. À quels temps est écrit ce verbe ?
Comment nomme-t-on la partie commune ? la partie distincte ?
● On dit que faire est un verbe irrégulier. Pourquoi ?

UN CHIEN TROUVÉ

— D'abord, quand on est un chien trouvé, on ne fait pas de manières !

C'est La Poivrée qui glapit. Elle a une voix terriblement aiguë. Ses mots rebondissent contre les murs, le plafond et le plancher de la cuisine. Ils se mêlent aux tintements de la vaisselle. Trop de bruit. Le chien n'y comprend rien. Il se contente d'aplatir ses oreilles et d'attendre que ça passe. De toute façon, il en a entendu d'autres ! Qu'on le traite de chien perdu ne le touche pas beaucoup. Oui, il a été chien perdu, et alors ? Il n'en a jamais eu honte. C'est comme ça.

DANIEL PENNAC, *Cabot-Caboche*, Éd. Nathan.

● On classe les verbes en trois groupes :
1er groupe : verbes à l'infinitif en *-er* → *trouver*.
2e groupe : verbes à l'infinitif en *-ir* et participe présent en *-issant* → *glapir, glapissant*.
3e groupe : verbes à l'infinitif en *-ir* → *venir* ; *-oir* → *savoir* ; *-re* → *faire*.

● Le **radical** est la partie invariable du verbe (dans la plupart des verbes). La **terminaison** ou **désinence** est la partie variable : *tu pass/es, tu pass/ais*.
La terminaison varie selon le mode, le temps, la personne.

● Les verbes **irréguliers** ont un radical variable :
Faire → *il **fait**, il **fe**ra*. **All**er → *je **vais**, j'**i**rai*.

[1] **Indique le groupe (1, 2 ou 3) des verbes suivants :**

sortir - avancer - voir - grandir - punir - dormir - écrire - plier - prendre - lier - finir - lire.

[2] **Complète, pour obtenir des infinitifs.**

détrui. . . - atteind. . . - souffl. . . - fui. . . - pouv. . . - apercev. . . - gross. . . - cueill. . . - recev. . . - parcour. . .

[3] **Chasse l'intrus de chaque ligne ; dis pourquoi.**

— aboutir - accomplir - éblouir - fuir - guérir.
— partir - accourir - surgir - tenir - recueillir.
— nourrir - franchir - réussir - avertir - sortir.

[4] **Écris cinq verbes du 2e groupe à l'infinitif.**

[5] **Entoure le radical des verbes suivants :**

nous rentrons - ils arrivent - tu franchis - je réussirai - vous partez - elle avait - il bavardait - on obéit.

[6] **Entoure la terminaison des verbes suivants :**

tu changes - vous écoutiez - nous agissons - elle pâlit - je répondais - ils sortent - tu fais - il remuait.

[7] **Retrouve les cinq verbes irréguliers qui se cachent dans cette liste. Pense à l'infinitif de chacun d'eux.**

tu viens - je chantais - nous voyons - il a vécu - vous finissez - ils écoutèrent - qu'il puisse - elle punissait - j'irai.

Les types de phrases

● *Relève dans le texte :*
— *les phrases interrogatives,*
— *les phrases exclamatives,*
— *les phrases impératives.*
● *Indique ce qui distingue chacun de ces types.*
Rappelle les règles de ponctuation de ces phrases.
● *Comment peut-on définir la phrase déclarative ?*
Cite des exemples de ce type pris dans le texte.

ÉPHIME EST À LA PÊCHE...

Où est le berger ? fait une voix sur la rive. Éphime ! Berger ! Où es-tu ? Les bêtes sont dans le parc ! Fais-les sortir ! Où est-il donc, ce vieux brigand ?

On entend une voix d'homme, puis une voix de femme... Derrière la grille du parc apparaît M. André en robe de chambre, en châle persan, un journal à la main... Il regarde d'un air interrogateur dans la direction des cris qui viennent de la rivière, puis se dirige à petits pas rapides vers la baignade...

— Qu'est-ce qui se passe ? Qui est-ce qui crie ? demande-t-il sévèrement, en apercevant entre les branches du saule les trois têtes mouillées des pêcheurs. Qu'est-ce que vous farfouillez là ?

— Nous... nous pêchons... bafouille Éphime, sans lever la tête.

— Je vais t'apprendre à pêcher ! Les bêtes sont dans le parc et il pêche !...

ANTON TCHEKHOV, *Histoires pour rire et pour sourire*, L'École des loisirs.

● On distingue quatre types de phrases :
— **La phrase déclarative,** qui déclare, affirme quelque chose :
Le berger pêche.
— **La phrase exclamative,** qui exprime l'étonnement, la joie, la colère :

Je vais t'apprendre à pêcher !
— **La phrase impérative,** qui permet d'exprimer un ordre, un conseil :

Ne pêche pas dans ce torrent.
— **La phrase interrogative,** qui questionne sur quelque chose :
Où est le berger ?

● L'interrogation peut porter sur toute la phrase (**interrogation totale**) ; la réponse est alors *oui* ou *non.*
Il existe trois formes possibles :
Viendra-t-il ?
Est-ce qu'il viendra ?
Il viendra ?

L'interrogation peut porter sur une partie de la phrase (**interrogation partielle**). Elle se fait à l'aide de mots interrogatifs :
Qui pêche dans ce torrent ? (Réponse : *Éphime et ses amis.*)

1 *Invente une phrase de chaque type. Attention à la ponctuation !*

2 *Place la ponctuation manquante dans les phrases suivantes :*

Est-ce que ça mord... Quel fin pêcheur ... Ne fais pas de bruit en t'approchant du bord ... Tire, tire, le bouchon s'enfonce ... Connais-tu le nom de ce poisson ... Comme il est gros ... Regarde ces mâchoires ... Quel monstre ...

3 *Transforme les phrases suivantes en phrases exclamatives. Varie les mots exclamatifs.*

Cet orage est violent. - Nous sommes fiers de toi. - Ce paysage est magnifique. - C'est une drôle d'histoire. - Pierre est peureux. - C'est un bon musicien. - J'aime ce parfum. - L'hiver fut rude.

4 *Place les points d'exclamation comme il convient pour faire des phrases exclamatives.*

Je n'irai pas. - Assez vous m'agacez. - Encore un but. - Tiens la voilà. - Aïe elle m'a piquée. - Il a glissé et crac la branche a cédé. - Hop je saute le ruisseau. - Hélas il s'est perdu. - Plouf elle a plongé. - À l'aide Au secours elle se noie.

5 *Papa parle de sa nouvelle voiture (sa ligne ; sa nervosité ; sa tenue de route ; sa consommation ; son confort...).*
Écris un court texte formé de quelques phrases exclamatives.

6 *Écris quatre slogans publicitaires connus, utilisant l'impératif. Invente-les au besoin.*
Ex. : Gagnez du temps, prenez le train !

7 *Écris les phrases suivantes à l'impératif.*

1. En ce moment, vous pouvez profiter de notre offre exceptionnelle. - 2. Vous pouvez entrer sans frapper. - 3. Ne pas faire de bruit après dix heures, s'il vous plaît. - 4. Tu ne poses pas de questions et tu fais ce qu'on te demande. - 5. Tu ajoutes le lait, le sucre, tu mélanges et tu laisses reposer. - 6. Nous devons être vigilants ; nous devons défendre la nature.

8 *Utilise l'impératif pour écrire quelques consignes pouvant être placées à l'entrée de la forêt et visant à la protéger (propreté - incendie - respect des végétaux).*
Ex. : N'allumez pas de feu.

9 *En quelques phrases, écris les recommandations que tu ferais à un jeune cycliste qui emprunte une chaussée dangereuse.*

10 *Transforme les phrases déclaratives suivantes en phrases interrogatives. Varie les formes d'interrogation.*

La pêche est son sport favori. Dimanche tu iras avec lui. Vous partirez très tôt. Vous passerez de longues heures au bord de l'eau. Julien aime aussi la pêche. Il rentre souvent bredouille. La truite est un poisson fin. Il y en a dans ce torrent.

11 *Transforme ces phrases en phrases déclaratives.*

Sandra aime-t-elle la danse ? - Comme cette musique est douce ! - Est-ce que « la petite sirène » est un conte d'Andersen ? - Quelle aventure extraordinaire ! - Taisez-vous ! - Que les hivers sont longs dans ce pays ! - Ne traverse jamais la rue en courant.

12 *Transforme les phrases déclaratives en phrases interrogatives, en inversant le sujet selon le modèle.*
Ex. : Hervé porte un chapeau. → Hervé porte-t-il un chapeau ?

Julien quitte l'école. - Jérôme attend sa petite sœur. - Séverine achète des fleurs. - Christelle range sa chambre. - Cécile prend l'ascenseur. - Romain distribue le courrier. - Nathalie écoute un disque. - Philippe prépare le repas.

13 *Même exercice.*

Il y a du monde dans ce restaurant. - Il y a un invité en retard. - Il y a du pain sur la table. - Il y a une tarte comme dessert.

14 *Trouve les questions correspondant aux réponses ci-dessous.*

Cet appareil coûte 325 F. - Il ira chez sa tante mercredi prochain. - Il a perdu parce qu'il a mal joué. - Le mont Everest se trouve dans l'Himalaya. - J'ai dix ans. - C'était Louis XIV qu'on appelait « le roi Soleil ». - Le 14 juillet on fête l'anniversaire de la Révolution. - Les habitants de Toulouse s'appellent les Toulousains.

15 *Écris les questions relatives à un questionnaire d'enquête portant sur les points suivants : goût pour la lecture - le bricolage - la promenade - pratique d'un sport - émissions T.V. préférées - goût pour les collections. Varie les formes utilisées.*

Les familles de mots

L'APICULTEUR ET LE MIEL

Mon grand-père avait un petit rucher de dix ruches. Un jour du mois de mai, je l'ai vu enrucher un essaim d'abeilles qu'il avait cueilli sur la branche du poirier. Le mois de juillet était le temps des miellées, c'est-à-dire le moment où les abeilles récoltent le nectar des fleurs.

En septembre, grand-père enlevait le miel de ses ruches. Les rayons gonflés et lourds étaient transportés à la miellerie. C'est là, dans cette pièce, que se trouvait un appareil nommé extracteur et dans lequel tournaient les rayons. Ce mouvement permettait au miel de sortir des alvéoles de cire.

Quand grand-père, de ses doigts mielleux, ouvrait le robinet de l'appareil, alors le miel doré, brillant et parfumé coulait. Il me disait : « Goûte, petit : le miel, ça fait des costauds ! »

- **Relève les mots qui se ressemblent et qui font penser à la même idée. Il y a deux séries, deux familles.**
- **À partir du mot fleur, trouve des mots dérivés.**
- **Reconstitue la famille du mot doré et du mot parfumé.**

À partir du **mot simple** *miel*, on a formé les **mots dérivés** *mielleux, miellerie, miellée.* L'ensemble de ces mots constitue une **famille de mots** : ce sont des mots qui se ressemblent et font penser à la même idée.

1 | **Dans chaque famille de mots, il y a un intrus. Place-le en dehors de la famille.**

élégant	produit	terreur
éléphant	producteur	terroriste
élégance	professeur	terroriser
élégamment	production	terrifiant
inélégant	reproduire	terrestre

2 | **Trouve quatre mots dérivés du mot café (le grain de café).**

Appareil ménager qui sert à faire ou à verser du café :
une . . . .
Arbuste dont la graine donne le grain de café :
le . . . .
Produit présent dans le café et utilisé comme tonique :
la . . . .
Café débarrassé de la caféine :
. . . .

3 | **Dans chaque ensemble de mots, une famille de mots se cache. Retrouve cette famille.**

a) aliment, alimenter, aligner, sous-alimenté, albatros, alimentation, acrobate, alimentaire, sura-limentation, allergie, alligator.
b) habile, habiter, habitant, halte, habiller, habitat, cohabitation, habituer, inhabitable, inhabité, haleter, habitation.

4 | **Trouve trois mots dérivés du mot café (éta-blissement où l'on peut consommer des boissons).**

Celui qui tient un café :
le . . . .
Établissement où l'on consomme des boissons non alcoolisées :
une . . . .
Café où un spectacle est donné :
un . . . . -. . . . . . .

5 | **Trouve ces trois mots dérivés. À partir de quel mot ont-ils été formés ?**

Mot simple : *une . . . .*

On en trouve aux grandes fenêtres des églises, avec de belles couleurs :
les . . . . . .

Il a remplacé le carreau :
le . . . .

C'est la devanture du commerçant où sont expo-sés les objets à vendre :
la . . . .

Donner des instructions

1 *Donne des consignes ou des instructions en employant la deuxième personne du pluriel de l'impératif.*

Plier la feuille en deux.

Noter l'heure du rendez-vous.

Brancher les haut-parleurs.

Mélanger le rouge et le blanc.

Ajouter un peu de crème.

2 *Donne des consignes ou des instructions en commençant par « Tu dois ».*

Commence en haut de la page.

Retrouve les mots du texte.

Analyse la phrase.

Invente une histoire.

Fais attention au temps des verbes.

3 *Donne des instructions en employant la deuxième personne du singulier de l'impératif, à la forme négative.*

Traverser sans regarder.

Sortir sans mettre un imperméable.

Prendre froid.

Courir trop vite.

Marcher dans les flaques d'eau.

4 *Donne la signification des panneaux routiers suivants en commençant par « On ne doit pas ».*

Ex. :   On ne doit pas tourner à droite.

Jeu poétique

5 *À quoi penses-tu ?*
Par exemple, le mot feu *peut faire penser à tous les mots qui sont dans les feuilles de cet arbre...*

● *Dessine à ton tour des arbres avec tous les mots qui te viennent à l'idée, à partir des mots suivants :*

enfant - malade - faim - pollution - oiseau - bateau.

Reconstitution de texte

6 LE SENTIER

C'était un beau sentier de nuit, un de ces sentiers qui vous accompagnent, avec lesquels on peut parler, et qui vous font, tout le long du chemin, un tas de petites confidences. On y marche sans crainte, avec légèreté. Comme ils ont conservé une grande innocence, ils ne sauraient vous fourvoyer. Sur eux, le temps ne compte plus et l'espace fond amicalement dans le plaisir nocturne de la marche.

HENRI BOSCO, *L'Enfant et la rivière*, Éd. Gallimard.

Choisir entre *a* et *à* ; *ou* et *où*

LE DÉLUGE

● *Quelle est la nature :*
— *de a sans accent ?*
— *de à accentué ?*
● *Par quoi peut-on remplacer* ou *sans accent ? Qu'exprime ce mot ?*
Qu'indique où *accentué ?*

Entre la mer et la terre, nulle différence n'apparaissait plus… L'un se réfugie sur une colline, l'autre, installé dans une barque aux flancs incurvés, se guide *à* la rame là *où* il avait labouré naguère ; celui-là navigue au-dessus de son champ de blé *ou* du toit de sa ferme submergée ; celui-ci prend un poisson au sommet d'un orme ; c'est dans une verte prairie, si le hasard l'*a* voulu, que s'enfonce l'ancre, *ou* bien, de leur quille les barques courbes écrasent les vignes qu'elles surnagent.

OVIDE, *Les Métamorphoses.*

● *a,* verbe *avoir,* peut se remplacer par *avait.*
a est une **préposition.**
Après *a,* le verbe s'écrit au participe passé. Après *à,* il s'écrit à l'infinitif :

L'eau a **commencé à monter.**

● *Ou* indique un choix et peut se remplacer par *ou bien. Où* indique le **lieu :**

Où ira-t-il ? À la mer **ou** à la montagne ?

1 *Complète par a ou à.*

La digue . . . empêché l'inondation. - La météo . . . prévu un fort coup de vent. - Après la tempête, cette région . . . besoin d'aide. - La planche . . . voile est dangereuse par gros temps. - Le pêcheur . . . renoncé . . . prendre la mer.

2 *Complète avec le participe passé ou l'infinitif.*

Toute la nuit, le vent a souffl . . . ; il a couch . . . les blés. Ce matin, la pluie s'est mise à tomb . . . . L'automobiliste a cherch . . . à évit . . . un obstacle.

3 *Complète par ou ou bien par où.*

Je ne sais plus . . . je l'ai rencontré. - . . . . vas-tu ? - Savez-vous . . . je peux le voir ? - Il habite la ville . . . la banlieue ? - Par . . . passez-vous ? - Je partirai ce soir . . . demain matin. - . . . . il écrit, il téléphone, mais il me dit . . . il est. - . . . . qu'il soit, je le retrouverai.

4 *Complète par m'a ou ma ; t'a ou ta ; l'a ou la. Ex. : Il m'a (m'avait) porté ma valise.*

m'a *ou* ma. Il . . . offert ce collier pour . . . fête. - . . . sœur . . . promis de venir. - Cette personne . . . indiqué . . . route.
t'a *ou* ta. Elle . . . emprunté . . . montre. - Avec . . . moustache, il ne . . . pas reconnu. - Sors de . . . cachette, on . . . vu.
l'a *ou* la. . . . vipère . . . piqué au talon. - Céline . . . appelé par . . . fenêtre. - On . . . vue, on . . . reconnue.

5 *Dictées à préparer.*
● *Autodictée :* Depuis : « L'un se réfugie… » jusqu'à : « au sommet d'un orme ».

● À LA RENCONTRE DES EAUX
Olivier essayait de surprendre les secrets aquatiques, de distinguer le lit de la rivière à travers l'eau couleur de ciel, s'arrêtant au spectacle d'une branche immergée, de petites bulles éclatant à la surface et faisant des ronds qui témoignaient de présences animales ou végétales.

D'après ROBERT SABATIER, *Les Fillettes chantantes.*

Conjugaison

Le présent de l'indicatif : verbes *être* et *avoir*

● *À quel temps est écrit ce texte ?*
Qu'exprime généralement ce temps ?
Donne un exemple pris dans le texte.
● *Relève un passage exprimant :*
— un fait habituel,
— un avis, une remarque générale.
● *Conjugue les verbes* être *et* avoir *au présent.*

LE PETIT PRINCE ET LE RENARD

— S'il te plaît… apprivoise-moi ! dit le renard.

— Je veux bien, répondit le Petit Prince, mais je n'ai pas beaucoup de temps. J'ai des amis à découvrir et beaucoup de choses à connaître.

— On ne connaît que les choses que l'on apprivoise, dit le renard. Les hommes n'ont plus le temps de rien connaître. Ils achètent des choses faites chez les marchands. Mais comme il n'existe point de marchands d'amis, les hommes n'ont plus d'amis. Si tu veux un ami, apprivoise-moi !

ANTOINE DE SAINT-EXUPÉRY, *Le Petit Prince*, Éd. Gallimard.

● Le **présent de l'indicatif** s'emploie généralement pour exprimer ce qui se passe au moment où l'on parle : *En ce moment, je lis.*

● Mais il permet aussi d'exprimer :
— ce qui est habituel : *Chaque jour il lit le journal ;*
— un avis, une remarque générale : *La lecture **est** une source de plaisir ;*
— un passé proche : *Il se lève à l'instant ;*
— un futur proche : *Il vient ce soir.*

Avoir		Être	
j'ai	nous avons	je suis	nous sommes
tu as	vous avez	tu es	vous êtes
il, elle, on a	ils, elles ont	il, elle, on est	ils, elles sont

---

1 *Souligne les verbes écrits au présent de l'indicatif.*

Si tu m'apprivoises, nous aurons besoin l'un de l'autre. Tu seras pour moi unique au monde… Ma vie est monotone. Je chasse les poules, les hommes me chassent… Le renard se tut et regarda longtemps le Petit Prince… Je te regarderai du coin de l'œil et tu ne diras rien… Le langage est source de malentendus.

D'après A. de SAINT-EXUPÉRY

2 *Classe en deux groupes et distingue : a) ce qui est actuel, b) ce qui est habituel.*

Chaque semaine il achète cette revue. - Il rentre tous les soirs à sept heures. - Depuis une heure il suit une émission à la télévision. - Il gare toujours sa voiture ici. - Aujourd'hui, il est en retard. - Une voiture ralentit : c'est lui !

3 *Termine les proverbes suivants :*

La raison du plus fort... - Qui va à la chasse... - Plus on est de fous... - Comme on fait son lit... - Qui veut voyager loin...

4 *Classe en deux groupes et distingue : a) le passé proche, b) le futur proche.*

Je pars dans cinq minutes. - Il vient ce soir. - Nous arrivons à l'instant. - Ils vont à la piscine cet après-midi. - Je l'attends depuis une heure. - Je prends le train dans un instant.

5 *Remplace les points par le verbe* être *ou le verbe* avoir *au présent.*

Nous … bientôt en vacances. - Tu … une jolie jupe. - Vous … le soleil dans les yeux. - Ils … contents de venir. J'… un train à prendre. - Tu … sur cette photo. - Nous … un long chemin à parcourir. - Vous … le plus rapide.

6 *Même exercice.*

Tu … un beau vélo. - Tu … le plus jeune de la classe. - Elle n'… pas là. - Est-ce que tu … de la monnaie ? - Il n'… pas de chance. - J'… un vêtement neuf. - Il … tard et tu … encore au travail.

Donner des consignes

● Lis les consignes et regarde bien les croquis. Relève, dans l'ordre, les quatre consignes principales.
● Relève et classe les consignes qui précisent ce qu'il faut faire :
— pour protéger la zone brûlée,
— pour surveiller le brûlé.
● Relève les verbes à l'infinitif.

QUE FAIRE EN CAS DE BRÛLURE GRAVE ?

1. Appeler le SAMU.

En attendant le médecin :

2. Baigner ou arroser la zone brûlée.

Placer la brûlure sous l'eau froide, mais pas glacée, pendant dix minutes.

3. Protéger la zone brûlée.

Poser sur la brûlure une compresse de gaze ou, à défaut, un linge propre.

4. Surveiller le brûlé.

L'allonger sur le dos, si cette région n'est pas brûlée, et surveiller sa respiration, son pouls.

Pour donner des consignes, il faut :
— être **bref** et **précis** ;
— mettre les verbes à l'impératif ou à l'infinitif ;
— **respecter l'ordre des actions** à exécuter, par exemple en les numérotant ;
— distinguer la **consigne principale** (« *Baigner ou arroser la zone brûlée* », en caractères gras ou en grosses lettres) et les **consignes secondaires** qui sont des précisions complémentaires (« *Placer la brûlure sous l'eau froide, mais pas glacée...* », en caractères maigres ou plus petits) ;
— illustrer, si nécessaire, par des croquis qui aideront à mieux exécuter les actions.

1 *En t'inspirant de ce que tu viens d'étudier et en suivant les conseils donnés, tu vas rédiger des consignes à appliquer pour porter secours à un piéton qui a été renversé par une voiture.*

• *Regarde bien les croquis.*

• *N'oublie pas de donner les consignes dans l'ordre.*

• *Souligne la consigne principale, puis donne les consignes secondaires qui la précisent.*

• *Vérifie que tous les verbes sont à l'infinitif ou à l'impératif.*

2 *Ces consignes sont mauvaises. Elles sont même totalement fausses. Récris-les.*

COMMENT PRÉVENIR LES ACCIDENTS DOMESTIQUES

— Mettre toujours le manche de la casserole vers l'extérieur quand on fait bouillir un liquide.

— Ouvrir le gaz longtemps avant de craquer l'allumette.
— Poser sa cigarette allumée sur le bord de la nappe.
— Ranger les produits dangereux le plus bas possible.
— Ouvrir une boîte de conserve avec un couteau.
— S'exposer le plus longtemps possible au soleil.
— Recongeler un produit surgelé.

3 *À partir de cet article de journal, rédige quelques consignes. Quelles précautions doit-on prendre quand on voyage en voiture avec un animal ?*

• *Fais l'inventaire des mesures de sécurité à prendre dans la voiture et à l'arrêt.*

• *Pense également aux besoins de l'animal : nourriture, eau, etc. (N'oublie pas que l'été, il fait très chaud dans une voiture !)*

Retrouvailles inespérées

Samedi soir, le jeune Fabien, demeurant à Dunkerque, regardait la télévision lorsqu'il a entendu gratter à la porte du pavillon qu'il habite avec ses parents. Intrigué, il est allé ouvrir et c'est alors qu'il a eu la plus belle surprise de sa vie : son chien qu'il avait perdu sur une aire d'autoroute, près de Toulouse, le mois dernier, était revenu ! Toutes les recherches étaient restées vaines et Fabien n'espérait plus revoir son vieux compagnon.

4 *Remets ces consignes dans l'ordre et récris-les en employant l'infinitif chaque fois que c'est possible.*

VOTRE ENFANT VOYAGE SEUL

1. Enfin, vous pouvez donner à votre enfant un goûter et une boisson.
2. Dès le départ du train, prévenez les personnes qui viendront le chercher.
3. Prévoyez d'abord un bagage léger et mettez une étiquette avec son nom et son adresse.
4. Vérifiez ensuite que votre enfant a bien son billet sur lui.
5. Avant d'entrer sur le quai, le billet doit être composté.
6. Une heure avant le départ, vous prendrez contact avec l'hôtesse.
7. En même temps que le billet, donnez à votre enfant la décharge de responsabilité que vous n'oublierez pas de signer.

5 *Écris quelques consignes pour éviter les accidents dans la cour de récréation.*

• *Pense à tous les dangers : le bitume qui écorche quand on tombe, les grillages autour des arbres, les escaliers qui glissent, les portes des toilettes, etc.*

• *Emploie des verbes à l'infinitif ou à l'impératif.*

• *Consulte le règlement qui est affiché dans les couloirs ou dans les classes.*

La phrase : forme affirmative et forme négative

● *Relève dans le texte les phrases à la forme négative.*
● *Écris-les à la forme affirmative.*
Quels mots ont été effacés ? Rappelle la place particulière de ces mots lorsqu'ils sont employés :
— avec un temps simple,
— avec un temps composé.
● *Emploie ces phrases avec d'autres négations que tu connais.*
● *Quelle est la forme négative des phrases suivantes ? Changez l'eau. Avez-vous changé l'eau ?*

DU SOUCI POUR LE POISSON ROUGE !

« Hé ! ça suffit, Morty ! nous faisons peur à César. Il s'agite comme un sous-marin qui a perdu la boussole.
— Qu'est-ce qu'il fait ?
— Je ne sais pas trop. Il monte et redescend sans arrêt. Viens voir ! Je ne trouve pas ça rassurant. »
César était à coup sûr très agité. Il partait d'un coin de son aquarium, donnait un brusque coup de queue qui ridait la surface de l'eau, filait vers l'autre coin et recommençait son manège. Il semblait si différent de son habitude que les deux garçons s'inquiétèrent.
« Ce ne peut pas être parce qu'il a faim, dit Bennett... »
Mortimer eut beau consulter le petit livre de Bromwich sur les soins à donner aux poissons rouges, il ne découvrit aucune maladie qui se manifestât par de tels symptômes.
« Je ne crois pas qu'il soit malade, déclara Bennett. C'est tout simplement qu'il s'ennuie et a besoin d'un peu d'exercice... »

ANTHONY BUCKERIDGE, *Bennett et sa cabane*, Hachette-Poche.

Chacun des types de phrases (déclaratif, interrogatif, exclamatif, impératif) peut s'écrire à la **forme affirmative** ou à la **forme négative.**
Vous achèterez un poisson rouge → phrase **déclarative affirmative.**
Vous n'achetez pas de poissons rouges → phrase **déclarative négative.**
N'achetez pas de poissons rouges → phrase **impérative négative.**
N'achèterez-vous pas un poisson rouge ? → phrase **interrogative négative.**

● La négation peut être **totale** : *ne... pas, ne... plus, ne... jamais, ne... rien, ne... personne, ne... aucun...*
    *Je n'entends **rien** ; je **ne** vois **personne**.*

● La négation peut être **partielle** : *ne... guère, ne... pas beaucoup.*
    *Je n'aime pas **beaucoup** le poisson.*

● La **double négation** est marquée à l'aide de *ne... ni... ni.*
    *Je **ne** bois **ni** thé, **ni** café.*

● *Ne... que* marque **la restriction :**
    *Il **ne** mange **que** du poisson.*

1 *Voici des affirmations. Quand elles sont fausses, transforme la phrase pour écrire la vérité.*

La baleine est un poisson. - En France, on rencontre encore des loups dans les forêts. - Les grands ducs sont des oiseaux qui chassent souvent le jour. - Le dromadaire a quelquefois deux bosses. - Le Mont-Blanc est la plus haute montagne d'Europe. - Il est sourd : il ne voit rien.

2 *Écris à la forme négative :*

Cette clef ouvre cette porte. - Dans ce vase, maman met toujours des fleurs. - Cette vieille bicyclette roule encore. - Jean-Marc sait déjà ce qu'il fera plus tard. - Séverine veut être professeur. - Anne-Sophie aime beaucoup les mathématiques.

3 *Même exercice.*

Sandra a téléphoné à Julien. - Elle est allée à la piscine. - Nathalie a déjà plongé du tremplin. - Nicolas a réussi à nager sous l'eau. - Il s'est beaucoup entraîné. - Sarah a toujours eu peur de l'eau.

4 *Écris le contraire :*

Je n'ai pas vu ce film. - Elle ne va jamais au théâtre. - Il est dangereux de traverser ici. - Loïc n'habite plus à cette adresse. - Ce commerçant n'a jamais de monnaie. - Je n'ai pas bu de café.

5 *Récris correctement ces formes négatives utilisées parfois à l'oral.*

Laurence a pas voulu répondre. - T'as pas vu mon cahier ? - Je trouve plus mes lunettes. - On peut pas entendre ce qu'il dit. - Y veulent pas venir. - Me laisse pas tomber. - J'irai plus. - Je le connais pas.

6 *Écris à la forme négative :*

Je vois quelqu'un. - J'entends quelque chose. - J'y vais quelquefois. - Il m'attend toujours. - Tu as fait une faute. - J'ai encore de l'argent.

7 *Comme sur le modèle ci-dessous, forme une seule phrase en employant la double négation.*
Ex. : Je n'aime pas le thé. Je n'aime pas le café. → Je n'aime ni le thé, ni le café.

Je ne connais pas son nom. Je ne connais pas son adresse. - Elle ne ressemble pas à son frère. Elle ne ressemble pas à sa mère. - Je n'ai pas faim. Je n'ai pas soif.

8 *Sur le modèle ci-dessus, construis deux phrases en utilisant la double négation.*

9 *Écris les phrases suivantes à la forme négative.*
Ex. : Êtes-vous inquiète ? → N'êtes-vous pas inquiète ?

Êtes-vous fatiguée ? - Avez-vous froid ? - Viendras-tu ? - Travaille-t-il ici ? - Est-elle timide ?

10 *Même exercice.*

Ont-ils gagné la partie ? - Prend-elle le train chaque jour ? - Aimez-vous cette musique ? - Connaît-il votre adresse ? - Jouaient-elles avec vous ?

11 *Écris ces conseils à la forme négative.*

Approchez. - Fermez la porte. - Parlez à voix basse. - Travaillez plus vite. - Attendez son retour.

12 *Emploie la forme* ne… que *dans les phrases suivantes.*

Ce chien obéit à son maître. - La neige recouvre les hauts sommets. - Le rossignol chante la nuit. - L'hirondelle revient au printemps. - J'ai dix francs en poche.

ÉCRIRE

13 *Les dangers de l'électricité.*
Écris, en quelques phrases impératives négatives, les conseils que tu donnerais à un jeune enfant pour le protéger de ces dangers.

14 *Les dangers de la foudre.*
Même exercice.

Le dictionnaire

capot

capot n. m. Ce qui recouvre le moteur d'une voiture. *Le pompiste soulève le capot pour vérifier le niveau d'huile.*

capote n. f. 1. Grand manteau militaire. *Les soldats portent des capotes kaki.* 2. Toit pliant en tissu imperméable, sur les voitures décapotables. ▷ DÉCAPOTABLE.

capoter v. (conjug. 1). *La voiture a capoté,* elle s'est retournée et s'est retrouvée sur le toit.

câpre n. f. 1. Bouton d'un arbuste que l'on conserve dans du vinaigre et que l'on met dans certains plats. *Au menu d'aujourd'hui, il y a de la raie aux câpres.*

caprice n. m. *Julie fait souvent des caprices,* elle se met en colère pour obtenir ce qu'elle veut.

▶ **capricieux** adj. *C'est une enfant très capricieuse,* qui fait des caprices.

capsule n. f. 1. Bouchon en métal qui sert à fermer certaines bouteilles. *La capsule d'une bouteille de bière.* 2. *Les cosmonautes ont pris place dans la capsule spatiale,* dans la partie habitable de la fusée. → cabine. ▷ DÉCAPSULER, DÉCAPSULEUR.

carapace n. f. Partie du corps de certains animaux, qui les enveloppe et les protège. *La tortue effrayée a rentré sa tête et ses pattes sous sa carapace.*

caravane n. f. 1. Groupe de personnes qui traversent une région difficile à franchir. *Une caravane de nomades traverse le désert à dos de dromadaire.* 2. Roulotte de camping tirée par une voiture. *Ils sont partis en vacances en caravane.*

caravelle n. f. Bateau à voiles triangulaires, utilisé aux XVe et XVIe siècles. *Christophe Colomb partit avec trois caravelles.*

carbone n. m. Matière très répandue, que l'on trouve dans la terre et dans tous les organismes vivants. *Le charbon et le pétrole contiennent du carbone.*

▶ **carbonique** adj. *Le gaz carbonique,* c'est un mélange de carbone et d'oxygène.

▶ **carbonisé** adj. *Le rôti est resté trop longtemps au four, il est carbonisé,* complètement brûlé. → calciné.

carburant n. m. Matière liquide qui sert à faire fonctionner un moteur.

143

Le Robert Junior, 1993 (format réduit).

une double page de dictionnaire

● *Quelle lettre permet de ranger les sept mots du début ? (Est-ce la 2e, la 3e, la 4e… ?)*
● *Quelle lettre permet de ranger les sept mots de la fin ?*
● *Quels sont les deux mots-repères ?*
● *Quelles abréviations trouve-t-on ? Que signifient-elles ?*

● Dans un dictionnaire, les mots sont rangés selon **l'ordre alphabétique.** La recherche est facilitée par l'observation des **mots-repères :** ce sont le premier et le dernier mot de la liste.

● Pour chaque mot, le dictionnaire indique l'orthographe, la nature, le genre, le ou les sens : l'ensemble constitue **un article de dictionnaire.**

---

1 *Dans laquelle de ces trois listes les mots sont-ils rangés dans l'ordre du dictionnaire ?*

a) antenne, film, information, micro, présentation, récepteur, télévision, chaîne, écran, régie, émission ;
b) antenne, chaîne, émission, écran, film, information, micro, présentation, régie, récepteur, télévision ;
c) antenne, chaîne, écran, émission, film, information, micro, présentation, récepteur, régie, télévision.

● *Écris la bonne liste en y ajoutant, à leur place, les mots suivants :*

image, électronique, retransmission.

2 *Voici une liste de mots commençant par les trois lettres* **mou-,** *et rangés dans l'ordre du dictionnaire :*

mouche, moucheron, mouchoir, mouette, moule, mousseline, moustique, mouton, mouvement.

● *Écris-les en ajoutant les mots suivants à leur place dans la liste :*

moudre, moutarde, mouflon, moulinet.

3 *Indique où se trouvent les mots suivants : avant ces deux pages du dictionnaire, dans ces deux pages ou après ces deux pages ? (Observe bien les deux mots-repères.)*

	avant	dans	après
capuche			
carrossable			
crustacé			
carafe			
coaguler			
caracoler			
car			
cabine			

4 *Complète à l'aide de croix :*

Mots recherchés	je suis aux mots-repères	je dois revenir en arrière	je suis au bon endroit	je dois chercher plus loin
denier	dialogue/diésel			
nasiller	nager/nation			
souche	sens/sérénade			
carlingue	capitaine/caractère			
ménestrel	mener/mère			
tolérance	tout/train			

5 *Les* **mots-repères,** *en haut des pages du dictionnaire, permettent une recherche plus rapide. Si le mot recherché peut être classé entre les deux, il est dans la page.*
Indique par une croix entre quels mots-repères se trouve le mot recherché.

Mots recherchés	Mots-repères		
	lieu/limon	limon/lis	lis/lobe
lingot			
lièvre			
liseron			
livret			
liqueur			
ligneux			
linéaire			
littérature			
limitrophe			
linotte			

6 *Voici, à gauche, une liste de mots rangés dans l'ordre du dictionnaire.*
À quel endroit chaque mot de la colonne de droite doit-il être placé ? (Indique-le par une flèche.)

béton
bulldozer
canalisation   ● échelle
coffrage
échafaudage   ● chantier
excavatrice
grue   ● pelleteuse
grutier
marteau-piqueur   ● bétonnière
monte-charge
terrassement

7 *Range dans l'ordre du dictionnaire :*

transport, transporter, transvaser, transpiration, transportable, transporteur, transpirer, transplanter, transvasement.

8 *Pour ranger ces mots dans l'ordre du dictionnaire, quelle lettre faut-il observer (la 1re, la 2e, la 3e...) ? Indique-la en plaçant un point sous cette lettre.*
Puis range les mots :

a) agriculteur, agrafeuse, agrume, agréable, agronome ;
b) indigène, indiscipliné, indicateur, individu, indien, indirect, indifférent, indiquer ;
c) entrée, entrepôt, entrebâiller, entretenir, entrejambe, entrechoquer, entrevoir, entrefilet, entremet, entresol, entrelacer, entrer.

9 *Quand un mot a plusieurs sens, le dictionnaire l'indique.*

FARCE n. f. (lat. *farcire*, remplir). Hachis d'herbes, de légumes et de viande, qu'on met dans l'intérieur d'une volaille, d'un poisson, d'un légume. ‖ Bon tour joué à qqn pour se divertir ; blague : *faire une farce à qqn.* ‖ *Littér.* Au Moyen Âge, intermède comique dans la représentation d'un mystère ; à partir du XIIIe s., petite pièce comique qui présente une peinture satirique des mœurs et de la vie quotidienne. ◆ adj. inv. Drôle, comique (vx).

Combien de sens pour le mot **farce** *?*
Dans les phrases suivantes, indique de quel sens il s'agit :

Pour faire une farce, les jeunes ont avancé d'une heure l'horloge du village. - Maman hache de la viande, des feuilles d'épinard et des fines herbes pour faire une farce. - La cuisinière a mis de la farce dans les tomates. - Sur la scène du théâtre municipal, la troupe joue une farce du Moyen Âge. - Ce poisson sera bien meilleur si vous mettez une farce à l'intérieur. - Les enfants aiment bien s'arrêter devant la vitrine du magasin « Farces et Attrapes ».

10 *Les mots suivants commencent par le son* [o] *ou* [ɔ]. *Le début de ces mots s'écrit différemment et certains ne sont pas rangés à la lettre* **o.** *Tu recherches leur orthographe.*

. . .ccasion, . . .tomne, . . .lympique, . . .teur, . . .moplate, . . .jourd'hui, . . .riginal, . . .bépine, . . .tite, . . .rizon, . . .roscope.

Choisir entre *on* et *ont* ; *son* et *sont* ; *et, es* ou *est*

Orthographe

● *Parmi les mots en italique, repère :*
— *le verbe* avoir,
— *le verbe* être,
— *un pronom personnel pouvant se remplacer par* il,
— *un déterminant possessif,*
— *une conjonction (mot servant à unir des éléments de même nature).*

LE BOUC

Son odeur le précède. *On* ne le voit pas encore qu'elle *est* arrivée.

Il s'avance en tête du troupeau *et* les brebis le suivent, pêle-mêle, dans un nuage de poussière.

Il a des poils longs *et* secs qu'une raie partage sur le dos.

Il ne regarde ni à droite ni à gauche : il marche raide, les oreilles pointues *et* la queue courte. Si les hommes l'*ont* chargé de leurs péchés, il n'en sait rien, *et* il laisse, sérieux, tomber un chapelet de crottes.

Alexandre *est son* nom, connu même des chiens.

JULES RENARD, *Histoires naturelles.*

● **On**, pronom personnel, peut se remplacer par *il* : **On** le voit.
Ont, verbe **avoir,** peut se remplacer par *avaient* : Ils **ont** chaud.

● **Son**, déterminant possessif, peut se remplacer par *mon, ton* : **Son** nom.
Sont, verbe **être,** peut se remplacer par *étaient* : Ils **sont** venus.

● **Et** [e], conjonction, a le sens de *et aussi* : Les oreilles **et** la queue.
Es, est [ε], verbe **être,** peuvent se remplacer par *(tu) étais - (il) était.*

---

1 *Complète par* on *ou* ont.

Les troupeaux ... quitté les bergeries. - ... les reverra à l'automne. - Les marchandises qu'... avait commandées ... été livrées ce matin. - ... dit, et ... l'a même écrit, que des « ovnis » ... atterri ici. - Silence ! ... tourne.

2 *Complète par* on *ou* on n'.

... a volé le diamant bleu. - ... a pas de piste. - ... a interrogé quelques suspects. - ... a relâché tout le monde. - ... a rien découvert.

3 *Complète par* son *ou* sont.

Où ...-ils passés ? - Voilà ... immeuble. - Nicolas et Karine ... rentrés tard. - Les dés ... jetés. - C'est ... tour.

4 *Complète par* et, es *ou* est.

...-tu sûre ... certaine de venir ? - Reste ici ... écoute-moi. - Il ... tard ... tu ... fatigué. - Il n'... pas rentré ... elle ... inquiète. - C'... lui !

5 *Complète avec les mots qui conviennent :* on, ont, son, sont, et, es *ou* est.

Mireille ... ... frère out ... organisé une petite fête. Ils m'*ont* invitée avec des camarades. *on* a beaucoup ri, *on* a beaucoup chanté. Mireille *est* mon amie. Ses parents *sont* très gentils ; *on* s'entend bien avec eux.

6 *Dictées à préparer.*
● *Autodictée : le texte, depuis « Il ne regarde » jusqu'à la fin.*

● LE TAUREAU
C'est un taureau fameux et sa taille étonne les passants sur la route. On l'admire à distance et, s'il ne l'a fait déjà, il pourrait lancer son homme au ciel, ainsi qu'une flèche avec l'arc de ses cornes. Plus doux qu'un agneau tant qu'il veut, il se met tout à coup en fureur, quand ça le prend, et près de lui, on ne sait jamais ce qui arrivera.

JULES RENARD, *Histoires naturelles.*

Le présent de l'indicatif : verbes du 1ᵉʳ et du 2ᵉ groupe

• *À quel temps est écrit ce texte ? Qu'exprime ce temps ?*
• *Relève les verbes conjugués, écris leur infinitif et classe en deux colonnes ceux du 1ᵉʳ groupe et ceux du 2ᵉ groupe.*
• *Choisis un verbe de chaque groupe et écris sa conjugaison au présent. Souligne les terminaisons.*

PERSÉE ET LE MONSTRE

Méchamment blessé, le monstre tantôt se soulève hors des flots, tantôt y plonge, tantôt tourne en rond… Persée n'a pas de mal à échapper aux coups de gueule ; c'est lui qui frappe le monstre avec son glaive recourbé… La bête vomit du sang mêlé à de l'eau de mer. Les ailes de Persée aspergées par ces éclaboussures s'alourdissent…

Les cris et les applaudissements dont retentit le rivage se font entendre jusque chez les dieux.

D'après OVIDE, *Métamorphoses.*

Au présent de l'indicatif :
— tous les verbes du **1ᵉʳ groupe** (verbes en *-er*) se terminent par :
-e, -es, -e, -ons, -ez, -ent.
  Je frappe … nous frappons.
— tous les verbes du **2ᵉ groupe** (verbes en *-ir ; issant*) se terminent par : *-is, -is, -it, -issons, -issez, -issent.*
  J'applaudis … nous applaudissons.

---

1. **Complète par le pronom qui convient.**

… écoutes - … finissons - … bondit - … entre - … terminent - … agis - … obéissent - … portez.

2. **Complète par la terminaison qui convient.**

vous sub… - nous travaill… - je remerci… - ils réfléch… - on bavard… - nous avert… - je grand… - elles arriv…

3. **Écris les verbes suivants à la 2ᵉ personne du singulier du présent de l'indicatif.**

réussir - dessiner - avertir - garnir - monter - ranger - gravir - emplir - espérer - terminer.

4. **Écris à la personne correspondante du pluriel.**

J'admire le paysage. - Elle surveille le chemin. - Tu pétris la pâte. - Il rougit de plaisir. - Tu ouvres la fenêtre. - Je finis un dessin. - Elle joue au ballon. - Je remplace une lampe. - Tu franchis l'obstacle. - Il établit un plan. - Tu distribues les cahiers.

5. **Écris à la personne correspondante du singulier.**

Vous hésitez à sortir. - Elles guérissent rapidement. - Nous applaudissons le vainqueur. - Nous écoutons un disque. - Ils ferment la porte. - Vous bâtissez un mur.

6. **Écris les phrases suivantes au présent de l'indicatif.**

L'orage approchait, le tonnerre grondait, la pluie redoublait de violence. - L'hirondelle nourrira ses petits puis elle abandonnera le nid. - Nous avons sali nos bottes dans la boue. - Ils fourniront de gros efforts et ils réussiront. - Le chien flairait le gibier et le débusquait.

7. **Même exercice.**

Des coups de feu ont retenti ; les oiseaux se sont envolés. - Il s'élançait et franchissait la barrière d'un bond. - Vous réfléchirez avant de répondre et vous trouverez la solution. - Le bolide a surgi et a traversé le village sans ralentir. - Ils amuseront les enfants qui les applaudiront.

Les groupes dans la phrase

- *Observe la 2ᵉ phrase du texte.*
Fais de cette phrase une phrase minimale en supprimant les éléments qui ne sont pas essentiels. Quel renseignement apportaient ces éléments supprimés ?
- *De combien de groupes se compose la phrase minimale ? Quel est l'élément essentiel du premier groupe ? du second ? Comment appelle-t-on chacun de ces groupes ?*
- *Remplace chacun de ces groupes par un groupe de même nature.*
- *Reprends les mêmes questions avec d'autres phrases du texte.*

FACE AUX RHINOCÉROS

Bullit ralentit en abordant l'une de ces prairies d'herbe sèche… Trois rhinocéros épiaient la voiture sans bouger. Bullit se mit à tourner autour des trois têtes. Et, à chaque tour, il réduisait un peu le cercle.

Le premier des monstres se releva pesamment. Puis le second, puis le dernier. Ils s'accotèrent croupe contre croupe, le corps orienté chacun dans une direction différente…

Les rhinocéros tournaient leur tête horrible et cornue en tous sens. Leurs yeux étroits et obliques entre de lourds plis de peau ne nous quittaient plus…

Bullit avait rétréci encore le rayon de sa ronde autour du groupe d'apocalypse. Les naseaux énormes laissèrent échapper un hissement long, tenace, sinistre. La distance entre les rhinocéros et nous s'amenuisait toujours.

D'après JOSEPH KESSEL, *Le Lion*, Éd. Gallimard.

- Une phrase est constituée de **groupes essentiels,** obligatoires, et, souvent, de groupes non essentiels, facultatifs.

Trois rhinocéros / épiaient la voiture / sans bouger.

(groupes essentiels)   (groupe non essentiel)

- **La phrase minimale** est constituée des deux **groupes essentiels** contenant les seuls éléments indispensables : le **groupe nominal** et le **groupe verbal**. On écrit : P = GN + GV.

Trois rhinocéros / épiaient la voiture.
(groupe nominal) (groupe verbal)
        GN   GV

- D'autres groupes, comme *les fauves, King et Bagheera,* qui peuvent se substituer à *trois rhinocéros,* sont aussi *des groupes nominaux essentiels.*
- De même, des groupes comme *chargeaient les chasseurs, prenaient la fuite,* qui peuvent se substituer à *épiaient la voiture,* sont aussi *des groupes verbaux essentiels.*

1 *Distingue, en les séparant, les différents groupes de chaque phrase.*
Ex. : **Près de la mare, / le tigre / guette sa proie.**

Au sommet de l'arbre, le rapace surveille la forêt. - Dans l'eau boueuse, un crocodile entraîne sa victime. - Une gazelle franchit le ruisseau d'un bond prodigieux. - Les lionceaux quittent la grotte sous la surveillance de leur mère. - Brusquement, le rhinocéros charge le photographe imprudent.

2 *Fais de chaque phrase une phrase minimale, en supprimant le groupe non essentiel.*
Ex. : **Peu à peu, le soleil embrase l'horizon.**
→ Le soleil embrase l'horizon.

Dès le lever du jour, le coq lance son cocorico. - Du haut de son perchoir, il réveille la basse-cour. - Le hibou regagne son abri, au sommet de la tour. - Déjà, les oiseaux entonnent leurs chants mélodieux. - Dans le village, la vie reprend.

3 *Fais de chaque phrase une phrase minimale, en supprimant les groupes non essentiels.*

L'un après l'autre, après plusieurs charges, les rhinocéros abandonnent l'attaque. - Plusieurs fois, Patricia quitta la voiture pour aller vers les bêtes. - À cet endroit, les arbres portent des feuilles fragiles au lieu d'épines. - Amicalement, des antilopes effleuraient son épaule de leur museau. - D'un regard ébloui, Bullit suivait sa fille se glissant parmi les troupeaux de brousse.

D'après JOSEPH KESSEL, *Le Lion*.

4 *Écris un groupe facultatif pour accompagner chaque phrase minimale.*

Le renard quitte son terrier. - La poule protège ses poussins. - Les troupeaux regagnent la vallée. - Les oiseaux font leurs nids. - On entend le hululement des chouettes.

5 *Distingue en les séparant les deux groupes constituants essentiels de la phrase minimale.*
Ex. : **L'avion / quitte la piste.**

Le Land Rover rattrape le fauve. - Le photographe réussit sa prise de vue. - Un incendie ravage la forêt. - Le troupeau de zèbres atteint le bord du fleuve. - Quelques animaux traversent les eaux tumultueuses.

6 *Écris cinq nouvelles phrases minimales en croisant, quand c'est possible, les groupes des phrases suivantes.*
Ex. : **Sophie / ramasse des champignons.**

La foudre a abattu un vieux chêne. - Le promeneur ramasse des champignons. - Le bûcheron rentre le bois coupé. - Un court-circuit a incendié la grange. - Sophie cueille du muguet. - Mon petit frère a fait sauter les plombs.

7 *Récris chaque phrase en changeant le GN sans changer le GV.*

Quelques photographes s'approchent du fauve épuisé. - Cette grande forêt abrite de nombreux oiseaux. - L'incendie a ravagé toute cette colline. - À la tombée du jour, les fauves descendent boire à la rivière. - Sur ce territoire, un règlement interdit la chasse à l'éléphant.

8 *Trouve deux GV pour chaque GN. Écris les phrases.*

Le président de la République... - Les bateaux de pêche... - Ces alpinistes...

9 *Trouve deux GN pour chaque GV. Écris les phrases.*

. . . préparent une randonnée. - . . . observent le ciel. - . . . racontent leur aventure.

10 *Chaque groupe contient un ou plusieurs éléments qui ne sont pas essentiels. Supprime-les.*
Ex. : **Le vent violent / arrache les feuilles mortes.**
Le vent / arrache les feuilles.

La douce gazelle fuit le tigre féroce. - De gros nuages noirs assombrissaient le ciel. - De nombreux spectateurs ont vu ce très beau film. - Une épaisse couche de neige recouvre les hauts sommets. - Ce beau petit caniche noir fait des tours extraordinaires.

11 *Décris chacune des vignettes à l'aide de courtes phrases. Réunis ces phrases en un court paragraphe qui racontera l'aventure.*

Les dictionnaires

• *Observe bien ces trois articles pris dans trois dictionnaires différents.*
• *Compare-les. Note les différences.*
• *Lequel préfères-tu ? Pourquoi ?*

neige n. f. **1.** Eau congelée qui tombe en flocons blancs et légers : *Des pas sur la neige fraîche. Les neiges éternelles des hautes montagnes. De la neige fondue* (= pluie mêlée de neige). *Les classes de neige sont organisées pendant l'hiver pour de jeunes citadins. Les trains de neige conduisent les vacanciers aux stations de sports d'hiver. Ses espoirs ont fondu comme neige au soleil.* — **2.** *Neige carbonique,* gaz carbonique solidifié. ‖ *Œufs à la neige,* blancs d'œufs battus, servis en entremets. ◆ **neiger** v. i. (c. 2) *Il neige sur toute la région* (= il tombe de la neige). ◆ **neigeux, euse** adj. **1.** Couvert de neige : *Les cimes neigeuses.* — **2.** *Temps neigeux,* qui laisse prévoir des chutes de neige. — **3.** Qui rappelle la neige : *Mousse neigeuse.* ◆ **déneiger** v. t. *Déneiger un lieu,* en enlever la neige qui le recouvre : *Les chasse-neige ont déneigé la route.* ◆ **déneigement** n. m. ◆ **enneigé, e** adj. Couvert de neige : *Les toits sont enneigés.* ◆ **enneigement** n. m. État d'un endroit enneigé ; épaisseur de la couche de neige : *L'enneigement est insuffisant pour les skieurs.*

NEIGE n. f. (de *neiger*). Eau congelée qui tombe en flocons blancs légers. ‖ *Arg.* Cocaïne. ● *Blanc comme neige,* très blanc ; innocent. ‖ *Neige carbonique,* gaz carbonique solidifié. ‖ *Neiges permanentes,* neiges amoncelées dans les parties les plus élevées des massifs montagneux, qui peuvent donner naissance aux glaciers. (Elles sont parfois appelées improprement *neiges éternelles.*) ‖ *Œufs à la neige,* blancs d'œufs battus, aromatisés et servis sur une crème liquide. ■ Quand la température des basses couches de l'atmosphère est inférieure à 0°C, les précipitations tombent sous forme de neige, qui résulte de la présence, dans un nuage, de noyaux de congélation faisant cesser le phénomène de surfusion. La neige, par sa faible conductibilité, protège le sol et les cultures et influe sur le régime des cours d'eau.

① *Petit Larousse Illustré.*

③ *Dictionnaire du français contemporain,* Éd. Larousse.

neige [nɛʒ] n. f. (de *neiger*). Eau congelée qui tombe en flocons blancs légers. (V. encycl.) ‖ *Fig.* Extrême blancheur : *un teint de neige.* ‖ *Arg.* Cocaïne. ● *Classe de neige,* classe d'une école primaire de grande ville qui travaille pendant un mois d'hiver dans une station d'altitude. ‖ *Neige carbonique,* gaz carbonique solidifié, employé notamment pour traiter certaines maladies de la peau. ‖ *Neiges éternelles,* neiges amoncelées dans les parties les plus élevées des massifs montagneux, qui ne fondent pas d'une année à l'autre et qui peuvent donner naissance aux glaciers. ‖ *Œufs à la neige,* blancs d'œufs battus, aromatisés et servis sur une crème liquide.
— ENCYCL. Quand la température des basses couches de l'atmosphère est inférieure à 0 °C, les précipitations tombent sous forme de *neige,* qui nécessite aussi la présence, dans un nuage, de noyaux de congélation, faisant cesser le phénomène de surfusion. La neige tombe principalement aux latitudes élevées (en raison des basses températures) et surtout sur les montagnes (où se combinent les effets de basses températures et de l'augmentation des précipitations avec l'altitude). Le météorologiste mesure la hauteur d'eau fondue correspondant à la neige recueillie par le pluviomètre. Le géographe s'intéresse plutôt au nombre de jours de chute de la neige et à la quantité et à la durée de l'enneigement (notions primordiales pour les stations de sports d'hiver). La neige a une influence notable sur l'agriculture (protégeant le sol et les cultures par sa faible conductibilité), sur les régimes fluviaux (rétention nivale), etc.
Neige (*crêt de la*), point culminant du Jura (Ain) ; 1 723 m.

② *Nouveau Larousse Universel.*

• Le **dictionnaire** nous renseigne sur l'orthographe, le genre, les sens des mots qui y sont rangés **selon l'ordre alphabétique.**

• Certains dictionnaires ajoutent d'autres informations ou des illustrations : ils sont appelés **dictionnaires encyclopédiques** (① et ②).
D'autres **regroupent,** autour du mot simple, les mots dérivés formant la famille (③) : *neige, déneiger, enneigé...*
Certains dictionnaires indiquent la prononciation : [nɛʒ].

---

1. *Relève toutes les abréviations contenues dans les articles des dictionnaires. Donne leur signification.*

2. *Relève dans les trois articles les expressions contenant le mot* **neige.**

3. *Relève les mots de la famille de* **neige.** *Ils sont tous regroupés dans le dictionnaire 3 ; dans les autres, à quelle lettre les trouveras-tu ?*

4. *Le dictionnaire signale le genre des noms. Indique ce genre en utilisant l'abréviation :*

asperge ... pétale ... chrysanthème ... ongle ... vis ... atmosphère ... autoroute ...

5. *Le dictionnaire donne la prononciation des mots :* ch *peut se prononcer* [ʃ] *dans* marché *ou* [k] *dans* choriste.
Dans cette liste de mots, comment prononces-tu le ch ?

trachée, orchestre, parchemin, lichen, pachyderme, psychiatre, chorégraphie.

Employer *aucun* ou *aucune*

1. **As-tu emporté un vêtement chaud ?**
→ **Je n'ai emporté *aucun* vêtement chaud.**
Fais des réponses identiques.

Avez-vous vu un O.V.N.I. dans le ciel ? → . . .
Trouvez-vous des cèpes dans cette forêt ? → . . .
Avez-vous rencontré beaucoup de voitures sur la route ? → . . .
As-tu quelques pièces de monnaie dans ta poche ? → . . .
As-tu choisi un livre dans la bibliothèque ? → . . .

Le verbe *faire*

2. ***Remplace le verbe* faire *par un verbe plus précis :***
Notre voisin fait sa piscine lui-même. - Le cinéaste fait un film sur la vie des abeilles. - Hier soir, le Président a fait un discours très applaudi. - Pour appeler les pompiers, faites le 18. - Devrons-nous faire encore vingt kilomètres pour trouver un hôtel ? - L'usine fait des boulons. - La femme de ménage a fait le bureau du directeur. - La chatte a fait cinq petits chats. - Mon père fait un mètre quatre-vingt-dix.

Déduire

3. ***À partir des éléments proposés, construis deux phrases sur le modèle suivant :***
***Réfléchir. Éviter de faire des erreurs* → « Si tu réfléchis, alors tu éviteras de faire des erreurs », ou : « Réfléchis, et tu éviteras de faire des erreurs. »**

Partir maintenant. Arriver à temps.

Lire beaucoup. Faire moins de fautes d'orthographe.

Manger trop de chocolat. Avoir mal au ventre.

Mettre le son de la télévision trop fort. Déranger les voisins.

Baisser le son de la télévision. Faire plaisir à tout le monde.

Conclure

4. ***À partir des éléments proposés, que peux-tu conclure ? Écris une conclusion possible en utilisant « donc ».***
***Ex. : Le brouillard est épais.* → *Le brouillard est épais*, donc les voitures doivent rouler lentement.**

La tempête est violente. → . . .

La neige est épaisse. → . . .

L'eau est bouillante. → . . .

L'exercice est difficile. → . . .

Le chien est méchant. → . . .

Jeu poétique

5. ***Les comparaisons***
On peut faire cette comparaison :

« Une jeune marmotte est comme une pelote de laine. »

Quand le poète écrit :

« Quatre vives pelotes
Roulent sous le rocher »,

il utilise une métaphore : ce sont bien des marmottes qui roulent sous le rocher, mais il ne les nomme pas. Il ne dit pas :

« Quatre marmottes, comme de vives pelotes, roulent sous le rocher. »

● ***Essaie de faire des comparaisons et de les transformer en métaphores.***
Voici quelques idées pour t'aider :

L'écume des vagues est comme la neige.

La couleur de cette fleur est comme celle du feu.

Le temps s'écoule comme une rivière.

Reconstitution de texte

6. LES GRENOUILLES
Deux ou trois sautèrent devant eux, leur échappèrent d'un plongeon dans la mare. En guise d'appât, ils cueillirent des fleurs roses de lychnis, mais les grenouilles les dédaignaient. Leur petite bedaine blanche étalée sur les nénuphars, elles coassaient de plus en plus belle ; et elles semblaient, la mine béate, les narguer de leurs yeux cerclés d'or.

MAURICE GENEVOIX, *Le Jardin dans l'île*,
Éd. Presses de la Cité.

Choisir entre *se* et *ce* ; *ses* et *ces*

Orthographe

• *Observe les mots en italique.*
Quel mot accompagne toujours se ou s' ?
Peux-tu remplacer se par me, te ?
• *Quelle est la nature de ce écrit devant un nom ?*
Ce, c' peuvent accompagner un verbe. Peux-tu les remplacer par me, te ?
• *Quel mot accompagne toujours ses et ces ?*
Quel est le singulier de ses ? de ces ?

LA POURSUITE

« Tu ne m'échapperas pas », cria encore Parpoil.

Il ne restait à Gaspard qu'à courir de toutes *ses* forces dans le sentier. Il hésitait à *se* jeter dans les bois qui étaient encombrés d'épais fourrés où il risquait de *s'*empêtrer. Mais *ce* sentier semblait d'une longueur désespérante… *Ces* bois qui entouraient le château n'étaient pas moins bizarres que le château lui-même…

Tout *ce* qu'il pouvait espérer, *c'*était de retarder le moment où Parpoil l'appréhenderait.

ANDRÉ DHÔTEL, *Le Pays où l'on n'arrive jamais*, Éd. Pierre Horay.

• On écrit **se** ou **s'**, **pronoms personnels,** devant un verbe. On peut remplacer *se, s'*, par *me, m'* ; *te, t'* : *Gaspard* **se** *sauve. Je* **me** *sauve.*

On écrit **ce**, **déterminant démonstratif,** devant un nom : **ce** *sentier.*

Ce, c' , ayant le sens de **cela, pronom démonstratif,** ne peut se remplacer par *me, te* : **ce** *fut* **ce** *qu'on attendait.*

• **Ses**, déterminant **possessif,** est le pluriel de *son, sa* : **Ses** *forces* - **sa** *force.*

Ces, déterminant **démonstratif,** est le pluriel de *ce, cet, cette* : **Ces** *bois* - **ce** *bois.*

---

1 *Complète par ce, se ou s'.*

Éric .s'. habille ; il .se. prépare à sortir. Chaque jour, il .se. promène dans .ce. bois. - Quel est .ce. bruit qui .se. répète sans cesse ? - On coupe .ce. gros chêne qui menaçait de .s'. abattre. - Prenez .ce. sentier. Attention, il ne faut pas .se. perdre !

2 *Écris trois courtes phrases dans lesquelles tu emploieras ce, déterminant du nom, se et s'.*

3 *Complète par ce ou c' ; se ou s'.*

Il .se. moque de .ce. qu'on lui dit. - .C'. est avec .ce. couteau qu'il .s'. est blessé. - Il .se. demande .ce. qui arrive. .Ce. sont ses parents qui .s'. inquiètent. - J'écoute .ce. qu'il raconte.

4 *Écris deux courtes phrases dans lesquelles tu emploieras ses et ces.*

5 *Récris les phrases en mettant les expressions soulignées au pluriel.*

David range son livre. - Pauline habille sa poupée. - J'admire cet alpiniste audacieux. - Il a visité ce pays. - Julien a perdu sa clé dans ce bois ; - Sous cette feuille se cache une grenouille. - Le pêcheur répare son filet.

6 *Dictées à préparer.*
• *Autodictée : le texte depuis « Il ne restait » jusqu'à « désespérante ».*

• INQUIÉTUDE
Gaspard se mit à marcher. Il suivit une rue qui le mena dans la campagne et sans se rendre compte il parcourut une assez longue distance. Des larmes coulaient de ses yeux jusque sur ses épaules nues. Il s'était finalement engagé dans un sentier qui aboutissait à une impasse formée par des rochers. Au-dessus des rochers il y avait un bois de pins. Ces pins étaient tous morts.

ANDRÉ DHÔTEL, *Le Pays où l'on n'arrive jamais*, Éd. Pierre Horay.

Les verbes en *-eler* et *-eter*, *-cer* et *-ger*

Conjugaison

- *Écris l'infinitif des verbes en italique dans le texte. Quelle remarque peux-tu faire pour les deux premiers verbes ?*
- *Conjugue ces deux verbes au présent de l'indicatif. Que remarques-tu ? Quelle règle peux-tu en déduire ?*
- *Écris les deux verbes suivants au présent de l'indicatif. Quelles remarques peux-tu faire ? Rappelle les règles connues.*

LA BAIGNADE

Félix se baigne. Il *appelle* son frère, Poil de Carotte, qui est resté sur le bord. Après avoir longtemps hésité, Poil de Carotte se *jette* à l'eau.

— Poil de Carotte, viens ici. Il y en a plus creux. Je perds pied, *j'enfonce*. Regarde donc. Tiens : tu me vois. Attention : tu ne me vois plus. À présent, mets-toi là vers le saule. Ne *bouge* pas. Je parie de te rejoindre en dix brassées.

— Je compte, dit Poil de Carotte grelottant, les épaules hors de l'eau, immobile comme une vraie borne.

JULES RENARD, *Poil de Carotte.*

- Certains verbes en *-eler* et *-eter* s'écrivent avec **deux l** ou **deux t** devant un *e muet* :

  J'appelle, nous appelons - Je jette, nous jetons.
  (Les plus fréquents : *atteler, chanceler, épeler, ficeler, ruisseler...* ; *cacheter, déchiqueter, projeter, rejeter, voleter...*)

- D'autres ne doublent pas la consonne mais s'écrivent avec un **accent grave :**

  Il gèle - il achète.
  (Les plus fréquents : *ciseler, congeler, modeler, peler...* ; *fureter, haleter...*)

- Les verbes en *-cer* prennent une **cédille** devant les terminaisons commençant par *a* et *o* :

  Je lance, nous lançons.
  Les verbes en *-ger* prennent un *e* devant les terminaisons commençant par *a* et *o* : *Je nage, nous nageons.*

---

1 *Écris les verbes suivants au présent de l'indicatif, aux personnes demandées.*

tu *(rappeler)* - elle *(rejeter)* - je *(ficeler)* - ils *(projeter)* - elles *(atteler)* - vous *(épeler)* - nous *(cacheter)* - tu *(renouveler)* - elle *(voleter)* - nous *(ruisseler).*

2 *Même exercice.*

tu *(congeler)* - elle *(modeler)* - ils *(acheter)* - il *(ruisseler)* - je *(ciseler)* - elle *(marteler)* - elles *(peler)* - nous *(haleter)* - on *(épeler)* - nous *(geler).*

3 *Écris à la personne correspondante du singulier.*

Nous achetons des fleurs. - Vous feuilletez une revue. - Vous répétez la question. - Ils complètent leur collection. - Vous arrêtez de lire. - Elles époussettent les meubles.

4 *Même exercice.*

Ils guettent le gibier. - Nous guettons son arrivée. - Vous regrettez votre erreur. - Nous fêtons son anniversaire. - Vous fêlez une assiette. - Elles démêlent leurs cheveux.

5 *Écris l'infinitif de quatre verbes doublant leur consonne. Écris l'infinitif de quatre verbes prenant un accent.*

6 *Écris les verbes suivants à la personne correspondante du pluriel.*

Je trace des lignes parallèles. - Je dérange mon voisin. - J'efface ce trait. - Tu ranges tes affaires. - Je fronce les sourcils. - Je dirige la manœuvre. - J'interroge mon Minitel. - On annonce de l'orage. - Tu remplaces une pile. - Tu noues tes lacets. - Je rédige une lettre. - Je plie les draps.

Le groupe nominal sujet (GNS)

- Le pêcheur suit des yeux le petit flotteur rouge.

Rends cette phrase minimale. Écris-la puis sépare-la en ses deux groupes, GN et GV.

- *Quel groupe peux-tu encadrer par c'est... qui ? Peux-tu également remplacer ce groupe par le pronom il ? Quelle est la fonction de ce groupe ?*

- L'eau du fleuve pétille au soleil.

Les flots apaisent leurs querelles.

Reprends les questions ci-dessus pour chacune de ces phrases.

- *Que peux-tu dire de l'orthographe des verbes ? Rappelle la règle d'accord.*

LE PÊCHEUR

Assis, les pieds pendants, sous l'arche du vieux pont,
Et sourd aux bruits lointains à qui l'écho répond,
Le pêcheur suit des yeux le petit flotteur rouge.
L'eau du fleuve pétille au soleil. Rien ne bouge.
Le liège soudain fait un plongeon trompeur,
La ligne saute. — Avec un hoquet de vapeur
Passe un joyeux bateau tout pavoisé d'ombrelles ;
Et, tandis que les flots apaisent leurs querelles,
L'homme, un instant tiré de son rêve engourdi,
Met une amorce neuve et songe : — Il est midi.

FRANÇOIS COPPÉE

- Dans la phrase minimale, le groupe nominal qui peut être encadré par *c'est... qui, ce sont... qui,* ou qui peut être remplacé par un des pronoms *il, ils, elle, elles,* a la **fonction** de **groupe nominal sujet :** GNS.

Le pêcheur lance sa ligne.
C'est / le pêcheur / qui lance sa ligne.
       Il   *lance sa ligne.*
Nicolas
       GNS   GV

- **Le verbe s'accorde toujours avec le GNS,** quelle que soit la place de celui-ci dans la phrase :

— devant le verbe → *La ligne saute.*
                     GNS

— après le verbe → *Près du bord, frétillent de petits goujons.*
                                              GNS

— loin du verbe → *Le pêcheur, installé à l'ombre des grands*
                   GNS

peupliers, somnole.

1 *Récris les phrases suivantes en encadrant le GNS par* c'est... qui *ou* ce sont... qui, *suivi du verbe.*
Ex. : Les truites vivent dans l'eau claire et pure.
Ce sont *les truites* **qui vivent...**

La carpe habite les fonds vaseux. - Les alevins sont de tout petits poissons. - Tôt le matin, le pêcheur s'installe. - Les gros poissons nagent rarement en surface. - Les barques des pêcheurs glissent au fil de l'eau. - La pêche au lancer demande beaucoup d'adresse.

2 *Même exercice.*

Du fond de l'eau montent des bulles d'air. - Sur les bords du canal nichent les rats musqués. - Près du barrage, un panneau interdit la pêche. - Dans ce fleuve, sévit une forte pollution. - À la surface de l'eau, dansent des nuées de moustiques. - La pêche à la mouche, tout près des roseaux, demande un bon entraînement.

3 *Souligne le GNS de chacune des phrases suivantes.*

Simon n'aime pas la pêche. - La pêche en mer demande une grande habitude. - Dans le port s'alignaient les barques de pêche. - Sur le quai séchaient de grands filets. - Le poisson, débarqué dès l'arrivée du bateau, était vendu le soir même. - À marée haute, rentraient les gros chalutiers.

4 *Remplace chaque GNS par le pronom qui convient :* il, ils, elle, elles.

Petit poisson deviendra grand. - Les petits ruisseaux font les grandes rivières. - La raison du plus fort est toujours la meilleure. - Tous les chemins mènent à Rome. - L'habit ne fait pas le moine. - Les petites causes ont parfois de grands effets.

5 *Même exercice.*

Petite pluie abat grand vent. - Toute peine mérite salaire. - Les cordonniers sont les plus mal chaussés. - L'appétit vient en mangeant. - Les murs ont des oreilles. - Chat échaudé craint l'eau froide.

6 *Complète ces phrases avec le GNS qui convient.*

C'est ... qui a deux bosses. - Ce sont ... qui abritèrent Blanche-Neige. - Ce sont ... qui construisirent les pyramides. - C'est ... qui découvrit l'Amérique. - C'est ... qui fournit la résine. - Ce sont ... qui donnent le miel.

7 *Même exercice. N'emploie qu'une fois le même GNS.*

C'est ... qui sera le chat. - C'est ... qui suis le vainqueur. - Ce sont ... qui ont trouvé. - C'est ... qui est le dernier. - Ce sont ... qui viendront. - Ce sont ... qui les accompagneront.

8 *Souligne les deux constituants essentiels de chaque phrase : le GNS en bleu, le GV en rouge.*

En raison du mauvais temps, l'alpiniste, après plusieurs tentatives, abandonne l'ascension. - Sur la place du marché, le cirque Royal, devant une foule d'enfants attentifs, dresse son chapiteau. - Les vainqueurs, après un tour d'honneur très applaudi, quittent le terrain.

9 *Remplace chaque pronom par le GNS qui convient.*

Au XVe siècle, il inventa l'imprimerie. - En un peu plus de 365 jours, elle tourne autour du Soleil. - Ils sont à l'origine des Jeux olympiques. - Elle fut inventée par les Chinois et utilisée par tous les navigateurs. - La nuit, elle indique le nord.

10 *Même exercice.*

Après une longue ascension, ils atteignent le sommet. - Quand il entre en éruption, toute la montagne gronde. - Dès qu'elles sont de retour, le printemps est là. - À la fin du spectacle, ils furent applaudis par tous les spectateurs. - À l'heure prévue, elle quitta sa rampe de lancement.

11 *Trouve un GNS pour chaque GV.*

... appelle ses camarades. - ... embarquaient sur le navire. - ... se brisent sur les rochers. - ... rassemblera ses hommes sur le pont. - ... prennent le départ de la course.

ÉCRIRE

12 *Ça mord !*
Le pêcheur somnole... Tout à coup, le bouchon s'enfonce, il plonge, file, file... C'est l'affolement !...
● *En employant de courtes phrases, raconte la scène et termine l'histoire d'une façon amusante.*

13 *Pas si bêtes !*
Les poissons ont repéré le pêcheur et le piège qu'il leur tend avec sa ligne. Rassemblés autour de l'hameçon, ils parlent entre eux...
● *En quelques courtes phrases, imagine ce qu'ils peuvent bien se raconter.*

Les mots contraires

LE FACTEUR

• *Relève les couples de mots qui indiquent comment est le temps. Que penses-tu de ces mots ?*
• *Comment est formé le mot* **maladroit** *? le mot* **imprudent** *? Trouve d'autres mots formés de la même façon.*
• *Trouve des adjectifs contraires de* **robuste, urgent, sûr.**

Que le temps soit frais ou brûlant, sec ou humide, clair ou brumeux, il partait faire sa tournée, s'arrêtant chez l'un ou chez l'autre, là-haut dans les fermes du plateau.

L'homme, de nature robuste comme tous les montagnards, distribuait le courrier et rendait service, le jour ou la nuit, en apportant des médicaments urgents.

Il parcourait les sentiers, le pied sûr là où certains imprudents ou maladroits auraient glissé dangereusement. Il se plaisait à dire : « On ne marche pas sur les chemins caillouteux de chez nous comme l'on marche sur les grands boulevards ».

• Certains adjectifs du texte ont des sens opposés : *frais* et *brûlant, sec* et *humide, clair* et *brumeux*. Ce sont des **mots contraires.**

• Les contraires peuvent être aussi des noms *(le jour / la nuit)*, des verbes *(augmenter / diminuer)* ou des expressions *(être en avance / être en retard)*.

• Pour dire le contraire, on peut aussi utiliser des préfixes : *prudent* et *imprudent, adroit* et *maladroit, tendu* et *détendu*, etc.
Enfin, on peut changer la forme de la phrase, comme dans le texte : *On ne marche pas. / On marche.*

[1] *Trouve les contraires des mots ou groupes de mots :*

qui suit, hasardeuse, les novices, précédé, aller tout droit.

[2] *Réunis les couples de mots contraires :*
belliqueux, refuser, superflu, vaste, mineur, pacifique, accepter, attirer, nécessaire, blâmer, exigu, majeur, fécond, approuver, stérile, éloigner.

[3] *L'adjectif* léger *a plusieurs sens. Trouve les différents contraires. Consulte un dictionnaire.*

une valise légère ≠ . . .
un vêtement léger ≠ . . .
un repas léger ≠ . . .
un café léger ≠ . . .
des blessures légères ≠ . . .
un sommeil léger ≠ . . .
un tempérament léger ≠ . . .

4 *Donne un mot contraire :*

le début	augmenter	lâche
un aller	tirer	distrait
d'abord	s'entendre	faux
côté pile	refuser	transparent
un achat	détester	bon marché
l'amont	échouer	naturel

5 *Trouve des contraires pour les adjectifs.*

un homme coupable ≠ innocent
du pétrole raffiné ≠ . . .
une décision définitive ≠ . . .
un temps affreux ≠ . . .
une antenne individuelle ≠ . . .
une lettre minuscule ≠ . . .
une vente en gros ≠ au . . .
une récolte abondante ≠ . . .
la soie artificielle ≠ . . .
un spectacle gratuit ≠ . . .

6 *Écris les phrases en remplaçant les mots en italique par leur contraire.*

Le départ se fera au bout de l'avenue. - Le maire va *interdire* le passage de la caravane publicitaire. - Les explorateurs quitteront le village dès *le crépuscule.* - Le frère et la sœur se sont *réconciliés.* - *Les loisirs* font partie d'une vie bien réglée. - Au début, son commerce lui apporta *des profits.* - Toute la famille vivait dans *l'opulence.* - Ils atteindront *la base* de la colline dans deux jours. - Un accord *momentané* a été signé entre les deux adversaires.

7 *Trouve l'adjectif et son contraire formé à l'aide du préfixe* im- *ou* in-.

(laisser passer l'eau)	un terrain . . . ≠ un vêtement . . .
(peut se voir)	un objet . . . ≠ un microbe . . .
(faire attention)	un cycliste . . . ≠ un conducteur . . .
(on peut le faire)	un travail . . . ≠ un pari . . .
(peut servir)	un outil . . . ≠ des conseils . . .
(en quantité assez grande)	des preuves . . . ≠ des notes . . .
(savoir attendre)	un arbitre . . . ≠ un client . . .
(il y a quelqu'un)	une place . . . ≠ un appartement . . .

8 *Complète à l'aide des mots de sens contraire suivants :*
ancien - nette - accidenté - urbain - frais - rare - doux - copieux - modéré.

un terrain plat ≠ . . .
du pain rassis ≠ . . .
un modèle récent ≠ . . .
un hiver rude ≠ . . .
un repas léger ≠ . . .
une photo floue ≠ . . .
le facteur rural ≠ . . .
un modèle courant ≠ . . .
un prix éxagéré ≠ . . .

9 *À partir du nom, trouve le verbe, puis le contraire de ce verbe. Les contraires sont formés à l'aide des préfixes* dé-, dés-, en-, *et* re-.

une commande : commander ≠ décommander		
un bouchon	une arme	la racine
un moule	l'espoir	le centre
un bouton	la crasse	le courage
une amorce	un classement	un bois
la terre	la couture	un vêtement

10 *Trouve les mots contraires (aide-toi de ton dictionnaire).*

des pattes antérieures ≠ . . .
un rendement maximum ≠ . . .
une apparition ≠ . . .
une ligne continue ≠ . . .
un visage gracieux ≠ . . .
un joueur qualifié ≠ . . .
un garçon sympathique ≠ . . .
mon prédécesseur ≠ . . .

11 *Le même mot, s'il a plusieurs sens, peut avoir plusieurs contraires. Trouve le contraire des mots en italique et écris la nouvelle phrase.*

J'ai *perdu* mon beau stylo. Nous avons *perdu* le match. - Le linge est bien *sec.* L'épicier vend des haricots *secs.* - Dans ce coin, l'air est *sain.* Cet homme a un corps *sain.* - On est en *tête* du train. Mon chat dort à la *tête* de mon lit. - J'ai acheté un *vieux* meuble. Il portait un *vieux* costume. Édouard est un *vieux* conducteur. - Je préfère les exercices *simples.* Mon devoir est écrit sur une feuille *simple.* Les feuilles de cette plante sont *simples.*

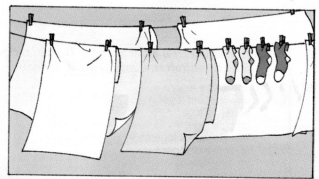

Choisir entre : *s'est* et *c'est* ; *s'était* et *c'était*

① **On s'est roulés dans le ruisseau.**
② **C'était une belle bataille.**
• *De quoi est suivi l'auxiliaire en* ① *? En* ② *?*
• *Quel est le verbe conjugué en* ① *?*
• *Peux-tu écrire un pronom (il ou elle) devant* ② *?*
• *Écris la phrase* ① *au singulier.*
• *Écris* ① *à l'imparfait et* ② *au présent.*
• *Cherche d'autres exemples dans le texte.*

LA BAGARRE

Si tu avais vu la bagarre ! On s'est drôlement battus. On *s'est* roulés dans le ruisseau. Dès que l'un voyait un peu clair, il bourrait l'autre de coups de poing, de coups de pied. Et baf, et toc ! et bing ! Pour une belle bataille, *c'était* une belle bataille !…

Un moment, j'ai cru qu'il allait m'échapper. M'échapper en emportant mon paletot de renard ?… J'ai rattrapé Cromagnonnet ! Il s'est débattu, mais il pouvait toujours se débattre ! Je le tenais par mon paletot, pour rien au monde je ne l'aurais lâché. Ce qui a lâché, en revanche, c'est mon paletot. Comme nous tirions chacun de notre côté, il s'est déchiré en deux morceaux.

JEAN-CÔME NOGUÈS, *Le Mammouth et la Châtaigne*, Éd. G.P. Rouge et Or.

• ***S'est, s'était, s'étaient*** sont suivis du participe passé. Ils peuvent être précédés d'un pronom : *il, ils, elle, elles.*
L'enfant (il) ***s'est*** *battu. Les enfants (ils)* ***s'étaient*** *roulés dans le ruisseau.*

• ***C'est, c'était, c'étaient*** ne peuvent être précédés des pronoms *il, ils, elle, elles. C'* a souvent le sens de *cela.*
C'est *mon ennemi.* ***C'était*** *une belle bataille.*

---

1 *Fais les transformations :*
Ex. : **Le soleil se couche → Le soleil s'est couché.**

Le vent se lève. - Le ciel se couvre. - La tempête se déchaîne. - L'ouragan s'éloigne. - Le vent se calme. - Le ciel se dégage.

2 *Complète par* **s'est** *ou* **c'est.**

. . . dans ce bois qu'il . . . perdu. - Le mauvais temps . . . installé ; . . . triste. - . . . à moi qu'elle . . . confiée. - . . . une histoire vraie ; elle . . . passée il y a longtemps. - . . . par ici. - . . . un endroit désert.

3 *Fais les transformations :*
Ex. : **La pluie s'arrête → La pluie s'était arrêtée.**

La brume se dissipe. - Le ciel s'éclaircit. - Céline et Laurent se baignent. - Le matelas pneumatique se retourne. - Les enfants s'amusent bien.

4 *Complète par* **s'était** *ou* **c'était.**

Le champion . . . entraîné. - . . . un match difficile. - Loïc . . . brûlé à la main : . . . grave. - Dès que la lumière . . . éteinte, l'enfant . . . endormi.

5 *Complète par* **s'est, c'est, cet** *ou* **cette.**

. . . en ouvrant . . . boîte que . . . enfant . . . blessé.

6 *Dictées à préparer.*
• *Autodictée : le texte d'étude, 1er paragraphe.*

• LE REQUIN
Il était monté si vite et si étourdiment qu'il avait brisé la surface de l'eau bleue. Ébloui par le soleil, il était retombé dans la mer, avait retrouvé la trace du sang et s'était lancé à la poursuite du poisson et de la barque…
Il nageait sans se lasser et sans perdre de temps. C'était un superbe requin Mako bâti pour la vitesse, aussi rapide que le poisson le plus rapide ; tout en lui était beau, sauf la gueule.

ERNEST HEMINGWAY, *Le Vieil Homme et la mer*, trad. J. Dutourd, Éd. Gallimard.

Verbes en *-yer*, *-quer* et *-guer*

Conjugaison

- *Relève les verbes du texte. Indique leur infinitif et leur groupe.*
- *On se noie.*
Écris la conjugaison de ce verbe au présent de l'indicatif. Quelle est sa particularité ?
- *Écris la 1re personne du pluriel du présent de l'indicatif des verbes :*
se fatiguer - distinguer - communiquer - suffoquer.
Quelle remarque peux-tu faire ?

LA FORÊT ÉQUATORIALE

Elle ne jaillit pas. Elle couvre, écrase, mange l'air, fatigue, envahit, et, avec une fièvre muette dont la tension se communique à vous, vous change le sang et alourdit la vie. Il est des moments bleus et verts du jour grignoté feuille à feuille, mangé aux cimes... où on étouffe, où on se noie.

D'après RENÉ GUILLOT, *La Grande Terre des éléphants*, Éd. Magnard.

- Les verbes en **-yer** changent le *y* en *i* devant un *e muet*.
Au présent de l'indicatif, seules les 1re et 2e personnes du pluriel s'écrivent avec un *y* :
J'emploie - Ils emploient - Nous employons - Vous employez.
Pour les verbes en **-ayer,** comme *essayer,* on peut utiliser les deux formes : *J'essaie* ou *J'essaye.*

- À tous les temps et à toutes les personnes, les verbes en **-quer** et **-guer** conservent le *u* du radical :
Nous indiquons - Nous conjuguons - Il se fatiguait.

---

1 *Écris les verbes suivants aux trois personnes du singulier du présent de l'indicatif.*

nettoyer - essuyer - envoyer - employer.

2 *Écris les verbes ci-dessus à la 3e personne du pluriel du présent de l'indicatif.*

3 *Écris les verbes suivants aux trois personnes du singulier du présent de l'indicatif de deux façons différentes.*

essayer - rayer - délayer.

4 *Écris au présent de l'indicatif.*

Le chien *(aboyer)* après le facteur. - Tu *(effrayer)* les oiseaux avec ce bruit. - Les feuilles *(tournoyer)* dans le ciel. - Je ne *(tutoyer)* que les gens que je connais bien. - Elle a du mal à parler ; elle *(bégayer).*

5 *Mets la terminaison qui convient. Pense à l'infinitif de chacun des verbes et sois bien attentif.*

Abdel envoi... une lettre à son père. - Nadège reçoi... des nouvelles de son amie. - Cet acier rai... le verre. - La fermière trai... ses vaches. - Il essui... ses pieds sur le paillasson. - Elle poursui... ses études. - Tu aperçoi... la côte. - Tu déploi... ta voile.

6 *Écris à la personne correspondante du pluriel.*

Je ne distingue rien dans ce brouillard. - Tu indiques le chemin. - Il navigue à vue. - J'élague les arbres de mon jardin. - Attention, tu risques de tomber. - Remarques-tu le nid de pies ? - Elle s'applique toujours. - Je lui explique son problème. - Tu zigzagues continuellement. - Je me fatigue très vite. - Je pratique mon sport favori.

Démontrer et convaincre

● *Lis cette affiche.*
Quel article est proposé ?
● *Relève les mots qui soulignent la qualité de ce qui est proposé et qui insistent sur l'occasion à ne pas manquer.*
● *Relève les mots qui sont en majuscules et ceux qui sont en caractères gras.*
● *Relève l'argument qui démontre qu'il est plus intéressant d'acheter deux articles plutôt qu'un.*

AFFAIRE EXCEPTIONNELLE !

Chemises de GRANDE QUALITÉ
100 % coton - GARANTIES GRAND TEINT

Des prix AHURISSANTS !
La chemise : **100 francs !**
Les deux : **180 francs !**

Vous ne trouverez PAS MIEUX NI MOINS CHER nulle part ailleurs !

Pour démontrer et convaincre, il faut :

— **attirer l'attention** (par des couleurs, des majuscules, des points d'exclamation, des gros caractères...) ;

— **donner des arguments** (la qualité, le prix...) ;

— présenter ses arguments de manière séduisante et ne pas hésiter à employer un vocabulaire qui attire l'attention : on peut, par exemple, employer des adjectifs comme *exceptionnel, extraordinaire, magnifique...*

---

1. *En t'inspirant de l'annonce que tu viens d'analyser et des conseils qu'on t'a donnés, tu vas écrire une affichette qui démontrera les qualités d'un produit et tentera de convaincre les acheteurs.*

● *Pour t'aider, voici quelques idées sur le produit :*

chaussures, repas de restauration rapide, meubles, produits alimentaires ou domestiques, locations de vacances, etc.

Tu trouveras dans ta boîte aux lettres des tas d'idées !

● *Tu peux utiliser des caractères et des couleurs différentes. Regarde bien la ponctuation et la présentation des arguments.*

● *Insiste bien sur ce qui est exceptionnel dans cette offre (prix, qualité, durée de l'offre, concurrence...).*

2 *Regarde bien ce scooter et donne la liste des arguments qui démontrent que c'est le véhicule idéal pour se déplacer en ville.*

● *Choisis deux ou trois de ces arguments et rédige une annonce publicitaire pour convaincre qu'il faut absolument acheter ce scooter.*

● *Pour t'aider, voici quelques mots que tu pourras employer :*

souple - rapide - sûr - silencieux - économique - antivol - pratique - bon marché…

● *N'oublie pas de bien mettre en valeur ce qui va convaincre (esthétique, prix, consommation…) !*

3 *Observe l'annonce suivante, parue dans un journal.*

HYPER MAMELUCK

OUVERTURE EXCEPTIONNELLE

DEMAIN JEUDI 13 JUILLET

DE 8 H 30 À 19 H 30

● *Écris un petit texte de cinq ou six lignes qui doit convaincre les lecteurs du journal qu'il s'agit d'un événement exceptionnel.*

● *Pour t'aider, voici un peu de vocabulaire dont tu pourras te servir. Bien sûr, tu peux utiliser d'autres éléments…*

— *Types de magasins :* grande surface, super-marché, hypermarché…
— *Rayons :* alimentation, sport, jardinage, brico-lage, électroménager, prêt-à-porter, librairie, disques, vidéo, micro-informatique…
— Stock, assortiment, collections, choix…
— Prix écrasés, exceptionnels, ahurissants, cassés ; remises, soldes monstres, bonnes affaires…
— *Pour inciter les consommateurs à venir :* venez, courez, précipitez-vous ; profitez, comparez, offrez-vous…

● *Donne deux ou trois exemples précis, bien choisis.*

● *N'oublie pas la ponctuation.*

4 *Invente une affichette pour annoncer la fête de l'école et convaincre les parents d'y venir. Tu peux utiliser des couleurs et des caractères différents et, bien sûr, illustrer ton texte.*

● *Pour t'aider, voici quelques mots de vocabulaire :*

— *Noms :* kermesse, stands, tombola, lots, concours, billets ; grillades, gâteaux, glaces, crêpes, confiserie, boissons ; école (maternelle, primaire), élèves, maîtresses, parents, amis, famille…
— *Adjectifs :* grand(e), annuel(le), magnifique, délicieux, nombreux…
— *Verbes :* venir, participer, organiser, assister, gagner, soutenir, déguster…

5 *Compose une affichette que tu pourrais mettre chez les commerçants de ton quartier ou sur le tableau d'annonces de l'école.*

● *Pour t'aider, voici quelques idées. Tu peux, bien sûr, en trouver d'autres.*

— Tu as des petits chats ou des petits chiens à donner.
— Tu veux échanger un jouet, un disque, une vidéo dont tu n'as plus besoin.
— Tu veux vendre des timbres que tu as en double.
— Tu cherches un partenaire pour jouer au tennis, au scrabble.

La relation GN sujet - Verbe

L'ARRIVÉE DE LA CABINE

- *Observe :*
La masse des passagers déboula...
Avec quel mot du GNS s'accorde le verbe ?
Quelle est la nature de ce mot ?
- *Trouve dans le texte un GNS identique et indique le nom noyau.*
- *Explique l'accord des verbes :* **ralentit, vibra, s'accroupit.**
- *Explique l'accord des verbes :* **sortirent, se dirigèrent.**

La cabine ralentit, vibra de toutes ses tôles et s'accroupit, dans un mouvement maladroit, au niveau de la plate-forme de débarquement. Par les portes ouvertes, la masse des passagers déboula violemment sur le quai. Les plus excités se ruèrent aussitôt sur le panier fixé à la paroi extérieure du wagon pour le transport des skis. Des mains impatientes cherchaient leur bien dans ce faisceau de planches aux spatules recourbées. L'employé du téléphérique essayait de rétablir l'ordre en recommandant aux clients de ne pas se servir eux-mêmes...

Personne ne l'écoutait. Ayant enfin récupéré leurs skis, Jacques, ses parents et Élisabeth sortirent de la station et se dirigèrent vers le point de départ des pistes. L'air vif dilatait les poumons. Le soleil tapait sur la neige comme sur un bouclier.

HENRI TROYAT, *Tendre et violente Élisabeth*, Éd. Plon.

- Le verbe **s'accorde toujours** avec **le nom noyau** du GNS :
Un groupe de skieurs attend**ait**.
Les passagers de la cabine descend**aient**.

- Le **même sujet** peut être commun à **plusieurs verbes.** Chaque verbe s'accorde avec ce sujet :
Le champion s'élance, décolle, plane un instant et retomb**e** sur la piste durcie par le gel.

- Le **même verbe** peut être commun à **plusieurs sujets.** Le verbe prend alors la marque du pluriel :
Stéphanie, Élise et Julien ador**ent** le ski.

1. *Souligne le nom noyau de chaque GN.*

Une route de montagne - un groupe d'amis - quelques habitants du village - un sommet des Alpes - une cordée d'alpinistes - des skis de fond - une équipe de secours - des chiens d'avalanche.

2. *Même exercice.*

Une agréable petite station - une longue piste très difficile - le plus haut refuge des alpinistes - la blancheur immaculée des neiges éternelles - l'extraordinaire tremplin de saut olympique.

3 *Accorde les verbes au présent de l'indicatif.*

Là-bas, une troupe de chamois *(traverser)* le torrent. - Depuis hier, ce couloir d'avalanches *(être)* interdit aux skieurs. - Mes chaussures de ski me *(serrer)* un peu trop. - Ces larges lunettes de soleil *(protéger)* mes yeux des brûlures. - L'équipe des moniteurs *(préparer)* une descente aux flambeaux. - Les classes de neige *(partir)* lundi pour trois semaines.

4 *Même exercice.*

Dans ce massif, le plus haut des sommets *(atteindre)* 3 600 m. - L'une des plus longues pistes de la station *(mesurer)* 5 km. - Les arbres de cette forêt ne *(perdre)* pas leurs feuilles. - Depuis ce matin, les flocons de neige *(tomber)* serrés. - Le cri des marmottes *(annoncer)* la fin de l'hiver. - Un couple d'aigles royaux *(planer)* au-dessus de la vallée.

5 *Accorde les verbes comme il convient.*

Le skieur débutant *(hésiter)*, *(plier)* les jambes, *(démarrer)* lentement, *(glisser)* sur quelques mètres. - Les alpinistes *(se rejoindre)*, *(examiner)* la paroi et *(choisir)* la meilleure voie vers le sommet. - Le chien d'avalanche *(flairer)* une trace, *(s'arrêter)*, *(repartir)*, *(creuser)* la neige et *(retrouver)* le blessé.

6 *Accorde les verbes comme il convient.*

Hélène, Céline et Natacha *(ne pas savoir)* skier. - L'institutrice et l'animateur *(préparer)* les jeux de la veillée. - Les enfants du village et ceux de la classe de neige *(se retrouver)* sur les pistes. - La marmotte et ses petits *(nicher)* dans ce terrier. - Le vent, la neige, le froid *(rendre)* l'ascension difficile.

7 *Réunis en une phrase. Accorde bien les verbes.*

Christophe file sur la piste gelée. Marie file sur la piste gelée.
Le mauvais temps rend les secours difficiles. La nuit proche rend les secours difficiles.

Le sapin garde ses aiguilles en hiver. L'épicéa garde ses aiguilles en hiver.
Ludovic aime le ski. La sœur de Ludovic aime le ski. Le jeune frère de Ludovic aime le ski.

8 *Des erreurs d'accord se sont glissées dans certaines des phrases suivantes. Retrouve-les et récris correctement les phrases.*

Sous nos pas crissaient la neige. - Laurent et Julien lançaient des boules de neige. - Les passagers de la cabine sortait rapidement. - Cette paire de chaussures m'allaient bien. - Sur la branche apparaissaient quelques bourgeons. - Le froid, le vent, la neige peu à peu nous quittaient.

ÉCRIRE

9 *Écris quatre phrases en te servant des GNS des exercices 1 et 2. Fais bien les accords.*

10 *Invente deux phrases dans lesquelles tu utiliseras un seul sujet pour plusieurs verbes.*

11 *Invente deux phrases dans lesquelles tu utiliseras plusieurs sujets pour le même verbe.*

12 *Raconte, en un court paragraphe, les premiers pas d'un skieur débutant.*
Pour t'aider, son attitude comique : **les jambes raides, le dos rond. Il commence à glisser, prend de la vitesse, se raidit encore, saute sur une bosse... plante un bâton... tourne, perd l'équilibre... tombe, roule...**

13 *Fais maintenant le portrait opposé : celui du champion.*
Pour t'aider : **Parvenu au sommet de la piste, il s'élance...** *son attitude, son aisance...* **contourne les obstacles...,** *sa vitesse...* **décolle sur les bosses... disparaît rapidement... stoppe en faisant voler la neige...**

L'accord GN sujet/verbe : Récapitulation

- Un seul sujet < singulier → verbe au singulier. ***Pierre*** *écoute un disque.*
  pluriel → verbe au pluriel. ***Les enfants*** *écoutent un disque.*

- Plusieurs sujets < singulier / pluriel → verbe au pluriel. ***Isabelle, Lucie*** *et* ***Marc*** *écout**ent** un disque.*

- Un sujet singulier, plusieurs verbes → verbes au singulier. ***La feuille*** *se détach**e**, tourbillonn**e** et tomb**e** sur le sol.*

- Un sujet pluriel, plusieurs verbes → verbes au pluriel. ***Les feuilles*** *se détach**ent**, tourbillonn**ent** et tomb**ent** sur le sol.*

- Le verbe s'accorde toujours avec le sujet, quelle que soit la place du sujet et du verbe.
Le sujet est **devant** le verbe : ***Les hirondelles*** *nich**ent** dans la grange.*
Le sujet est **après** le verbe : *Dans la grange nich**ent*** ***les hirondelles***.
Le sujet est **éloigné** du verbe : ***Les hirondelles***, *dont les cris nous parviennent, nich**ent** dans la grange.*

Mots de sens général et mots de sens particulier

● *Relève dans le texte :*
— des mots désignant des céréales,
— des mots désignant du matériel de navigation.
● *Quels vêtements les coffres pouvaient-ils contenir ?*
● *Quels ustensiles les corbeilles pouvaient-elles contenir ?*
Quels bijoux ?

ROBINSON ET LE BUTIN DE LA VIRGINIE

Après avoir entreposé les quarante tonneaux de poudre noire au plus profond de la grotte, il y rangea trois coffres de vêtements, cinq sacs de céréales, deux corbeilles de vaisselle et d'argenterie, plusieurs caisses d'objets hétéroclites — chandeliers, éperons, bijoux, loupes, lunettes, canifs, cartes marines, miroirs, dés à jouer — une malle de matériel de navigation, câbles, poulies, fanaux, lignes, flotteurs, etc.

L'examen des sacs de riz, de blé, d'orge et de maïs qu'il avait sauvés de l'épave de La Virginie réserva à Robinson une lourde déception. Les souris et les charançons en avaient dévoré une partie...

MICHEL TOURNIER, *Vendredi ou la vie sauvage*, © M. Tournier, Éd. Gallimard.

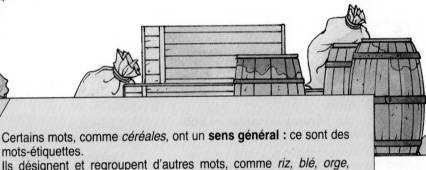

Certains mots, comme *céréales,* ont un **sens général :** ce sont des mots-étiquettes.
Ils désignent et regroupent d'autres mots, comme *riz, blé, orge, maïs,* qui, eux, ont un sens plus précis, un **sens particulier.**

---

1 *Pour chaque collection de mots, trouve le mot de sens général qui convient. C'est un mot-étiquette.*

- villa, château, maison, immeuble . . .
- cyclisme, basket, rugby, boxe . . .
- crabes, crevettes, langouste . . .
- poirier, cerisier, amandier . . .
- maire, député, conseiller général . . .

2 *Trouve le mot de sens général correspondant à chaque mot donné.*

le hanneton	est . . .	le thym	est . . .
le tournevis	→ . . .	le chardonneret	→ . . .
le pain	→ . . .	un chapeau	→ . . .
le cuivre	→ . . .	l'huître	→ . . .

3 *Remplace le mot de sens général par trois mots de sens particulier.*

Les fleurs sont cultivées sous serre. - Un violent orage a endommagé les voies de communication de toute la région. - L'école prépare aux C.A.P. des métiers du bâtiment. - Pendant les travaux, le pont est interdit aux véhicules. - Elle vendait des coquillages sur le vieux port.

4 *Remplace les trois mots soulignés de chaque phrase par un mot de sens général.*

Le marchand vend des <u>vestes</u>, des <u>manteaux</u> et des <u>blousons</u>. - Les musiciens de l'orchestre préparent les <u>violons</u>, les <u>trompettes</u> et les <u>flûtes</u>. - Les <u>coureurs</u> de 100 m, les <u>sauteurs</u> et le <u>lanceur</u> de poids s'entraînent sur le nouveau stade. - Protégeons les <u>chênes</u>, les <u>hêtres</u> et les <u>érables</u>. - <u>Aigles</u>, <u>buses</u> et <u>éperviers</u> sont en voie de disparition. - Le jardinier a rangé son <u>râteau</u>, sa <u>bêche</u> et sa <u>pioche</u> dans un petit hangar. - Le coffret contenait des <u>bracelets</u> en or, des <u>colliers</u> de perles et une <u>broche</u> en argent.

5 *Jouons !*
Trouve le bon mot de sens général et encadre-le. (Aide-toi de ton dictionnaire.)

Le basilic est : un jeu de société, une plante aromatique, un instrument de chirurgien.
Un semainier est : un métier de la terre, un arbre fruitier, un meuble à sept tiroirs.
La varlope est : un oiseau palmipède, un outil de menuisier, un champignon comestible.
Le lagopède est : un oiseau, un mammifère, un moyen de transport.

Comment dire

1 Remplace la partie soulignée de chaque phrase par l'un des verbes suivants :

déclarer - contester - reprocher - insister - suggérer.

Il <u>dit qu'il n'est pas d'accord avec</u> la décision de l'arbitre.

Elle <u>dit la même chose plusieurs fois</u> pour que sa fille range mieux ses affaires.

Le président <u>dit officiellement</u> que la séance est ouverte.

Il <u>dit</u> à son fils <u>que ce n'est pas bien</u> d'être rentré en retard.

Elle <u>lui dit que, peut-être, il serait bon</u> d'aller consulter un médecin.

Employer un adverbe

2 Le haut-parleur clame que les coureurs arrivent.

On peut dire la même chose en écrivant au style direct :

Le haut-parleur clame : « Les coureurs arrivent. » *ou* **« Les coureurs arrivent », clame le haut-parleur.**

● *Relève les signes de ponctuation utilisés dans le style direct.*

● *Transforme les phrases suivantes en utilisant ces signes.*

Les journaux annoncent que la guerre est finie. - Édouard crie que le lièvre est parti. - Hélène m'a dit qu'elle viendrait demain. - Le boxeur proclame qu'il est le plus fort. - L'avocat affirme que son client est innocent. - Le malade dit qu'il a mal à la tête. - Les vacanciers annoncèrent qu'ils partaient à cause du mauvais temps. - Le voyageur demande si le train comporte un wagon-restaurant.

Le style direct, le dialogue

3 Relève les signes de ponctuation caractéristiques d'un dialogue.

LA FLEUR
Un jour, par exemple, parlant de ses quatre épines, elle avait dit au petit prince :
« Ils peuvent venir, les tigres, avec leurs griffes !
— Il n'y a pas de tigres sur ma planète, avait objecté le petit prince, et puis les tigres ne mangent pas l'herbe.
— Je ne suis pas une herbe, avait doucement répondu la fleur.
— Pardonnez-moi...
— Je ne crains rien des tigres, mais j'ai horreur des courants d'air. Vous n'auriez pas un paravent ?

A. DE SAINT-EXUPÉRY, *Le Petit Prince*, Éd. Gallimard.

4 Écris le texte suivant sous forme de dialogue :

UNE RENCONTRE
Au hasard d'une promenade, Aymeric rencontre, sur le chemin qui conduit à l'ancienne bergerie, un jeune garçon à l'allure mystérieuse...

Aymeric lui demanda comment il s'appelait, car il ne le connaissait pas. Le jeune étranger répondit qu'on le nommait Alban. Que venait-il faire ici, dans les collines ? Alban répondit qu'il voulait voir les Corbières.
Aymeric souriait et se demandait d'où venait ce jeune garçon de son âge. Il remarqua qu'il était habillé comme les bergers et lui demanda pourquoi il portait cet habit. Avec sérieux, Alban répondit qu'il cherchait son troupeau de chèvres. Aymeric affirma qu'il y avait bien longtemps qu'on ne voyait plus de chèvres dans le pays et que le dernier troupeau appartenait à son arrière-grand-père Basile. C'était le dernier chevrier du pays. Alban, avec tristesse, répliqua que c'était bien dommage.
Et l'enfant qui cherchait les chèvres disparut à travers les romarins au grand étonnement d'Aymeric, qui n'en croyait pas ses yeux.

Jeu poétique

5 Charades.

● *Trouve la réponse à cette charade :*

Mon premier est une note de musique,
Mon second est venu au jour,
Mon troisième supporte la voile,
Et mon tout est une invention lumineuse.

si - né - mât → cinéma.

● *À ton tour, invente des charades.*
Si tu n'as pas l'habitude, tu pourras t'entraîner d'abord avec des mots de deux syllabes.

Reconstitution de texte

6 LA JEUNE FILLE AUX YEUX VERTS

Le chat Jude conduit le jeune Simon en un endroit mystérieux où il découvrira une jeune fille...

Je suis un coureur des bois : je devine à distance une présence, je sens un regard posé sur moi comme je sentirais une main sur mon épaule. Quelqu'un était entré, je le savais, et, me retournant, j'aperçus entre deux buissons une jeune fille vêtue d'une robe mauve et d'une longue chevelure noire. Elle s'approcha et, se penchant vers Jude, le caressa du bout des ongles de telle sorte qu'il se mit aussitôt à ronronner. Puis elle leva vers moi son visage, et je vis qu'elle avait des yeux verts.

JEAN JOUBERT, *Histoires de la forêt profonde*, Éd. L'École des Loisirs.

Choisir entre *si* et *s'y* ; *ni* et *n'y*

• *Observe les mots en italique dans le texte. Quel est le sens de* si *dans la deuxième phrase ? Dans la dernière ? Connais-tu un troisième sens de ce mot ?*
• *Elle* s'y *abrite. Peut-on conjuguer cette phrase à d'autres personnes ? Devant quel mot est écrit* s'y *?*
• *Quel est le sens de* ni *? Devant quel mot est écrit* n'y *?*

LA MARMOTTE

Vous la rencontrerez en montagne, au printemps, au-dessus de 2 000 mètres. *Si* vous êtes patient et demeurez immobile, vous la verrez sortir de son terrier. Elle *s'y* abrite tout l'hiver. *Ni* le froid *ni* la neige *n'y* pénètrent, car elle le referme avec soin derrière elle à l'automne.

Elle est *si* craintive, qu'à la moindre alerte, prévenue par un veilleur attentif, elle rejoint sa demeure et *s'y* terre.

• **Si** indique {
une condition. → **Si** *tu veux, tu peux.*
une affirmation. → **Si,** *c'est moi !*
une intensité. → *Elle est* **si** *craintive (= tellement).*

S'y se place devant un verbe et peut se remplacer par *m'y, t'y* :
Elle **s'y** *précipite - Je* **m'y** *précipite.*

• **Ni** marque la double négation : *Je ne bois* **ni** *thé* **ni** *café.*

N'y marque aussi la négation et se place devant un verbe :
Personne **n'y** *pénètre.*

---

1 *Complète par* si *ou* s'y.

... tu viens, préviens-moi. - Il est ... fatigué, qu'il s'endort. - Et ... tu lui écrivais ? - ... tu m'écoutes, tu comprendras. - Jérôme n'aimait pas l'école, maintenant il ... plaît beaucoup. - Qui ... frotte ... pique. - Il parle ... fort qu'il nous casse les oreilles. - Il est ... malin qu'il ne ... laisse pas prendre.

2 *Invente trois phrases avec* si *marquant successivement : la condition, l'affirmation, l'intensité. Écris-les.*

3 *Invente trois phrases avec* s'y. *Écris-les.*

4 *Réunis les phrases en employant la double négation.*

1. On ne voit pas de marmottes. On ne voit pas de chamois. - 2. Cette maison n'est pas froide. Cette maison n'est pas humide. - 3. Sur ces rochers, il ne pousse pas d'arbres. Sur ces rochers, il ne pousse pas de fleurs. - 4. David n'écoute pas son père. David n'écoute pas sa mère.

5 *Invente deux phrases dans lesquelles tu emploieras la double négation. Écris-les.*

6 *Complète par* ni *ou* n'y.

Il ... a plus de neige sur les sommets. - ... touchez pas, c'est fragile ! - ... Thomas ... Cécile ... viendront. - ... toi ... moi ... pouvons rien changer. - Je ne trouve pas la solution ; je ... comprends rien. - Il ... a qu'elle qui ... arrive pas. - Il ... fait ... froid ... chaud ; il ... pleut pas souvent.

7 *Écris à la forme négative :*

Si tu me le demandes, j'y viendrai. - L'an prochain j'y retournerai. - Cette année Cécile y sera. - J'y vais.

8 *Dictées à préparer.*
• *Autodictée : le texte d'étude.*

• LES OURS EN FRANCE
Il n'y a plus d'ours en France. Si, affirment certains bergers des Pyrénées. Pourtant, ni les promeneurs, ni les chasseurs ne les rencontrent. Personne n'y croit plus guère. Il n'y a pas si longtemps, cependant, des moutons furent retrouvés égorgés dans un pâturage. On n'y alla pas par quatre chemins ; messire Ours fut accusé... Et depuis, certains soirs on y pense en fermant les bergeries. Et si c'était vrai ?...

Le présent de l'indicatif des verbes du 3ᵉ groupe (1)

Conjugaison

• *À quel temps est écrit le texte ?*
• *Rélève les verbes du 3ᵉ groupe. Donne leur infinitif.*
• *Écris les trois personnes du singulier des verbes* lire, sentir, entendre. *Compare les terminaisons de ces verbes. Quelles remarques peux-tu faire ?*

LA CHIENNE BULL

Elle se refuse à dormir pendant que nous veillons. Si je lis, si j'écris, si je flâne au soleil, à demi assoupie, Poucette s'astreint à imiter mon silence, mon immobilité. Mais je sens, j'entends tous ses muscles trembler d'impatience et elle ne ferme les yeux que pour cacher le feu guetteur de son regard

COLETTE, *La Paix chez les bêtes*, © Librairie Arthème Fayard, 1958.

• Au **présent de l'indicatif**, la plupart des verbes du **3ᵉ groupe** se terminent par *-s, -s, -t, -ons, -ez, -ent.*

lire		*dormir*	
je lis	*nous lisons*	*je dors*	*nous dormons*
tu lis	*vous lisez*	*tu dors*	*vous dormez*
il, elle lit	*ils, elles lisent*	*il, elle dort*	*ils, elles dorment*

• Les verbes en **-dre** : *vendre, perdre, coudre...* se terminent par *-ds, -ds, -d, -ons, -ez, -ent,* sauf les verbes en *-aindre (craindre), -eindre (peindre), -oindre (joindre), -soudre (résoudre),* qui suivent la règle générale : *-s, -s, -t, -ons, -ez, -ent.*

vendre	*peindre*	*rejoindre*
je vends	*je peins*	*je rejoins*
tu vends	*tu peins*	*tu rejoins*
il, elle vend	*il, elle peint*	*il, elle rejoint*

---

1 *Écris l'infinitif des verbes conjugués suivants :*

Tu dors - il vient - je reçois - elle part - tu bois - j'aperçois - tu attends - elle voit - tu plains - il croit.

2 *Complète par un pronom qui convient.*

. . . sort - . . . luisent. - . . . rend - . . . reçoivent - . . . perds - . . . attendez - . . . partons - . . . coud - . . . courons - . . . boivent.

3 *Écris les verbes au présent de l'indicatif.*

Marie et Caroline *(attendre)* l'autobus. - La pie *(construire)* son nid dans le pommier. - Romain *(courir)* après Ludovic. - Tu *(descendre)* l'escalier en courant. - J'*(apercevoir)* mes amis qui arrivent. - Tu *(répondre)* à ma lettre.

4 *Écris les phrases suivantes au présent de l'indicatif.*

Sébastien riait aux éclats. - Véronique ne comprenait pas ce qu'on disait. - Je perdais toujours à ce jeu. - Je ne connaissais pas cette route. - Tu suivras mon plan.

5 *Fais toutes les liaisons possibles.*

Tu • • vient   Ils • • réponds
On • • pars   Vous • • perd
Nous • • apprends   Tu • • défendent
Je • • sortons   Elle • • confondez

6 *Mets la terminaison qui convient au présent de l'indicatif.*

tu rempl. . . - tu écout. . . - il attein. . . - elle bond. . . - je crain. . . - nous attend. . . - on enten. . . - ils part. . .

Les pronoms personnels sujets

LE ROI MATHIAS Ier

• Quel mot remplace le GNS la couronne dans la deuxième phrase du texte ?
Quelle est la fonction de ce mot ?
• Relève tous les sujets du deuxième paragraphe du texte.
Que peux-tu dire de ces sujets ?
Quels GNS remplacent-ils ?
• Moi, je serai le Roi des Enfants.
Quel est le sujet de cette phrase ?
Quelle remarque peux-tu faire sur lui ?
Trouve d'autres exemples identiques dans le texte.

Mathias soupira. La couronne lui semblait toujours lourde, mais à présent, elle lui pesait comme si elle était un boulet de canon.

On avait libéré les ministres de leurs chaînes, puis ils furent conduits dans le réfectoire de la prison ; ils y retrouvèrent les ministres de la Justice et de la Guerre. (…)

Les gardes, sabre au clair, occupèrent leur place et le Conseil débuta.

Mathias, la nuit, avait préparé un plan qu'il exposa ainsi :

— Vous ! Vous vous occuperez des adultes, et moi je serai le Roi des Enfants. Quand j'aurai douze ans, je gouvernerai tous les enfants n'ayant pas plus de douze ans. Lorsque j'aurai quinze ans, je m'occuperai de ceux n'ayant pas dépassé la quinzième année. Et en tant que Roi, moi seul, je peux faire ce qui me plaît.

Les autres lois, nous les laisserons comme autrefois. Mais moi qui suis petit, je sais parfaitement tout ce qui est nécessaire aux mioches.

— Nous aussi, nous avons été autrefois des enfants, fit remarquer le Premier ministre.

JANUSZ KORCZAK, *Le Roi Mathias Ier*, trad. Maurice Wajdenfeld, Éd. Gallimard.

• **Il, ils, elle, elles,** qui peuvent **remplacer** des GNS et en éviter la répétition, sont des **pronoms personnels sujets** :
La couronne lui pesait → *Elle* lui pesait.

• **Je, tu, nous, vous,** qui **désignent** les personnes participant à la communication, sont aussi des **pronoms sujets** :
Je gouvernerai tous les enfants. (Je = moi, le roi)

• **On** est un pronom sujet qui désigne une 3ᵉ personne **non précisée** (singulier ou pluriel) :
On appelle = Quelqu'un appelle.

• Lorsque **moi, toi, lui, elle, nous, vous, eux, elles** renforcent le sujet (forme d'insistance), ils sont également **pronoms personnels sujets.**
Moi, je serai Roi des Enfants. *Vous,* vous serez ministres.
Eux, ils obéiront.

1 *Remplace chaque GNS par le pronom personnel qui convient.*

Le Conseil des ministres commença. Les ministres prenaient la parole chacun à son tour. Le roi Mathias les écoutait. Des ministres proposaient des lois. Les lois devaient être discutées. La séance dura longtemps.

2 *Remplace chaque pronom personnel par un GNS qui peut convenir.*

Il décida de réunir tous ses ministres. - Elle a lieu tous les sept ans. - Elles furent votées par la majorité. - Ils interrogèrent les ministres après le Conseil. - Elle retransmit le débat en direct.

3 *Emploie des pronoms personnels pour éviter les répétitions.*

Mathias était prudent. Mathias savait qu'il ne fallait rien faire avec précipitation. Parfois Mathias était allé trop vite et Mathias avait commis des erreurs. Les rois ne peuvent pas faire tout ce qu'ils veulent ; les rois doivent obéir à la loi. La loi doit être respectée. La loi est une sorte de règle du jeu ; la loi ne peut être détournée.

4 *Complète les phrases comme il convient.*

Anne et Carole se voient souvent ; . . . sont amies. - Simon et Cédric sont voisins ; . . . habitent la même rue. - Christophe et Delphine aiment nager ; . . . vont souvent à la piscine. - Nicolas, Séverine et Julie font du théâtre ; . . . jouent une pièce de Molière. - Vincent, Bertrand et Nathalie passent en sixième ; . . . seront dans le même collège.

5 *Indique entre parenthèses la ou les personne(s) désignée(s) par le pronom personnel.*

Je ferai punir les coupables, dit le ministre de la Justice. - Nous voterons des lois justes, affirment les députés. - Dans cette pièce, tu seras Roméo et moi, je serai Juliette, annonce Sophie à Marc. - Tu rouspètes tout le temps, reproche Sylvain à Marie. - Vous viendrez me voir, dit la maîtresse à Estelle et Cécile.

6 *Remplace le pronom* on *par un GNS qui peut convenir.*

On a décoré le sapin de Noël. - On a perdu la coupe d'Europe. - On a acheté un cadeau pour l'anniversaire de maman. - On a arrêté le voleur. - On a élu le président de la République. - On a marché sur la Lune. - On a organisé les Jeux olympiques. - On a vaincu les Romains à Gergovie.

7 *Sur le modèle ci-dessus, construis trois phrases commençant par* on *(identifiable).*

8 *Renforce chaque sujet avec le pronom qui convient.*

. . ., il sera élu au Conseil. - . . ., vous n'aurez pas assez de voix. - . . ., nous rédigerons un questionnaire. - . . ., j'animerai la réunion. - La maîtresse, . . ., rédigera le compte rendu. - . . ., tu liras l'ordre du jour.

9 *Complète avec le pronom personnel qui convient.*

Toi et moi, . . . préparons la salle. - Elle et lui, . . . enregistreront les débats. - Sophie et toi, . . . prendrez quelques notes. - Mathieu, Véronique et moi, . . . participerons à la discussion. - Eux et toi, . . . tomberez d'accord.

10 *Réunis en une phrase.*

Caroline écoute un disque. J'écoute aussi un disque. - Julien ira à la montagne. Tu iras également à la montagne. - Yves et Stéphane collectionnent les timbres. Je collectionne aussi les timbres.

ÉCRIRE

11 *Laurent et Pauline, le frère et la sœur, se disputent. Pauline ne retrouve plus son appareil photo. Elle accuse son frère de l'avoir égaré.*
Imagine le dialogue. Écris des phrases courtes, en allant à la ligne à chaque phrase et place un tiret pour marquer le changement d'interlocuteur.

12 *À l'initiative de la maîtresse, on prépare un séjour d'une semaine au bord de la mer ou à la montagne...*
La maîtresse fait part de ses projets. Elle évoque les activités possibles durant ce séjour. Fais-la parler.

13 *Donne ton avis sur le tableau ci-dessous (les formes, les couleurs, ce qu'il évoque pour toi...).*
Emploie les expressions : **pour ma part - en ce qui me concerne - personnellement - selon moi - d'après moi - à mon avis...**

Des mots composés

LA RÉVOLTE

- *Lis le texte.*
- *Observe :*
— le chauffe-bain,
— le conseil de guerre.
- *Comment ces noms sont-ils composés ?*
- *Recherche dans le texte d'autres noms formés de la même façon.*
- *En connais-tu d'autres employés couramment ? Écris-les.*

La maison devint un champ de bataille... Les robinets ne voulaient plus couler ? On les démonta. Les enfants, avec le couteau d'Éric et ses dix-huit lames, dévissèrent tous les tuyaux d'eau, les canalisations, provoquèrent une inondation en démontant le réservoir, faillirent noyer grand-père, Nounou et Maria. Ils démontèrent les serrures, les verrous, les portes. Ils démontèrent le chauffe-bain. Ils démontèrent l'ouvre-porte automatique, ils démontèrent le téléphone, ils démontèrent le poêle. La maison n'était plus que ruine, dévastation et désordre...

Il y eut un grand conseil de guerre des objets cette nuit-là.

— L'audace de ces petits d'homme est insupportable, disait l'armoire à glace. Il faut prendre des mesures sévères.

CLAUDE ROY, *La Maison qui s'envole*, Éd. Gallimard.

Certains mots comme *chauffe-bain, ouvre-porte,* sont composés de deux mots réunis par un trait d'union.
D'autres mots comme *conseil de guerre, armoire à glace,* sont composés de deux mots reliés par une préposition.
Tous ces mots sont appelés **mots composés.**
Quelquefois, le mot composé est formé de trois éléments :
arc-en-ciel.

1 *Un verbe et un nom reliés par un trait d'union. Trouve des noms composés formés sur le verbe* **porter.**

Grand bateau de guerre dont le pont constitue une plate-forme d'envol :
un porte-...
Objet que l'on considère comme porteur de chance :
un porte-...

Petit sac à fermoir où l'on met l'argent de poche :
un porte-...
Anneau pour porter des clefs :
un porte-...
Filet, galerie métallique où l'on place les valises, les sacs ou paquets :
un porte-...
Personne qui prend la parole au nom de quelqu'un d'autre :
un porte-...

2 *Trouve des mots composés dont le premier terme est donné.*

Pour se reposer :   une chaise . . .
Peut se manger en salade :   le chou-. . .
Donne de l'eau chaude : :   le chauffe-. . .
Pour la lumière :   un abat-. . .
Vitre à l'avant de l'automobile : le pare-. . .
Un arrêt pour boire le café :   la . . .-café
On y voit des films :   un . . . -club
On l'utilise quand les mains
sont mouillées :   un . . . -mains
Œuvre remarquable :   un . . . -d'œuvre

3 *Complète les mots composés désignant des oiseaux.*

un rouge-. . .   un oiseau-. . .
le martin-. . .   un pic-. . .
le gobe-. . .   la pie-. . .

4 *Un verbe et un nom reliés par un trait d'union. Trouve des noms composés formés sur le verbe* **garder.**

Personne qui surveille les pêcheurs :
un garde-. . .
Personne qui garde et soigne les malades :
un(e) garde-. . .
Personne qui surveillait autrefois un passage à niveau sur une voie ferrée :
le garde-. . .
Bande de métal incurvée qui recouvre en partie la roue d'une bicyclette ou d'une moto :
un garde-. . .
Armoire dans laquelle on range des vêtements :
une garde-. . .

5 *Complète avec des noms composés. Le mot placé avant le trait d'union est toujours le même.*

Il travaille sur une table en forme de . . .-. . . *(moitié de cercle).*
Nous partirons dans une . . .-. . . *(temps compris entre 8 h et 8 h 30).*
J'ai commandé une . . .-. . . d'huîtres *(six unités).*
Les . . .-. . . ne prennent que le repas de midi à l'école *(demi-pension).*
Aujourd'hui, l'entrée du cinéma est à . . .-. . . *(prix réduit de moitié).*
À cause du mauvais temps, les marcheurs ont dû faire . . .-. . . *(retourner sur ses pas).*

6 *Complète avec des noms composés formés de deux mots reliés par un trait d'union.*

Pendant que le rapide roule à vive allure, nous allons prendre notre repas au . . .-. . . - Les enfants s'amusent à faire voler un magnifique . . .-. . . retenu par une ficelle. - Quelques gouttes de ce médicament suffiront et pour ne pas vous tromper, utilisez un . . .-. . . - Cette cour est réservée à la fermière pour élever poules, canards, dindons : c'est la . . .-. . . - Après plusieurs mois passés au fond de l'océan, le . . .-. . . a refait surface. - Il portait un . . .-. . . en laine pour cacher sa blessure au cou. - Les bijoux se trouvent bien cachés dans un . . .-. . . à la banque.

7 *Ces mots composés ont trois éléments. Complète.*

Plat composé de viande de bœuf bouillie avec des carottes, des poireaux, des navets, etc. :

.	.	.	-	a	u	-	.	.	.

Manière de faire tomber quelqu'un en lui retenant une jambe avec le pied :

.	.	.	.	-	e	n	-	.	.	.	.	.

Phénomène météorologique lumineux en forme d'arc offrant toutes les couleurs, et produit par les rayons du soleil dans les gouttes de pluie :

.	.	.	-	e	n	-	.	.	.	.

Aussitôt, immédiatement :

.	.	.	.	-	l	e	-	.	.	.	.	.

8 *Complète pour former des mots composés.*

un fer à . . .   une chemise de . . .
une machine à . . .   un maillot de . . .
un moulin à . . .   une serviette de . . .
une pince à . . .   un drap de . . .
une table de . . .   une robe de . . .
une salle de . . .   un tablier de . . .

9 *Complète pour former des mots composés.*

          aux . . .   de . . .
une boîte à . . .   un service
          de . . .   à . . .
          d'. . .

10 *Deux noms reliés par la préposition* **de** *ou* **d'.** *Complète avec des noms composés formés de cette façon (noms de métiers).*

Le Boeing va atterrir et l'. . . nous invite à attacher nos ceintures. - Monsieur Durand transporte tous les jours des personnes dans sa voiture, c'est son travail, il est . . . - Ils assurent l'ordre public, règlent la circulation : ce sont les . . ., encore appelés . . . - Vivien voudrait être . . . pour conduire une de ces voitures qui roulent à vive allure sur des circuits célèbres. - À la terrasse de l'établissement, le . . . nous a servi des boissons fraîches. - Du haut de sa tour, le . . . surveille les bateaux pris dans l'immense rayon de lumière.

Choisir entre *quel(s)*, *quelle(s)* et *qu'elle(s)*

● *Observe les quatre premières phrases.*
Pour chacune de ces phrases, quel est le genre et le nombre de quel ?
Avec quel mot s'accorde-t-il ? Invente d'autres exemples montrant cet accord.
● *Il faut qu'elle vienne. Quel mot reconnais-tu dans qu'elle ?*
Écris cette phrase au masculin.
À l'écrit, comment peut-on distinguer quelle de qu'elle ?

SAURAS-TU RÉPONDRE ?

● Quel roi de France mourut sur l'échafaud ?
● En quelle année auront lieu les prochaines élections présidentielles ?
● Quels pays appartiennent à l'Union Européenne ?
● Quelles sont les trois couleurs du drapeau italien ?
● C'est en 1492 qu'elle fut découverte. De quoi s'agit-il ?
● Elles font partie du système solaire ; on pense qu'elles ne sont pas habitées. Qui sont-elles ?
● 300 000 km à la seconde ! Il n'y a qu'elle, que nous voyons, et qui va aussi vite ! Qu'est-ce que c'est ?

● **Quel** est un **adjectif interrogatif ou exclamatif.** Il s'accorde en genre et en nombre avec le nom qu'il accompagne :
Quel *âge as-tu ?* **Quelle** *chance nous avons !*
Quels *livres préfères-tu ?* **Quelles** *belles fleurs !*

● **Qu'elle, qu'elles** peuvent se remplacer par *qu'il, qu'ils* ou *que lui, qu'eux :*
On pense **qu'elle** *viendra. Il n'y a* **qu'elle.**

---

1 *Complète par* **quel, quels, quelle** *ou* **quelles.**

Vraiment, . . . patience ! - Savez-vous de . . . instrument il joue ? - . . . plaisir de vous rencontrer ! - . . . pays avez-vous visités ? - . . . souplesse, ce chat ! - À . . . étage habites-tu ? - . . . émissions préférez-vous ?

2 *Écris des exclamations en utilisant les mots suivants :*

nervosité - difficultés - blague - bruit - parfums.

3 *Complète avec le mot qui convient :* **quel, quels, quelle, quelles, qu'elle** *ou* **qu'elles.**

Dans . . . classe est-elle ? Avec . . . maîtresse ? - Il faudrait . . . travaille mieux ! Croyez-vous . . . passera en sixième ? . . . est sa moyenne ?
Je ne sais pas . . . gâteau acheter. Crois-tu . . . aiment la glace ? Non, je pense . . . préfèrent la tarte aux fraises. . . . est le menu ? . . . sont tes plats préférés ?

4 *Même exercice*

. . . vienne - . . . partent - . . . chance - . . . tremblent - . . . erreurs.

5 *Invente cinq phrases. Pour chacune d'elles, utilise une forme différente des mots étudiés.*

6 *Dictée à préparer.*

● LA CHENILLE
Quelle belle chenille, grasse, velue, fourrée, brune avec des points d'or et ses yeux noirs !...
De ses fines agrafes, elle tâte l'écorce rude, balance sa petite tête de chien nouveau-né et se décide à grimper.
Et, cette fois, vous diriez qu'elle avale péniblement chaque longueur de chemin par déglutition.
Tout en haut du rosier, s'épanouit une rose au teint de candide fillette. Ses parfums qu'elle prodigue la grisent.

JULES RENARD, *Histoires naturelles.*

Conjugaison

Le présent de l'indicatif des verbes du 3ᵉ groupe (2)

● *Relève les verbes conjugués du texte.*
Écris leur infinitif et indique à quel groupe ils appartiennent.
● *Écris les trois personnes du singulier du présent des verbes du 3ᵉ groupe.*
Quelles remarques peux-tu faire sur les terminaisons de ces verbes ?

LA PÊCHE EN BARQUE

Ce que j'aime dans la pêche en barque, c'est le plaisir qu'offre la promenade. On découvre des lieux insolites, tranquilles. On peut se laisser porter par le courant, rêver. Si le poisson ne veut pas mordre, qu'importe, on cueillera quelques fleurs aquatiques ; le nénuphar vaut bien la perche arc-en-ciel.

● Au **présent de l'indicatif,** les verbes *pouvoir, vouloir, valoir,* se terminent à l'écrit par : *-x, -x, -t, -ons, -ez, -ent.*

Pouvoir	*Vouloir*	*Valoir*
je peux	*je veux*	*je vaux*
tu peux	*tu veux*	*tu vaux*
il, elle peut	*il, elle veut*	*il, elle vaut*
nous pouvons	*nous voulons*	*nous valons*
vous pouvez	*vous voulez*	*vous valez*
ils, elles peuvent	*ils, elles veulent*	*ils, elles valent*

● Les verbes *ouvrir, offrir, cueillir...* se conjuguent au présent comme les verbes du 1ᵉʳ groupe. Ils se terminent à l'écrit par : *-e, -es, -e, -ons, -ez, -ent.*

Ouvrir	*Offrir*	*Cueillir*
j'ouvre	*j'offre*	*je cueille*
tu ouvres	*tu offres*	*tu cueilles*
il, elle ouvre	*il, elle offre*	*il, elle cueille*
nous ouvrons	*nous offrons*	*nous cueillons*
vous ouvrez	*vous offrez*	*vous cueillez*
ils, elles ouvrent	*ils, elles offrent*	*ils, elles cueillent*

---

1 *Indique l'infinitif et le groupe de chacun des verbes suivants :*

tu copies - je saisis - il peut - je couvre - tu balaies - il surgit - je construis - tu grossis - il souffre - tu accueilles.

2 *Écris les trois personnes du singulier du présent de l'indicatif :*

vouloir comprendre - offrir un cadeau - cueillir une fleur.

3 *Mets la terminaison qui convient.*

Tu descen... la rivière. - Tu rejoin... le barrage. - Tu peu... aller dans l'île. - Je veu... t'accompagner. - La barque ne peu... passer. - Tu découvr... un beau paysage. - Tu veu... le photographier.

4 *Écris à la personne correspondante du pluriel.*
Ex. : **Tu vends du poisson → Vous vendez du poisson.**

Elle vaut très cher. - J'offre des fleurs. - Tu peux y aller. - Il veut partir. - Elle peut le croire. - Tu souffres beaucoup.

5 *Écris au présent de l'indicatif.*

Combien valait ce bijou ? - Elle n'en pouvait plus. - Voudras-tu venir ? - Tu lui offriras des fleurs. - Voulait-il pêcher dans le lac ? - Ici, tu ne cueilleras pas de nénuphars.

6 *Même exercice.*

Le courant emportait la barque. Elle franchissait le milieu du fleuve. On ne pouvait plus la freiner. Un bateau à moteur la rejoignit. On recueillit les enfants imprudents. Ils frémissaient de peur.

Le groupe verbal :
le verbe et le complément essentiel

Grammaire

ÉCRIVAIN EN HERBE

- *Fais l'analyse de la première phrase. De quoi se compose le GV ? Quel rôle joue le GN contenu dans le GV ?*
- *M. Dubois-Jacquet rentrait. À quoi se réduit le GV de cette phrase ?*
- *Il imaginait un grand bureau. Peux-tu encore réduire cette phrase ? Quel est alors le GN complément ?*
- *Cherche dans le texte d'autres phrases du même modèle : GNS + V + GN.*

François vivait des minutes exaltantes. Cette lettre d'un grand journal représentait plus qu'une invitation au voyage. M. Dubois-Jacquet, le rédacteur en chef, d'autres sans doute, avaient parlé de lui, s'étaient intéressés à sa personne. Il imaginait un grand bureau crépitant d'appels téléphoniques, des secrétaires affairées, des journalistes endiablés...

M. Dubois-Jacquet rentrait. Le rédacteur en chef, bougon, retrouvait son sourire :

— Alors, Paul, que faisons-nous de ce jeune garçon ? Son style me plaît.

— Mon cher, quatorze ans, c'est un peu jeune... Ne trouvez-vous pas ?

Mais le rédacteur en chef balayait tous les obstacles :

— Laissez-moi faire, j'ai mon projet.

Et comme le secrétaire général s'inclinait :

— Écrivez-lui un mot, cher Paul, nous parlerons !...

François s'enivrait de rêves.

JEAN OLLIVIER, *Deux oiseaux ont disparu*, Éd. G.P.

- Le **groupe verbal** peut être constitué :
— d'un verbe seul : *M. Dubois-Jacquet / rentrait.*
                          GNS   V
— d'un verbe et d'un GN complément du verbe :
    Le journaliste /retrouve/ son sourire.
    GNS   V   GN complément

- Ce **groupe nominal complément**, qui fait partie de la phrase minimale, est **essentiel**. Il n'est **ni supprimable, ni déplaçable**. On lui donne le nom de **complément d'objet du verbe**.

Il peut être encadré par *c'est... que* : C'est **son sourire** que...
On l'appelle aussi GN2 par comparaison avec le GNS (GN$_1$) placé avant lui. On peut écrire : P = GN$_1$ + V + GN$_2$

1 *Sépare d'un trait de couleur le GNS du GV de chaque phrase.*

La presse informe le public. - Le journaliste termine son article. - Julien achète un quotidien. - Le photographe choisit le meilleur cliché. - Les rédacteurs préparent un numéro spécial. - Un bruit infernal emplit la salle des machines.

2 *Même exercice.*

Les lecteurs ont aimé ce reportage. - Cet hebdomadaire connaît un grand succès. - J'aime les bandes dessinées. - Chaque mois, nous achetons un livre. - Le directeur de cette revue a embauché Nathalie. - Nicolas veut devenir journaliste.

3 *Entoure le verbe et souligne son complément d'objet.*

Ces enfants préparent un journal. Il racontera les événements de la classe. Un groupe prépare son illustration. Un autre groupe fait la mise en page. Une équipe assure le tirage. Un dernier groupe prévoit la distribution.

4 *Même exercice. Sois attentif, ne souligne que le complément d'objet (complément essentiel).*

Sandra achète cette revue chaque semaine. - La télévision diffuse des informations plusieurs fois par jour. - Ce chien porte le journal de son maître. - Chaque mercredi j'achète le programme de la télévision. - Il lit les petites annonces chaque matin.

5 *Trace le cadre ci-dessous sur ton cahier et mets les éléments de chaque phrase à leur place.*
Ex. : Le rédacteur en chef présente le journal télévisé chaque soir.

GN1	V	GN2
Le rédacteur en chef	présente	le journal télévisé

Après les informations, Fabien écoute le bulletin météo. - Chaque soir, mon frère fait les mots croisés. - Aujourd'hui, le Premier ministre a donné une interview. - Mon petit frère regarde les pages de publicité. - La semaine dernière, Nathalie a renouvelé son abonnement.

6 *Récris chaque phrase en encadrant le complément d'objet par :* c'est... que.
Ex. : Nous attendons Valérie. **C'est** *Valérie* **que nous attendons.**

Je consulte le dictionnaire. - Il termine sa rédaction. - Emmanuelle emprunte un roman. - Isabelle m'a raconté une histoire drôle. - Nous irons visiter cette imprimerie.

7 *Complète chaque phrase avec un GN complément d'objet.*

En automne, on ramasse ... dans ce bois. - Chaque 1er mai, Vincent offre ... à sa maman. - Pour illustrer la leçon d'histoire, nous avons visité ... avec la maîtresse. - Hier, nous avons reçu ... de nos correspondants. - Chaque classe a préparé ... pour la fête de Noël.

8 *Complète chaque phrase par un GN complément quand c'est nécessaire.*

Pour sa fête, Séverine a reçu. - Après un long hiver, les beaux jours reviennent. - Depuis ce matin, un magnifique soleil brille. - Une violente tempête a déraciné. - À marée haute, les bateaux de pêche quittent. - Avec grâce, la patineuse salue.

9 *Fais une courte phrase avec chacun des verbes suivants :* arriver - donner - acheter - porter - briller.
N'écris un complément d'objet que si c'est nécessaire.

10 *Écris cinq phrases sur le schéma* $GN_1 + V + GN_2$ *en employant les verbes donnés.*

... écoute ... - ... attendent ... - ... a écrit ... - ... racontait ... - ... a perdu ...

11 *Invente trois phrases sur le même schéma que ci-dessus.*

12 *Décris chacune des vignettes à l'aide d'une ou de plusieurs phrases construites sur le schéma* $GN_1 + V + GN_2$.

Des mots en raccourci

LE RÉSEAU QUI VA VRAIMENT DANS VOTRE SENS.

SNCF   **RATP**

● **Dans le texte de Michel,
retrouve les mots que l'usage
a réduits. Écris-les en entier.**
● **Dans l'article de journal
et la publicité (ci-dessus),
que signifient :
S.N.C.F., R.A.T.P., R.E.R.,
E.D.F. ?
Donne d'autres exemples.**

À LA TÉLÉ

J'écoute les infos :
Demain il fera beau,
Annonce la météo.

Le film me plaît,
Et la pub apparaît.
Enfin le match est annoncé,
Approchons-nous de la télé.

MICHEL

● *Insérer pour former.
Quand les grandes
entreprises s'impliquent.*

À Marseille, E.D.F.-G.D.F. Services (E.D.S.) propose à ses
entreprises sous-traitantes d'em-
baucher des jeunes ayant suivi un
parcours de socialisation et de
qualification. Même schéma à la
R.A.T.P., qui sous-traite les opé-
rations de nettoyage de ses bus.

(*Le Monde de l'Éducation,* mars 95.)

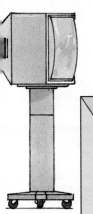

● Dans la langue courante, on observe une réduction de certains
mots. Ces **abréviations** sont utilisées surtout dans la langue
familière : *la télé, la météo, la pub,* etc.

● Une suite de mots est souvent réduite à des initiales ou **sigle** :
S.N.C.F. (Société Nationale des Chemins de fer Français),
E.D.F. (Électricité de France).

---

1 **À partir des abréviations, trouve le mot
complet.**

le métro. . .   le cinéma. . .
un stylo. . .   un pneu. . .
une photo. . .   la stéréo. . .
une météo. . .   la polio. . .

2 **Ces mots en raccourci sont plutôt familiers,
retrouve le mot complet :**

un apéro → . . .   un mécano → . . .
les infos → . . .   un labo → . . .
la fac → . . .   le prof → . . .
le bac → . . .   le bus → . . .
la pub → . . .   un métallo → . . .

3 **Donne la signification des sigles :**

(Il dirige l'usine) le P.-D.G. . . .
(À la poste, on y dépose de l'argent) les C.C.P.
. . .
(Elle recueille les animaux) la S.P.A. . . .
(Il travaille à la chaîne) un O.S. . . .

4 **Retrouve les sigles :**

Le Plan d'Occupation des Sols : le . . .
L'Organisation des Nations Unies : l'. . .
L'Agence Nationale Pour l'Emploi : l'. . .

5 **Certains sigles sont bien connus, essaie de les
retrouver.**

Nous habitons un immeuble appelé $\boxed{. | .}$ où les
appartements sont destinés aux familles à reve-
nus modestes. - Avec 36 700 km la $\boxed{. | . | .}$
possède l'un des réseaux ferroviaires les plus
longs d'Europe. Son train le plus rapide, le $\boxed{. | .}$
fait l'admiration du monde entier. - L' $\boxed{. | .}$ va
procéder à des coupures de courant dans les pro-
chains jours pour moderniser ses installations. -
Tintin et Milou, Astérix, Lucky Luke, Gaston
Lagaffe sont des personnages de $\boxed{. | .}$.

Révision

1 *Dans laquelle de ces trois listes les mots sont-ils rangés dans l'ordre du dictionnaire ?*

a) galaxie, planète, comète, satellite, étoile, astre, espace, navette, fusée, orbite, cosmonaute, météorite, cabine.

b) astre, cabine, comète, cosmonaute, espace, étoile, fusée, galaxie, météorite, navette, orbite, planète, satellite.

c) astre, cosmonaute, comète, cabine, étoile, espace, fusée, galaxie, navette, météorite, orbite, planète, satellite.

2 *Voici, à gauche, une liste de mots rangés dans l'ordre du dictionnaire. À quel endroit chaque mot de la colonne de droite doit-il être placé ? Indique-le par une flèche.*

avalanche
crevasse
flocon   slalom
glacier
piste   téléphérique
refuge
remonte-pente   descente
ski
station   luge
télécabine

3 *Range ces sept mots dans l'ordre du dictionnaire :*

symphonie, symptôme, sylvestre, symétrie, symposium, symbole, sympathie.

4 *Range les mots à leur place dans un tableau du modèle suivant :*

injuste, finesse, alourdir, fin, lourdement, rebond, élargissement, lourd, fermoir, déboutonner, antivol, fermer.

mots simples (radicaux)	mots construits		
	avec préfixe	avec suffixe	avec préfixe et suffixe

5 *Réunis les couples de mots contraires :*

rugueux, la fougue, sinueux, bavard, inquiet, bref, l'orgueil, lisse, rarement, silencieux, domestique, long, la modestie, sauvage, le calme, méridional, serein, direct, fréquemment, nordique.

6 *Trouve les mots contraires (aide-toi de ton dictionnaire).*

un hiver rude ≠ …
un appareil fragile ≠ …
un résultat douteux ≠ …
un soleil radieux ≠ …
une réduction ≠ …

7 *Réunis les deux familles :*

frais, franchir, franchissable, fraîcheur, fraîchement, franchissement, rafraîchir, infranchissable, rafraîchissement.

8 *Réunis les deux familles :*

transformer, transmettre, transmetteur, transformable, transmissible, transformation, transformateur, transmission, intransmissible, retransformer.

9 *Trouve ces quatre mots dérivés du mot* **bois** *:*

	n. m.	bois
— on le dit d'un terrain bien garni en arbres	*adj.*	. . . . .
— dégarnir un lieu de ses bois et forêts	*v.* . .	. . . . . .
— replanter un versant de montagne en jeunes arbres	*v.* . .	. . . . .
— action de reboiser	*n. m.* . .	. . . . . .

10 *Trouve le mot de sens général convenable et encadre-le :*

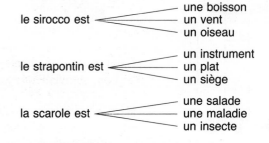

le sirocco est — une boisson / un vent / un oiseau

le strapontin est — un instrument / un plat / un siège

la scarole est — une salade / une maladie / un insecte

11 *Complète pour former des mots composés (deux mots reliés par une préposition) :*

une boîte …   faire du porte …
une course …   un raz …
une planche …   une serviette …
du rouge …   une femme …
une lime …   un chef d' …
des choux …   un cochon d' …

12 *Complète pour former des mots composés :*

un pull-. . .   un taille-. . .
un remue-. . .   le tam-. . .
un semi-. . .   un porte-. . .
un rendez-. . .   un bain-. . .
un cache-. . .   la basse-. . .
une chauve-. . .   un casse-. . .
un compte-. . .   un coffre-. . .
un rez-de-. . .   un hors-d'. . .

13 *Recopie les mots suivants et encadre le radical.*

infidèle, inoccupé, antigel, impair, mésaventure, survêtement, marchandise, dégrossir, mécontenter, feuillage, ameublement, contrepoison.

Choisir entre *dans* et *d'en* ; *quand, quant* et *qu'en*

L'ARRIVÉE DES ROBOTS

● *Dans le texte, par quels mots ou expressions synonymes peut-on remplacer :*
dans - quand - quant ?
● *Cherche un synonyme du mot* quand.
● *De quels mots* d'en *et* qu'en *sont-ils formés ?*

Les robots. À force *d'en* parler, on n'y croyait plus.

Ce n'est *qu'en* 1985 qu'ils prirent ici la place des hommes *dans* le travail à la chaîne.

Quand ils furent installés, on applaudit au progrès technique, on admira la précision et la rapidité des machines.

Quant aux ouvriers, leur travail devint moins pénible... mais beaucoup d'entre eux perdirent leur emploi.

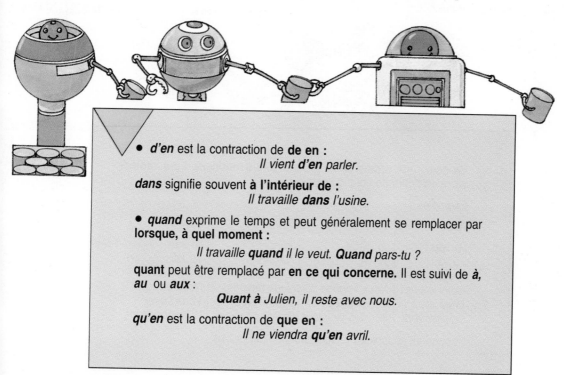

● *d'en* est la contraction de **de en** :
Il vient **d'en** *parler.*

dans signifie souvent **à l'intérieur de** :
Il travaille **dans** *l'usine.*

● *quand* exprime le temps et peut généralement se remplacer par **lorsque, à quel moment** :
Il travaille **quand** *il le veut.* **Quand** *pars-tu ?*

quant peut être remplacé par **en ce qui concerne**. Il est suivi de **à, au** ou **aux** :
Quant à *Julien, il reste avec nous.*

qu'en est la contraction de **que en** :
Il ne viendra **qu'en** *avril.*

---

1 *Complète par* **dans** *ou* **d'en**.

... cette usine, le travail est pénible. - Nathalie a trouvé un emploi ... un bureau. - Il n'arrête pas ... parler. - ... quelques jours, c'est mon anniversaire. - Son amie habite ... l'immeuble ... face. - L'avion était pris ... cet orage ; il vient ... sortir.

2 *Écris deux phrases dans lesquelles tu emploieras* **dans** *et* **d'en**.

3 *Remplace, chaque fois que cela est possible,* **quand** *par* **lorsque**, **quant à** *par* **en ce qui concerne**.

Quand le jour se lève, le coq chante. - Quand viendras-tu ? - Quant à Nicolas, il ne sait pas. - Je partirai quand j'aurai terminé. - Ce chien n'est pas méchant, quant à celui-là, méfie-toi.

4 *Complète par* **quand** *ou* **qu'en**.

... le chat n'est pas là, les souris dansent. - Il n'y a ... cherchant que vous trouverez. - Je crois qu'il a raison ; ... pensez-vous ? - Et vous, ... dites-vous ? - Depuis ... attend-il ? - On ne sait ... faire.

5 *Complète par* **quand**, **quant** *ou* **qu'en**.

... tu rentreras, appelle-moi. - ... il le dit, il le fait. - Je ne sais ... penser. - C'est pour ... ? - Restez ; ... à moi, je pars. - On ne sait rien ... aux raisons de son geste. - ... revient-il ? - Je ne le vois ... vacances.

6 *Écris trois phrases dans lesquelles tu emploieras* **quand**, **quant à**, **qu'en**.

7 *Dictée à préparer : le texte d'étude.*

Le présent de l'indicatif des verbes du 3ᵉ groupe (3)

Conjugaison

● *Relève tous les verbes du texte appartenant au 3ᵉ groupe. Écris leur infinitif.*
● *Écris le présent de l'indicatif des verbes* **devoir - faire - aller.** *Que peux-tu dire du radical de ces verbes ? Quel nom donne-t-on aux verbes dont le radical varie ?*

SOUS L'AVALANCHE

Il faut lutter, lutter encore jusqu'au dernier souffle. Je crois deviner que je suis revenu à la surface. Il me semble que je reviens à l'air, que je reviens à la vie. Mais, d'abord, je dois me relever. Je réussis en m'aidant des mains à me dresser sur les jambes. Un étourdissement me fait perdre l'équilibre. Puisque je ne peux pas me tenir debout, je vais me mettre à quatre pattes ! Un nouvel effort me permet de me retrouver face à la pente.

D'après BERNARD PIERRE, *Une victoire sur l'Himalaya*, Éd. Plon.

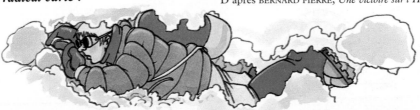

> De nombreux verbes du 3ᵉ groupe sont **irréguliers. Leur radical varie** en cours de conjugaison.
>
> Exemples :
>
> | *Aller* | *Venir* | *Devoir* | *Savoir* |
> |---|---|---|---|
> | Je vais | Je viens | Je dois | Je sais |
> | Tu vas | Tu viens | Tu dois | Tu sais |
> | Il, elle va | Il, elle vient | Il, elle doit | Il, elle sait |
> | Nous allons | Nous venons | Nous devons | Nous savons |
> | Vous allez | Vous venez | Vous devez | Vous savez |
> | Ils, elles vont | Ils, elles viennent | Ils, elles doivent | Ils, elles savent |
>
> Reporte-toi au tableau récapitulatif pp. 208 et 210.

1 *Écris les trois personnes du pluriel du présent de l'indicatif des verbes suivants :*

faire - dire - prendre - écrire.

2 *Même exercice.*

pouvoir - apercevoir - lire - voir.

3 *Donne l'infinitif et le groupe des verbes suivants.*

tu paries - tu reviens - il parcourt - nous voyons - ils crient - tu exclus - ils remuent - tu lies - je relis - elles écrivent.

4 *Complète avec un pronom qui convient.*

. . . rions - . . . accourt - . . . produis - . . . vivent - . . . vais - . . . prend - . . . viennent - . . . allez - . . . doivent - . . . sourit.

5 *Mets la terminaison qui convient.*

tu par. . . - ils vien. . . - tu cri. . . - vous fai. . . - tu écri. . . - elles pren. . . - il atten. . . - tu remu. . . - il échou. . . - elles produi. . . - tu choisi. . . - elle continu. . .

6 *Écris les phrases suivantes à la personne correspondante du singulier.*

Comment vont-ils ? - D'où venez-vous ? - Qui êtes-vous ? - Ils ne font pas attention. - Que dites-vous ? - Quand prenez-vous le train ? - Les voyez-vous ? - Nous devons y aller.

7 *Écris les phrases suivantes à la personne correspondante du pluriel.*

Doit-il venir ? - Crois-tu à cette histoire ? - Où va-t-il ? - Que lit-il ? - Lui écris-tu quelquefois ? - Le sait-il ? - Peux-tu venir ? - Elle ne peut pas.

Écrire un dialogue de théâtre

TEXTE 1

● *Retrouve, dans chaque texte, les paroles prononcées par les personnages. Sais-tu lequel des deux est un texte de théâtre ? Pourquoi ?*
● *La façon de dire les paroles est-elle indiquée de la même manière dans les deux textes ? Quelles sont les différences ?*

Toutes trois pénètrent dans la maison humide.

« Je suis vraiment très ennuyée de vous demander cela, dit la propriétaire presque en larmes, mais je dois récupérer cette maison et je vous propose de transférer votre location dans une autre villa…

Marie-Cath est sur le point d'exploser.

— Pas question, dit-elle d'un ton sans réplique.

La propriétaire reste un moment silencieuse, puis lance d'un air méchant :

— Eh bien, vous l'aurez voulu ! Ce soir, je coupe l'eau et l'électricité. »

D'après F. RIVIÈRE, *Les Mystères de Ker-Even*, Éd. Nathan.

TEXTE 2

CHARLOTTE : Qu'est-ce que c'est ?

MATHIEU : Regarde, c'est un livre.

CHARLOTTE *(fascinée et étonnée)* : Un livre ?! C'est le livre de sa majesté le roi ?

MATHIEU : Non. C'est le livre de l'arrière-grand-père de mon arrière-grand-mère. C'est un dictionnaire. C'est lui qui l'a écrit. *(Elle le regarde d'un air interrogatif.)* Je l'ai amené avec moi. *(Il le met sous sa veste.)* Comme ça.

B. TOBIN, *Roi de paille*, GES Éditions.

● Dans un dialogue de théâtre, les **noms des personnages** sont placés au début des répliques :

CHARLOTTE : Qu'est-ce que c'est ?
MATHIEU : Regarde, c'est un livre.

● Le plus souvent, des indications sont données entre parenthèses et en italique. Elles fournissent des éléments de la situation et la façon de dire le dialogue. On les appelle des **didascalies**.

CHARLOTTE *(fascinée et étonnée)* : Un livre ?

didascalie

1 **Tu vas transformer un texte de roman en texte de théâtre.**
● *Lis le texte suivant.*

Florence et Mathieu sont venus voir Rita et Henry.
« Tiens, vous laissez les volets fermés ? Pourquoi êtes-vous rentrés si tôt ? demande Florence.
Rita répond vivement :
— Oh ! Les parents ne sont jamais contents. Alors…
— Oui, j'ai entendu ton père qui disait au mien que c'était « insalubre », intervient Mathieu. Ça veut dire que c'est pas sain d'y rester, il paraît.
— C'est quand même bizarre, tous ces événements étranges depuis votre retour. Tiens, il y a un drôle de courant d'air dans votre chambre… » insiste Florence.

D'après N. ZIMMERMANN, *Le Fantôme du HLM*, Éd. Nathan, « Marque-pages ».

● *Combien y a-t-il de personnages ? Parlent-ils tous ?*
● *Écris les noms des personnages et les répliques qu'ils prononcent.*
● *Ajoute des didascalies pour la façon de prononcer les répliques.*

2 **Complète ce dialogue avec les répliques qui te sont données ci-dessous.**

Répliques :
— J'ai un magnifique os à moelle !
— Mais comme Monsieur voudra !
— C'est moi qui vous remercie.
— Je n'ai plus de filet, Monsieur. Vous ne voulez pas une boîte de Supercat ?
— Qu'est-ce que vous voudriez comme morceau ?

LE CLIENT : Je voudrais de la viande pour mon chat.
LE BOUCHER : . . .
LE CLIENT : Du filet, bien sûr !
LE BOUCHER : . . .
LE CLIENT : Mon chat ne mange pas de Supercat ! Donnez-moi de l'entrecôte.
LE BOUCHER : . . .
LE CLIENT : Et pour mon chien ?
LE BOUCHER : . . .
LE CLIENT : C'est parfait ; je vous remercie.
LE BOUCHER : . . .

3 **Remets ces répliques en ordre pour faire un dialogue entre un agent de police et un monsieur qui vient porter plainte pour le vol de sa voiture. La première réplique est à la bonne place.**

L'AGENT : C'est pour ? . . .
LE MONSIEUR : Cette nuit. Entre dix heures hier soir et huit heures ce matin, je suppose. Je dormais.
L'AGENT : À quel endroit ?
LE MONSIEUR : Gris métallisé.
L'AGENT : À quelle heure ?
LE MONSIEUR : Une Safrane.
L'AGENT : Quelle voiture était-ce ?
LE MONSIEUR : On m'a volé ma voiture.
L'AGENT : De quelle couleur est-elle ?
LE MONSIEUR : Rue de la Poste. En face de l'hôtel de la Poste, justement.

4 **Recopie ce dialogue en le complétant avec des didascalies.**

(Dans une agence de voyages)
LA CLIENTE : Vous dites qu'il reste de la place à Soleva ?
L'EMPLOYÉE : Oui, il reste quelques chambres à deux lits avec vue sur la campagne, pour la semaine du 4 au 11 avril.
LA CLIENTE : Il n'y a plus de chambres sur la mer ?
L'EMPLOYÉE : Elles sont toutes réservées.
LA CLIENTE : C'est dommage.
L'EMPLOYÉE : Il faut les réserver longtemps à l'avance.
LA CLIENTE : Vous êtes sûre qu'il n'en reste pas ?
L'EMPLOYÉE : Madame, j'ai vérifié !
LA CLIENTE : Vous ne pourriez pas vérifier une autre fois ?
L'EMPLOYÉE : Puisque je vous dis que c'est complet !

5 **Invente des répliques pour continuer ce dialogue. N'oublie pas les didascalies.**

(Dans un grenier)
FRANÇOISE : Antoine, tu viens m'aider ?
ANTOINE : Qu'est-ce que tu fais ?

6 **Invente un dialogue entre deux personnages.**
● *N'oublie pas les didascalies.*
● *Puis joue ce dialogue avec tes camarades.*
● *Voici quelques idées pour t'aider :*

Deux personnes dans la salle d'attente du dentiste, ou faisant la queue aux caisses d'un supermarché, ou dans un ascenseur qui tombe en panne, etc.

Bilan 1

Chaque fois que tu as réussi l'exercice, tu marques le nombre de points indiqués sur le domino.
Tu fais le total de tes points à la fin.
Si tu ne réussis que la moitié de l'exercice, tu ne marques que la moitié des points!

Grammaire

1 *Cite trois moyens de communication différents.*
Le locuteur émet le message. Quel nom donne-t-on à celui qui le reçoit?

2 *Récris le texte en le ponctuant correctement.*

Ils s'endormirent fort tard ce soir-là Le palais la forteresse le temple la cabane hantaient leur cerveau en ébullition Leurs imaginations vagabondaient leurs têtes bourdonnaient leurs yeux fixaient le noir les bras s'énervaient les jambes gigotaient les doigts de pieds s'agitaient

LOUIS PERGAUD, *La Guerre des boutons*,
Éd. Mercure de France.

3 *Même exercice. Chaque barre / représente un signe de ponctuation.*

Don Quichotte dit à son écuyer// Regarde/ ami Sancho/ voilà trente demesurés géants auxquels je pense livrer bataille/ Avec leurs dépouilles/ nous commencerons à nous enrichir/ car c'est prise de bonne guerre/
/Quels géants/ demanda Sancho Pança/
/Ceux que tu vois là-bas/ avec leurs grands bras/
/Prenez donc garde/ Ce ne sont pas des géants mais des moulins à vent//

MIGUEL DE CERVANTÈS, *Don Quichotte de la Manche*.

4 *Écris à la forme interrogative de toutes les manières possibles.*

Il a été le seul à nous répondre.

5 *Transforme en phrases exclamatives.*

Cette grue est haute. — Le temps est beau. — La route est longue. — Cette aventure est drôle.

6 *Transforme en phrases impératives.*

Vous ne prenez pas cette route. — Tu ne t'approches pas du bord. — Nous attendons notre tour. — Tu fais attention.

7 *Voici des réponses. Retrouve les questions posées.*

Nous sommes le vendredi 20 novembre. — Son train part à 8 h 25. — Il va à Toulouse. — Il n'y reste que deux jours. — Il revient dimanche.

8 *Écris le contraire.*

J'aperçois quelqu'un. — Je vois quelque chose. — Il y a quelques nuages. — Elle en veut encore. — Nous y allons quelquefois. — J'y pense souvent.

9 *Récris chaque phrase et analyse-la en ses deux groupes : GNS/GV.*

Émilie achète un journal. — Le photographe développe un cliché. — Le vent faiblit. — La petite sœur de François fête ses quatre ans. — Le chien de mes voisins ne cesse pas d'aboyer.

10 *Souligne le GNS de chaque phrase (après l'avoir recopiée).*

Mon amie s'appelle Céline. — Mon frère aîné passe son permis de conduire. — Dans le ciel clair passent de légers nuages. — Julien, après de longues vacances au bord de la mer, a retrouvé sa maison. — Sous cette pierre se cache un lézard.

11 *Fais l'accord qui convient au présent de l'indicatif.*

Tous mes amis *(apprécier)* cette musique. Une foule d'admirateurs *(envahir)* la scène. Les spectateurs, enthousiasmés par la représentation, *(applaudir)* debout. Du stade *(s'élever)* les clameurs des supporters. Sur le tableau central *(s'afficher)* les résultats. Je relève toutes les fautes que *(siffler)* l'arbitre.

12 *Remplace chaque GNS par le pronom personnel qui convient. Récris la phrase.*

Isabelle et Philippe travaillent. — Nathalie et Céline se promènent. — Les amies de Valérie arrivent. — Julien, Sandra et Lucie se baignent. — Le petit chien de Yohan est malade. — Les ouvriers de cette usine sont en grève.

Orthographe

1 *Traduis la phonétique.*

[lɔrtograf] - [latɛt] - [la kyriozite] - [la katedral] -[lə ibu].

2 *Écris cinq mots contenant le son [ɛ̃] orthographié chaque fois de manière différente.*

3 *Récris ces phrases comme il convient. (Il manque 13 accents.)*

Joel habite a cote de la foret. — Le chateau feodal a d'etroites fenetres. — Helene possede une voix aigue.

4 *Complète par le mot qui convient : a, à, ou, où.*

Arrivé ... ce croisement, je ne sais plus ... aller ; ... droite ... ... gauche ? — D'... vient ce train, ... va-t-il ? Il ... du retard. ... quelle heure repart-il ? ... six heures ... ... sept heures ?

5 *Complète par le mot qui convient : on, ont, son, sont, et, es* ou *est.*

Chaque classe a élu ... délégué. Les électeurs ... voté à bulletin secret. Tu ... chargé du dépouillement. Les résultats ... inscrits au tableau. Ludovic ... Sophie ... obtenu le même nombre de voix. Le vote ... nul. Il faut recommencer.

6 *Complète par le mot qui convient : se, ce, ses, ces.*

Nathalie ne retrouve plus ... clefs. Elle les met souvent dans ... tiroir avec ... lunettes. Elle ne ... souvient plus où elle les a posées. — Ne cueillez pas ... fleurs, elles ... faneront aussitôt. — ... qui m'intéresse, ... sont ... livres-là.

7 *Complète par le mot qui convient : ses, ces, s'est, c'est.*

On ... réunis chez Catherine pour ... dix ans. On voudrait se baigner mais ... impossible avec ... hautes vagues. — ... sur la place que le cirque ... installé. — ... aujourd'hui que ... parents arrivent.

8 *Complète par le mot qui convient : si, s'y, ni, n'y.*

Qui ... frotte ... pique. — ... toi ... moi ... pourrons rien changer. — ... tu ... vas pas, écris-lui. — Tu ... arriveras pas ... tu t'y prends ainsi.

Conjugaison

1 *Indique, après chaque verbe, le groupe auquel il appartient : (1) (2) (3).*

partir (...)   refaire (...)   emplir (...)
crier (...)   pouvoir (...)   parvenir (...)
agir (...)   cueillir (...)   essayer (...)

2 *Indique, après chaque phrase, si le présent marque le passé proche (p.p.) ou le futur proche (f.p.)*

Nous arrivons dans une heure. (...) — Elle vient de sortir. (...) — Je le quitte à l'instant. (...) — Le film sort bientôt. (...) — Nous venons de terminer. (...) — Je passe le voir cet après-midi. (...)

3 *Écris les verbes entre parenthèses au présent de l'indicatif.*

Chaque semaine nous *(aller)* à la piscine. Tu *(apprendre)* à nager. Sylvain et Laura *(ne plus avoir peur)* de l'eau. Vous *(faire)* de rapides progrès. Beaucoup d'enfants *(réussir)* à plonger. Quelques-uns *(savoir)* nager sous l'eau.

4 *Même exercice.*

Des enfants *(crier)* dans la cour. — Tu *(envoyer)* une carte à ton ami. — Est-ce qu'il *(payer)* toujours ce qu'il doit ? — Le vent *(diminuer),* le ciel *(se nettoyer),* nous *(ne plus craindre)* l'orage. — Isabelle *(peindre)* un joli tableau.

5 *Même exercice.*

Qui m'*(appeler)* ? — Surtout, tu *(ne rien jeter)* par la fenêtre. — Quand il *(geler),* la forêt est silencieuse. — Chaque soir, j'*(acheter)* le pain. — Céline *(renouveler)* l'eau de l'aquarium. — Tu *(épeler)* un mot difficile.

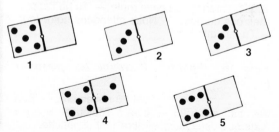

Production de textes

1 *Ces consignes ne sont pas très bonnes. Elles sont même totalement fausses. Récris-les en employant des formes affirmatives à l'impératif.*

Ex. : **Ne pas tenir son chien en laisse.** → *Tenez votre chien en laisse.*

COMMENT CIRCULER À PIED

— Ne pas marcher au bord de la route.
— Ne pas traverser dans les passages pour piétons.
— Ne pas s'engager sur la chaussée quand le petit bonhomme est vert.

— Ne pas regarder à droite et à gauche avant de traverser.
— Ne pas se presser quand le feu clignote.
— Ne pas aider les personnes âgées à traverser.
— Ne pas remercier un automobiliste qui s'est arrêté pour vous laisser passer.

2 *À partir de ces projets d'affiches, écris des petits textes qui vont donner des arguments pour convaincre les clients d'acheter ce qui est proposé.*

● *Ces textes doivent être courts, directs. Emploie l'impératif.*

3 *À partir de cette annonce, écris un petit texte de cinq ou six lignes qui va convaincre les lecteurs qu'il faut absolument participer à cet événement.*

● *Pour t'aider, voici un peu de vocabulaire dont tu pourras te servir. Bien sûr, tu peux utiliser d'autres éléments...*

— endurance, participation, santé ;
— coureurs, juniors, seniors, vétérans, féminins...

● *Tu indiqueras que de nombreux prix seront attribués et tu donneras la liste des lots (T-shirts distribués, posters, abonnements à une revue sportive, etc.).*

DIMANCHE 25 JUILLET

Grande course

des 15 kilomètres

4 *Transforme ce petit texte en dialogue. N'oublie pas les didascalies.*

M. Lelan est allé voir son médecin, le docteur Labreuil. M. Lelan a salué le docteur. Le docteur lui a demandé la raison de sa visite. M. Lelan lui a dit d'une voix inquiète qu'il avait très mal au ventre. Le docteur lui a dit de se déshabiller et de s'allonger sur la table d'examen. Il lui a demandé s'il mangeait beaucoup, et quelle sorte de nourriture. M. Lelan a répondu d'une toute petite voix. Alors le médecin lui a dit en insistant qu'il faudrait penser à manger moins de gâteaux à la crème. M. Lelan a promis qu'il le ferait.

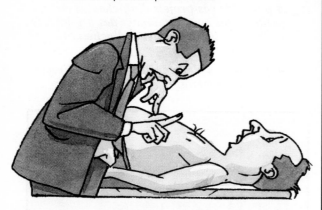

5 *Voici un petit scénario en trois scènes. Récris-le sous forme de dialogue de théâtre. Attention à la ponctuation ! N'oublie pas les didascalies.*
● *Les deux personnages de ce dialogue sont M. Poirier et M. Pommier :*

Première scène :
M. Poirier est un homme chanceux. Quand il joue la date de naissance de son fils, de sa femme ou de son chien Maxime, il gagne. M. Pommier est un peu jaloux…

Deuxième scène :
Un jour, M. Pommier dit à M. Poirier qu'il aimerait bien jouer avec lui. M. Poirier lui répond…

Troisième scène :
Mais M. Poirier perd et se dispute avec M. Pommier…

D'après G. PUSSEY, *Fiston et Gros-Papa*, Éd. Nathan.

6 *Continue ces dialogues en huit ou dix répliques.*

1. LA DAME : Tiens, vous avez changé de voiture ?
LE MONSIEUR : Oui, l'autre était très vieille.

2. LA DAME : Bonjour, monsieur.
LE REPRÉSENTANT : Bonjour, madame. Je me présente : Adrien Laser, représentant. J'ai dans cette valise tout ce qu'il vous faut.
. . .

3. LE PETIT FRÈRE : Le soleil est en cire !
LE GRAND FRÈRE : Non ! Si le soleil est en cire, il fond !
. . .

2e partie
(unités 11 à 20)

Grammaire   **Les compléments d'objet . L'expansion du groupe nominal . Les pronoms . L'attribut**

Vocabulaire   **Les mots superlatifs . Les mots dérivés . Le sens des mots . Les niveaux de langue . Les homonymes . Quelques champs sémantiques**

Expression écrite   **Rechercher le verbe précis . Rendre la phrase plus imagée . Questionner . Donner des renseignements . Éviter la répétition . Faire des comparaisons . Répondre . Rapporter un fait divers . Avec deux phrases en faire une seule . Composer des titres . Préciser les circonstances . Le titre informatif . Jeux poétiques . Reconstitutions de texte**

Production de textes   **Rédiger une entrevue . Le journal : la « une » . Le journal : l'article**

Orthographe   **Quelques terminaisons . Les difficultés de l'accord**

Conjugaison   **Temps simples et temps composés de l'indicatif**

Sommaire de la 2e partie

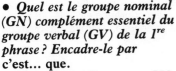
Les compléments d'objet

● *Quel est le groupe nominal (GN) complément essentiel du groupe verbal (GV) de la 1ʳᵉ phrase ? Encadre-le par c'est… que.*
Comment appelle-t-on ce GN complément ?
● **Je songeais à ces kilos.**
Quel est le GN complément d'objet de cette phrase ? Qu'est-ce qui différencie ce complément du précédent ?
● **Il tendit la lampe à son compagnon.**
De quoi se compose le GV de cette phrase ?

UNE REMONTÉE DIFFICILE

J'éteignis la lampe, avare de mes piles. La nuit m'entoura. Dans le fond, qui paraissait infiniment lointain, le reflet de la lampe d'André aggravait l'impression d'immensité.

D'un seul coup, ma patience fut en pièces :

« Allô, Allô ? Qu'est-ce qui se passe là-haut ? Dites-le moi, bon sang. Je ne suis pas un gosse. Si c'est grave vous pouvez me le dire, nom d'un tonnerre ! Allô !… »

Silence. J'attendis un instant. « Allô ? Allô ?… ALLÔ ! »
Silence.

Pendant quelques minutes, je demeurai silencieux. L'eau m'alourdissait terriblement. Je songeais à ces kilos qui s'ajoutaient à mon propre poids, et à ce treuil qui n'avait pas été assez puissant pour me faire monter alors que j'étais sec… Perspective peu réjouissante.

HAROUN TAZIEFF, *Le Gouffre de la Pierre Saint-Martin*, Éd. Arthaud.

● Le groupe verbal (GV) peut être constitué de deux sortes de **compléments essentiels :**
— le **complément d'objet direct** (C.O.D.), directement rattaché au verbe :

*Je coiffais **mon casque**.* GV = V + GN.

— le **complément d'objet indirect** (C.O.I.), relié au verbe par une préposition : *à, de, pour, au, du…*

*J'appartenais **à cette équipe**.* GV = V + prép. + GN.

● Le groupe verbal est parfois constitué de deux compléments d'objet :

*Je lançai **la corde à mon compagnon**.*
　　　　　　C.O.D.　　　　　C.O.I.

Dans ce cas, le C.O.I. est parfois appelé **complément d'objet second**.
　　　　　　　　　　　　　　　　　　　　　C.O.S.

---

1 *Repère les compléments essentiels. Souligne-les.*

Je prêtai l'oreille. - Un grondement remplissait la caverne. - Un peu plus loin l'eau apparut. - Je rejoignis André. - Nous gonflâmes notre canot. -Je passai les rames à mon compagnon. - La descente commença. - Le courant entraînait l'embarcation. - Une grande joie emplit nos cœurs.

2 *Souligne le complément d'objet de chaque phrase. Indique s'il s'agit d'un C.O.D. ou d'un C.O.I.*
Ex. : Je découvris <u>une salle immense.</u> (C.O.D.)

Je déroulai le câble. - J'entendis un bruit sourd. - Le câble avait touché le fond. - Cette lampe appartenait à Philippe. - Le faisceau balayait la paroi. - Dans ce puits, nous manquions de place.

3 *Même exercice.*

Le spéléologue parle de ses aventures. - Avec cette combinaison, on ne souffre pas du froid. - L'équipe préparait la descente. - Chacun regagnait son poste. - On installait le treuil. - Julien ressemblait à un scaphandrier.

4 *Ajoute un complément d'objet direct quand c'est nécessaire.*

Le spéléologue aperçoit. - L'équipe de secours arrive. - La descente est commencée. - Avec précaution, j'enfile. - Après beaucoup d'efforts, on franchit. - C'est au retour que l'accident s'est produit. - Demain, nous reprendrons. - Une salle grandiose apparaît.

5 *Constitue un GV en associant chacun des verbes suivants à un c.o.d.*
Ex. : explorer un gouffre.

examiner - découvrir - écouter - observer - gonfler - apercevoir - visiter - photographier.

6 *Constitue un GV en associant un verbe à chacun des GN compléments d'objet suivants :*

l'entrée de la grotte - une longue corde - une lampe puissante - un lac souterrain - de belles stalactites - un froid humide - une minuscule chauve-souris - une chute sans gravité.

7 *Complète chaque phrase à l'aide d'un c.o.i.*

Du fond du gouffre, Sylvain téléphone à . . . . - On a beaucoup parlé de . . . . - Chaque mois, j'écris à . . . . - Souvent, la nuit, Sophie rêve d'. . . . - En descendant, méfie-toi de (du) . . . . - Ce jeune homme ressemble étrangement à (au) . . . .

8 *Même exercice.*

Le candidat n'a pas répondu . . . . - Les moutons se rassemblent ; ils se méfient . . . . - Nicolas a très peur ; il manque . . . . - Fais attention, ne touche pas . . . . - Ce chien docile obéit . . . . - Chaque soir, Nathalie s'occupe . . . .

9 *Donne la fonction des groupes soulignés.*
*Ex. : **Les deux amis** parlent d'un projet.*
*(Sujet du verbe **parler**)*

Nous avons frôlé la catastrophe. - Nous cherchions un nouveau passage. - Dans cette ouverture souffle un violent courant d'air. - Je descends les vingt mètres d'échelle. - Voilà un ouvrage consacré à la spéléologie.

10 *Même exercice.*

Sandra et moi nous traversons le lac. Nos lampes balaient d'immenses espaces sculptés. Devant nos yeux s'offre un spectacle féerique. Nous ne doutons plus de notre réussite. Nous songeons à nos camarades restés à l'entrée.

11 *Trouve la préposition manquante.*

Je ne pensais plus . . . mon compagnon. La peur s'empara . . . moi. Qu'était-il encore arrivé ... ce treuil ? Une distance impressionnante me séparait . . . fond de l'abîme. Je repris contact . . . l'équipe de secours.

12 *Souligne le c.o.d. puis complète chaque phrase par un complément d'objet second.*

Julien offre des fleurs . . . . - Marie-Pierre tend la main . . . . - Ce commerçant propose une affaire . . . .– La semaine dernière j'ai reçu une lettre . . . . - En hiver, nous donnons des graines . . . .

13 *Repère les compléments d'objet et souligne-les.*

J'ai lu toute la journée. - J'ai passé toute la journée chez ma tante. - J'ai longé le bord de la rivière. - Le pêcheur s'est installé au bord de la rivière. - Le quartier de l'Opéra se trouve dans Paris. - Avec mes cousins, nous avons visité Paris.

14 *Écris deux phrases comportant un c.o.d., deux phrases comportant un c.o.i. et deux phrases comportant à la fois un c.o.d. et un c.o.i.*

Autour du mot *village*

UN VILLAGE ABANDONNÉ

- *Lis le texte.*
- *Quelle est la taille du village décrit ?*
- *Comment appelle-t-on un tout petit village ?*
- *Autour de quoi les quelques maisons se regroupaient-elles ?*

Je campais à côté d'un squelette de village abandonné. Je n'avais plus d'eau depuis la veille et il me fallait en trouver. Ces maisons agglomérées, quoique en ruine, comme un vieux nid de guêpes, me firent penser qu'il avait dû y avoir là, dans le temps, une fontaine ou un puits. Il y avait bien une fontaine, mais sèche. Les cinq à six maisons, sans toiture, rongées de vent et de pluie, la petite chapelle au clocher écroulé, étaient rangées comme le sont les maisons et les chapelles dans les villages vivants, mais toute vie avait disparu.

JEAN GIONO, *L'Homme qui plantait des arbres*, É. Gallimard, « Folio Cadet rouge ».

1 **Le village :** *des mots de sens voisins.*
Relie :

Un groupe de maisons en dehors du village • • la commune rurale
Un gros village • • le hameau
Un petit bourg • • la bourgade
Une localité peu importante • • le bourg
habitée surtout par des
agriculteurs

2 *Trouve des adjectifs qui vont avec le mot village.*

un village
- .... (d'où les habitants sont partis)
- .... (bloqué par la neige ou la pluie)
- .... (à l'écart de tout)
- .... (où l'on est né)
- .... (avec beaucoup d'habitants)

3 *Explique ces expressions. Construis une phrase avec chacune d'elles.*

un village de vacances, un village de toile, un village dortoir, un village de montagne, un air villageois, des danses villageoises.

4 *Des lieux ou des moments importants du village.*

Lieu où les enfants reçoivent un enseignement : l'. . . du village. - Un grand espace : la . . . du village. - Tour avec des cloches : le . . . du village. - Elle donne de l'eau fraîche : la . . . du village. - Le Conseil municipal y siège : la . . . du village. - Moment où il y a les manèges, le bal : la . . . du village ou encore la . . . locale.

5 *On les trouve plutôt à la ville ou plutôt au village :*

	à la ville	au village
le garde champêtre		
la basse-cour		
le commissaire de police		
l'hôpital		
les chemins		
le bus		
la Préfecture		
le métro		
un vigneron		
les parcmètres		
le moulin		
les grands magasins		
les troupeaux		

6 *Comment nomme-t-on :*

un habitant du village ?
un habitant de la ville ?

Rechercher le verbe précis

1 *Remplace le verbe* **mettre** *par un verbe plus précis.*

Il avait mis son panier sur la chaise. - Vous devez mettre un timbre sur votre enveloppe. - L'hôtesse a mis mon petit frère au premier rang. - Pour éviter le désordre, il faut mettre les livres dans une bibliothèque. - Dès que la pluie fait son apparition, grand-père met ses bottes. - Elle a mis tous ses capitaux dans une banque. - Les plongeurs vont mettre leur tenue. - Le directeur va mettre son nom au bas de la lettre. - Je n'y voyais rien pour mettre la clef dans la serrure.

Rendre la phrase plus imagée : les comparaisons

2 *Complète avec un adjectif ou un verbe.*

Vincent sifflait en allant à l'école, il était . . . comme un pinson.
Le téléphone sonne. Grand-père ne bouge pas ; sur son fauteuil, il . . . comme un loir.
Le bus venait de démarrer. Derrière, une dame courait, levant les bras. Le chauffeur l'attend, elle monte, mais elle . . . comme un phoque.
Dans le compartiment, en face de moi, une personne lisait. Durant tout le voyage, elle ne m'adressa pas la parole : elle était . . . comme une carpe.

Questionner

3 *À partir de ce texte, cherche toutes les questions que tu aurais pu poser pour obtenir ces renseignements.*

Le Premier ministre britannique a affirmé que le chat Humphrey avait été accusé à tort et qu'il était innocent. Ce chat était devenu suspect, après la disparition de quatre oisillons d'un nid de rouges-gorges installé sous une fenêtre de la salle de réunion des ministres.

D'après *Ouest-France* (19-08-94).

Donner des renseignements

4 *Les renseignements concernant ces deux hôtels sont donnés par des abréviations.*

Donne ces mêmes renseignements dans des phrases précises et correctes :

① Belle Rive 12 Bd de la Mer

② Les Algues Av. du Port

Jeu poétique

5 *Cherche des rimes.*
● *À partir d'un mot, tu chercheras deux sortes de rimes :*
— *celles qui s'écrivent et se prononcent de la même façon ;*
— *celles qui s'écrivent de façon différente, mais se prononcent de la même façon.*

Par exemple, à partir du mot *fin : couffin, aigrefin, enfin*, mais aussi *dauphin, faim, parfum.*

● *Cherche des rimes de ces deux sortes à partir des mots suivants :*

pain - château - père.

● *Tu peux, bien sûr, chercher des rimes à partir d'autres mots !*

Reconstitution de texte

6 LES CHEMINS DE LA MER

Lullaby pensait que c'était bien de marcher comme cela, au soleil et dans le vent, sans savoir où elle allait.
Quand elle sortit de la ville, elle arriva devant le chemin des contrebandiers. Le chemin commençait au milieu d'un bosquet de pins parasols, et descendait le long de la côte, jusqu'aux rochers. Ici, la mer était encore plus belle, intense, tout imprégnée de lumière.
Lullaby avançait sur le chemin des contrebandiers, et elle vit que la mer était plus forte. Les vagues courtes cognaient contre les rochers, lançaient une contre-lame, se creusaient, revenaient.

J.-M. G. LE CLÉZIO, *Lullaby*, Éd. Gallimard.

Les noms en [e], [te], [tje]
le blé, la giroflée, la liberté

● *Quelles sont les deux orthographes les plus courantes des noms masculins en* [e] *? Indique les exemples du texte puis trouves-en d'autres. Connais-tu une autre orthographe possible ?*
● *Quelle est la règle générale d'orthographe des noms féminins en* [e] *? En* [te] *ou* [tje] *? Connais-tu des exceptions ?*

LES COQUELICOTS

Ils éclatent dans le blé, comme une armée de petits soldats, mais d'un bien plus beau rouge, ils sont sans danger.

Leur épée, c'est un épi. Ils vivent en toute liberté.

C'est le vent qui les fait courir, et chaque coquelicot s'attarde, quand il veut, au bord du sillon, avec le bleuet, sa payse.

D'après JULES RENARD, *Histoires naturelles.*

● Les **noms masculins** en [e] s'écrivent généralement *é* ou *er* :
le pr*é* - le dang*er*.
Quelques noms masculins en [e] s'écrivent *-ée* :
le lyc*ée* - le mus*ée* - le troph*ée* - le scarab*ée*.

● Les **noms féminins** en [e] s'écrivent *-ée* : l'arm*ée*, sauf *la clé*
(qu'on peut aussi écrire *clef*).
Les noms féminins en [te] et [tje] s'écrivent *-é* : *la beauté*, sauf :
la dictée, la jetée, la montée, la pâtée, la portée, et les noms
désignant **un contenu** : *la pelletée, l'assiettée...*

---

1 *Écris les noms masculins en* [e] *correspondant aux définitions suivantes. Vérifie l'orthographe avec ton dictionnaire.*

Il écrit des romans. - Il conduit un gros camion. - Ses fruits sont les châtaignes. - C'est un petit chemin. - Le nom du cochon sauvage. - Les poules s'y abritent. - C'est le repas du soir.

2 *Même exercice.*

Ils entouraient le château fort. - Unité de mesure des températures. - Un autre nom pour désigner les vacances. - Le quadrilatère en a quatre. - C'est un gros singe. - Il y en a un chaque 14 Juillet.

3 *Écris les noms féminins en* [e] *correspondant aux verbes suivants :*
Ex. : traverser → **une traversée.**

monter - penser - ranger - pousser - assembler - porter.

4 *Transforme sur le modèle suivant :*
Un papillon léger → **la légèreté du papillon.**

Un beau paysage. - Une fleur fragile. - Une prairie immense. - Un sentier tranquille. - Un air pur. -Une eau vive et limpide.

5 *À partir des noms donnés, trouve le nom féminin exprimant le contenu et ajoute un complément.*
Ex. : poing → **une poignée de cerises.**

nid - bouche - brouette - cuiller - bras - charrette.

6 *Mets la terminaison qui convient.*

La sociét. . . - les all. . . - des assiett. . . - la pit. . .
- Quelle gaiet. . . ! - une dict. . . - les pav. . . - un pât. . .

7 *Dictées à préparer.*
● *Autodictée : le texte d'étude.*

● LA REMONTÉE
Il fallait s'en retourner. Non seulement abandonner cette enivrante exploration, mais affronter les fatigues de la remontée vers le camp...
« Pauvre Marcel ! lui qui avait trouvé l'entrée de tout cela, il avait demandé à être remonté pour laisser leur part aux camarades ! »
. . . Nous tournâmes le dos à l'aval de la rivière et remontâmes vers les immensités obscures, guidés par la douce lueur des rubans luminescents.

Haroun Tazieff, *Le Gouffre de la Pierre Saint-Martin,*
Éd. Arthaud.

L'imparfait de l'indicatif

• *À quel temps est écrit ce texte ?*
Quand emploie-t-on ce temps ?
• *Relève, dans le texte, un verbe de chacun des trois groupes. Complète la conjugaison de chacun d'eux. Que peux-tu dire des terminaisons ?*
• *Elle protégeait - Il plaçait. Rappelle les deux règles étudiées.*

PORTRAIT D'UN CHEF

Cheval-Fou passait pour un être extraordinaire. On chuchotait qu'une puissante médecine le protégeait et le rendait immortel. À ce qu'on disait, il s'agissait d'une pierre qu'il plaçait sous sa selle et qui l'avertissait du danger. À bien le regarder, il n'était pas loin de me ressembler. Comme moi, il était court et trapu et une certaine élégance émanait de sa personne. En revanche, il était plus vieux, il avait vu tomber trente-deux neiges.

WILLIAM CAMUS, *La Grande Peur*, Éd. Presses de la Cité.

• **L'imparfait de l'indicatif** est un temps passé souvent utilisé dans le récit.
Il indique généralement **une action ou un état qui a duré ou s'est répété** dans le passé, sans limites définies :
Chaque jour, je le saluais. Souvent, on chuchotait. À ce qu'on disait, il était brave.

• À l'imparfait de l'indicatif, tous les verbes ont la même terminaison : *j'étais, tu allais, il faisait, nous finissions, vous aviez, ils prenaient.*

• Les verbes comme *crier* et *balayer*, aux deux premières personnes du pluriel, s'écrivent : *nous criions, vous criiez - nous balayions, vous balayiez.*

---

[1] **Complète avec un verbe qui convient, à l'imparfait.**

Chaque famille indienne ... sous une tente. Cheval-Fou ... le chef de la tribu. Les femmes ... des feux. En signe de paix, on ... le calumet. Tout petit déjà, je ... un poney. Nous ne ... pas la guerre, nous ... en paix. Ma sœur ... Petit-Pied ; j'aimais bien ce nom.

[2] **Mets le texte à l'imparfait.**

Le village fourmille d'activité. Les hommes bâtissent les enclos des montures. Les enfants transportent des paquets. Une meute de chiens se dispute un os. Cheval-Fou parle peu ; il ne plaisante qu'avec ses guerriers, ne joue qu'avec les enfants et ne danse jamais pendant les fêtes.

[3] **Même exercice avec les phrases suivantes.**

Le guerrier protège sa famille. - Les tribus indiennes se déplacent souvent. - Tu avances avec prudence. - La fumée se dirige vers le nord. - Les Indiens voyagent de nuit et longent la rivière. - De gros nuages annoncent l'orage. - La tempête m'oblige à m'arrêter.

[4] **Écris à l'imparfait, à la personne correspondante du pluriel.**

Je copie ce poème. - Tu étudies la carte. - Tu essaies de comprendre. - J'essuie mes pieds. - Je paye mes dettes. - Tu expédies ta lettre. - Tu nettoies tes chaussures. - J'oublie mon parapluie.

[5] **Écris à l'imparfait les verbes entre parenthèses.**

Nous (faire) du bruit. - Ils (prendre) leur temps. -Tu (voir) bien. - Vous (mettre) un gilet. - Vous (boire) un chocolat. - Elle (écrire) à son oncle.

[6] **Même exercice.**

Nous (gagner) la partie. - Vous (cueillir) des fleurs. - Nous (atteindre) le sommet. - Vous (construire) un tipi. - Nous (apprendre) cette leçon. - Vous ne (vouloir) pas m'écouter.

Les pronoms personnels compléments

LES MAMMOUTHS

● — Il ne *les* craignait point.
— Cette question *l'*avait frappé.
En te reportant au texte, indique quels GN sont remplacés par les mots en italique.
● *Récris ces phrases avec les mots remplacés. Quelle est la fonction de ces mots ? Et celle des remplaçants ?*
● *Que peux-tu dire de la place de* les, l' *?*
● *Compare :* leurs *troupes -* On leur *indique. Quelles remarques peux-tu faire ?*
● Il *y* rêvait. Il n'*en* avait jamais rencontré.
Que remplacent les mots en italique ? Quelle est leur fonction ?

Considérant la souplesse de leurs trompes, Naoh ne put s'empêcher de dire :

— Le mammouth est le maître de tout ce qui vit sur la terre !

Il ne les craignait point : il savait qu'ils n'attaquent aucune bête, si elle ne les importune.

Il dit encore :

— Aoûm, fils du Corbeau, avait fait alliance avec les mammouths.

— Pourquoi ne ferions-nous pas comme Aoûm ? demanda Gaw.

— Aoûm comprenait les mammouths, objecta Naoh ; nous ne les comprenons pas.

Pourtant, cette question l'avait frappé ; il y rêvait, tout en tournant, à distance, autour du troupeau gigantesque. Et, sa pensée se traduisant tout haut, il reprit :

— Les mammouths se comprennent entre eux. Ils connaissent le cri des chefs ; Goûn dit qu'ils prennent, au commandement, la place qu'on leur indique, et qu'ils tiennent conseil avant de partir pour une terre nouvelle... Si nous devinions leurs signes, nous ferions alliance avec eux.

J.H. ROSNY AÎNÉ, *La Guerre du feu*, © Robert Borel-Rosny.

● Le GN c.o.d. et le GN c.o.i., comme le GN sujet, peuvent être remplacés par des **pronoms personnels**. Ces pronoms personnels ont la même fonction que les GN.
Il regardait **les mammouths** (c.o.d.) → *Il* **les** *regardait.* (c.o.d.)
Il parlait **à Gaw** (c.o.i.) → *Il* **lui** *parlait.* (c.o.i.)

● *le, la, les, l'* placés devant un verbe remplacent des GN compléments d'objet **directs**.
lui, leur, y remplacent généralement des GN compléments d'objet **indirects**.

● Les pronoms *me, moi, te, toi, elle, se, en, nous, vous, elles, eux* peuvent être également pronoms personnels compléments d'objet (directs ou indirects) :
Je pense **à vous** (c.o.i.) - *Je* **vous** *vois.* (c.o.d.)
J'irai avec **toi** (c.o.i.) - *Il* **me** *connaît.* (c.o.d.)

1 *Récris la phrase en remplaçant le* C.O.D. *par le pronom qui convient.*

Le grand mammouth dressait les oreilles. Il secoua lentement sa trompe. Les Oulhamr reconnaissaient sa puissance. La trompe du mammouth frôla Naoh. Naoh toucha la trompe velue. Le mammouth arracha les jeunes pousses.

(J.H. ROSNY AÎNÉ)

2 *Même exercice.*

Les Oulhamr accélérèrent leur marche. - Trois guetteurs entretenaient le brasier. - Des rôdeurs épiaient le campement. - Les Kzamms engagèrent le combat. - Une sagaie effleura l'épaule de Naoh. - Un désespoir emplit sa poitrine.

3 *Réunis les phrases. Utilise les pronoms compléments pour éviter les répétitions.*
Ex. : Naoh ranima le feu. *Il protégea* le feu. *Naoh ranima* le feu et il *le protégea.*

Le guerrier brandit sa hache. Il lança sa hache. - Naoh observait les mammouths. Il ne craignait plus les mammouths. - Gaw construit une cage à feu. Il cache sa cage à feu. - Le fils du Léopard place un piège. Il surveille ce piège. - Les Nains Rouges attaquèrent le camp. Ils dévastèrent le camp.

4 *Récris chaque phrase en remplaçant le pronom complément par un GN pouvant convenir.*

Les Kzamms voulaient le voler aux Oulhamr. - Le mammouth la tendit en direction de Naoh. - Les puissants animaux les observaient. - Les Oulhamr les approchèrent sans crainte. - Les guerriers le rejoignirent à la tombée du jour. - Un vent violent risquait de l'éteindre.

5 *Remplace le complément d'objet par le pronom complément qui convient :* lui *ou* leur.

La directrice parle à Amélie. - Nous écrivons à nos correspondants. - Sylvain téléphone à sa grand-mère. - Estelle et Mustapha rendent visite à Bertrand. - Tu fais plaisir à tes parents. - Ludovic et David répondent à Julie.

6 *Remplace le* C.O.I. *par le pronom complément qui convient :* en *ou* y.

Guillaume participe à cette course. - Sandra parle souvent de sa petite sœur. - Nous avons besoin de vos conseils. - On se souvient de cette aventure. - Stéphanie renonce à son projet. - Mathieu s'intéresse à la photographie.

7 *Construis une phrase avec chacun des pronoms :* lui - leur - en - y.

8 *Donne la fonction de* lui *dans les phrases suivantes.*

Souvent je pense à lui. - Lui, parle continuellement. - Nous lui téléphonons. - Je viendrai avec lui. - Lui, deviendra grand. - Tu le feras pour lui.

9 *Remplace le GN souligné par le pronom complément qui convient.*

Sarah arrivera avec <u>Céline et Charlotte</u>. - Nous partirons avec <u>Cyril et Denis</u>. - Viendras-tu avec <u>Nadine et moi</u> ? - Il n'aime pas jouer avec <u>Christian et toi</u>. - J'ai rendez-vous avec <u>mes amis</u>.

10 **Il** *te* **regarde** = **Il regarde* toi. (C.O.D.)
Sur ce modèle, transforme la phrase, puis donne la fonction du complément en italique.

Je *te* téléphone. - On *me* questionne. - Elle *m'*écrit. - Tu *te* lèves. - Nous *t'*appelons. - Maman *me* sourit.

11 *Remplace les GN sujets et les GN compléments par les pronoms qui conviennent.*
Ex. : **Le mammouth** *renverse* **un arbre.** → **Il** *le renverse.*

Les Oulhamr quittent leur camp. - La horde de mammouths atteint la rivière. Les animaux dressent l'oreille. - Les Kzamms renoncent au combat. - Le feu appartient aux Oulhamr. - Naoh félicite Gaw. - La forêt protège les chasseurs.

ÉCRIRE

12 *Naoh et Gaw font du feu.*

En un court paragraphe, fais le récit de la scène racontée par ces quatre vignettes. Évite les répétitions en utilisant des pronoms personnels sujets et compléments.

13 *Chacune de ces phrases est incorrecte. Sauras-tu en retrouver la forme convenable ?*

*Dis-moi-le. - *C'est moi que je le dis. - *Il y va en bicyclette. - *On s'est en allés. - *Je m'en rappelle. - *C'est qu'est-ce que je lui dis.

Dire plus fort : les mots superlatifs

LA POTION FANTASTIQUE

* *Quels adjectifs l'auteur utilise-t-il pour dire comment est la potion ? le spectacle ? le choc ?*
* *Le gosier de la grand-mère flambe. Comment ?*
* *Quelle expression indique que les yeux sont grands ouverts ?*

Quel spectacle extraordinaire !

— Ouiche ! cria Grandma.

Et hop ! son corps bondit en l'air, comme si son fauteuil avait été une chaise électrique ! Oui, elle bondit comme un diable de sa boîte et… elle ne retombait pas… elle restait là… suspendue entre ciel et terre… à environ un demi-mètre au-dessus du fauteuil… toujours assise… raide… glacée… tremblante… les yeux exorbités… les cheveux dressés sur la tête…

Le choc devait être terrible…

— Au feu ! s'égosillait la vieille !…

— Diable, tu flambes, dit Georges.

— Bien sûr que je flambe ! hurla-t-elle. Je flambe comme une crêpe au rhum. Je fris comme un lardon. Je bous comme un bouillon.

ROALD DAHL, *La Potion magique de Georges Bouillon*,
trad. M.-R. Farre, Éd. Gallimard.

* Pour dire plus fort, on emploie des adjectifs de sens **superlatif** *(fantastique, terrible, extraordinaire…)* ou des **adverbes** devant l'adjectif *(très brûlant, tout rouge).*

* On peut former des mots superlatifs en ajoutant des **préfixes** *(**super**marché ; **hyper**marché).*

* On peut aussi utiliser des **locutions comparatives** *(flamber comme une crêpe au rhum, frire comme un lardon).*

1️⃣ *Complète avec des adjectifs superlatifs :*

	superlatifs
un homme très gros	....
un animal très petit	....
une boisson très chaude	....
une crème très froide	....
un pull-over très mouillé	....
un très bon gâteau	....
un très mauvais temps	....
un cadeau bien cher	hors de prix
un très grand chapiteau	....
une très belle voiture	....

2️⃣ *Complète d'abord avec ces trois superlatifs synonymes :* **fantastique, formidable** *et* **inouï.**

* *Trouve trois adjectifs synonymes des mots soulignés pour la fin de l'exercice.*

Nous avons entendu une . . . explosion. - Il va au cinéma pour voir des films . . . . . - Je viens d'apprendre une chose . . . .

Une nouvelle qui n'est pas ordinaire est une nouvelle . . . . . - Un exploit qui se remarque est un exploit. . . . . - Un événement qui a fait sensation est un événement . . . .

3 *Imagine ce qui peut être extraordinaire, ou inouï ou incroyable..., etc., dans les vignettes ci-dessous.*
Ex. : **C'est inouï ! Il a traversé la rivière sur un fil tendu entre les deux rives.**

4 *Le gosier de Grandma brûle. Pour dire plus fort, Roald Dahl emploie une comparaison : il frit comme un lardon.*
Retrouve les locutions comparatives.

un paquet léger comme . . . - un garçon fort comme . . . - une personne bavarde comme . . . - Il est resté muet comme . . . - un enfant gai comme . . . - un cheval maigre comme . . . - le petit Marcel est sage comme . . .

un visage blanc comme . . ., rouge comme . . ., ou jaune comme . . .

Il est riche comme . . . - Il est fier comme . . . *(il s'agit de noms propres à trouver).*

5 *Pour dire plus fort, emploie les adverbes* très, tout, *ou* beaucoup.

Pierre se couche . . . tard. - Bruno habite . . . en haut de la colline. - Pendant la nuit, il a . . . plu. - Cette région de montagnes est . . . belle. - Mon frère a . . . d'amis. - Son costume est . . . neuf. - Elle s'est couchée . . . habillée ! - Mon visage a . . . changé. - Votre question est . . . embarrassante.

6 *Une autre manière de dire plus fort : complète avec des noms désignant des animaux.*

Avoir très faim → Avoir une faim de . . .
Quand il fait très froid → Il fait un froid de . . .
Avoir froid et frissonner → Avoir la chair de . . .
Avoir une température très élevée → Avoir une fièvre de . . .
Dire des méchancetés → Avoir une langue de . . .
Avoir des yeux vifs et perçants → Avoir des yeux de . . .
Avoir un estomac qui digère tout → Avoir un estomac d'. . .

7 *Dans les phrases suivantes, relève les groupes de mots qui permettent de dire plus fort.*

Ce costume me va à ravir.
Pour être tout à fait tranquille, j'irai à la campagne.
Ouvrez tout grand les yeux !
Moi, je ne vois absolument rien !
Nous partirons à la toute première heure.
Il fait un froid de canard.
Martine a une peur bleue des araignées.
Comme il fait froid aujourd'hui !
Que tu es grand, mon enfant !
Comme il a changé !
Que de difficultés avons-nous rencontrées avant de parvenir au résultat !
Combien je regrette de quitter ce beau pays !

8 *On peut utiliser certains préfixes pour former des mots superlatifs.*
Trouve les mots formés à l'aide des préfixes super- *ou* hyper- :

grand magasin qui vend en libre-service	*un . . .* ou *un . . .*
essence supérieure	*du . . .*
dont la vitesse est supérieure à celle du son	*. . .*
excellente condition physique et morale	*en . . .*
champion qui a remporté de nombreuses victoires	*un . . .*
d'une très grande nervosité	*. . .*

9 *Complète avec les mots suivants.*

locomotive, phoque, veau, païen, lièvre, trou, bossu, Madeleine, éponge, ogre.
courir comme un . . .
manger comme un . . .
pleurer comme { un . . . / une . . .
rire comme un . . .
boire comme { un . . . / une . . .
souffler comme un . . .
jurer comme un . . .
fumer comme une . . .

Le Temple du Soleil, © HERGÉ.

Pronoms personnels et accord du verbe

- *Observe :* **Fan les attira. Ils le voulaient. Elles leur sortaient de partout.**
Explique l'orthographe du verbe pour chacune de ces phrases.
- *À quoi correspondent* **les, le, leur ?**
- *Pourquoi y a-t-il risque d'erreur dans l'accord du verbe ?*
Invente quelques exemples semblables.

LA PÊCHE AUX GRENOUILLES

En guise d'appât, ils cueillirent des fleurs roses de lychnis mais les grenouilles les dédaignaient...

Fan les attira alors avec un tissu de couleur rouge...

Ils en prenaient autant qu'ils le voulaient. Ils avaient posé leurs sarraus[1] en corbeille et les y fourraient une à une. Bientôt, ils eurent chacun sur le ventre une énorme bosse qui grouillait... Ils en bourrèrent aussi leurs poches... Enfin il n'y eut plus moyen : tabliers et poches débordaient, des grenouilles leur sortaient de partout.

D'après MAURICE GENEVOIX, *Le Jardin dans l'île*, Éd. Presses de la Cité.

_____
1. Sortes de tabliers.

> - **Le verbe s'accorde toujours avec son sujet :** nom, groupe du nom ou pronom, **quelle que soit sa place.**
> Les pronoms compléments placés avant le verbe ne modifient en rien cette règle.
> **Il** *les attrap***ait. Ils** *le remplissa***ient. Tu** *les emport***ais. Nous** *la relâch***ions.**

1 *Remplace chaque GN (sujet et complément) par le pronom qui convient.*

Julien aime les animaux. - Julien ne chasse pas les grenouilles. - Les hirondelles annoncent le printemps. - Les oiseaux retrouvent leurs nids. - Les jacinthes parfument le jardin. - Les beaux jours réveillent la nature. - La sève gonfle les bourgeons. - Un frais tapis vert recouvre la prairie.

2 *Même exercice.*

Caroline et Julie téléphonent à Sabrina. - Tu écoutes un disque. - Tu écris à ton grand-père. - Olivier attend Eric et sa sœur. - Séverine dit bonjour à ses voisins. - Omar répond à son père. - Nos correspondants attendent notre lettre.

3 *Mets les verbes à l'imparfait.*

Le chien *(courir)* après les moutons et les *(ramener)*. - Laurent *(casser)* des noix et les *(manger)*. - Les gendarmes *(arrêter)* l'automobiliste et le *(contrôler)*. - La maîtresse *(interroger)* les élèves et les *(noter)*. - Les enfants *(choisir)* un poème et l'*(apprendre)*.

4 *Complète en accordant les verbes au présent.*

Je les voi.... - Tu la chang.... - Elles lui parl.... - Nous l'écout.... - Ils vous soign.... - Tu le renseign.... - Ils vous appell.... - Je les entend....

5 *Même exercice. Recherche bien le sujet.*

Tu le lui demand.... - Ils nous le choisis.... - Je les leur offr.... - Vous le lui rend.... - Elle les lui confi.... - On en rêv.... - Je les y pouss.... - Tu les lui prépar....

6 *Complète avec* **leur** *(pronom) ou* **leur(s)** *(adjectif possessif).*

Chaque mois, ... correspondants ... donnent de ... nouvelles. Ils ... répondent aussitôt. Ils ... parlent de ... occupations. Au printemps, ils ... rendront visite. Pendant que ... maîtresse organisera le voyage, ils ... prépareront ... cadeaux.

7 *Dictée à préparer.*
- *Autodictée : Depuis* « **Fan les attira** » *jusqu'à la fin du texte.*

Le futur simple de l'indicatif (1)
Le futur proche

Conjugaison

• *Quels passages du texte marquent le futur ?*
• *Relève ceux écrits au futur proche, puis ceux écrits au futur simple.*
Comment est constitué le futur proche ?
• *À quels groupes appartiennent les verbes conjugués au futur simple ? Écris la conjugaison entière de deux de ces verbes. Que peux-tu dire de leurs terminaisons ?*

LA PETITE SIRÈNE

— Tu veux que le Prince de la terre tombe amoureux de toi.
— Oui, murmura la petite sirène. C'est ce que je veux. Pouvez-vous m'aider ?
— Je t'aiderai si tu acceptes de payer le prix, dit la sorcière.
— Je paierai, répondit la Princesse.
— Je vais préparer une potion magique que tu boiras quand tu seras à terre, dit la sorcière de la mer. Ta queue va rétrécir et disparaître et tu auras deux jambes. Mais tu auras très mal. Es-tu capable de souffrir ?
— Oui, murmura la Princesse.

Les Contes d'Andersen, Adaptation de Brigitte Lecœur, Éd. F. Nathan.

• Le **futur simple** de l'indicatif indique un événement à venir, considéré comme certain.
Au futur simple, tous les verbes se terminent à l'écrit par :
-rai, **-ras**, **-ra**, **-rons**, **-rez**, **-ront** (mêmes terminaisons que celles du verbe *avoir* au présent).
J'aurai, tu seras, elle acceptera, nous choisirons, vous boirez, ils prendront.

Verbes du 1er et du 2e groupe : infinitif + **ai, as, a, ons, ez, ont.**

Attention : *Je paierai. Je crierai.*

• Le **futur proche** ou **immédiat** se conjugue avec le verbe *aller* au présent suivi d'un **infinitif** : *Je vais partir. Elle va arriver.*

---

1 *Écris la 1re personne du singulier du futur simple des verbes suivants :*

avoir - être - aimer - réussir - partir - prendre - obéir - construire - recevoir - apporter.

2 *Même exercice. Attention : verbes en -ier et -yer.*

remercier - nettoyer - plier - essuyer - employer.

3 *Même exercice. Attention : verbes en -eler et -eter.*

appeler - épeler - jeter - cacheter - ficeler - acheter - modeler - congeler.

4 *Mets les phrases suivantes au futur simple.*

La petite sirène supporte la douleur. Elle marche, danse et les gens de la terre sont éblouis. Elle réussit à conquérir le Prince. Elle est la favorite de la Cour. Mais le Prince épouse la fille d'un roi. La petite sirène devient invisible.

5 *Mets ces phrases au futur proche.*

Je suis en retard. - Vous courez. - Le train part. - Ils vous attendent. - Tu téléphones. - Nous prenons un taxi. - Elle ne s'inquiète plus.

6 *Écris le verbe au temps qui convient.*

Si tu fais des efforts, tu *(réussir)*. - Il faisait des efforts et il *(réussir)*. - Bientôt, vous *(avoir)* de ses nouvelles. - En ce moment, elle *(être)* chez sa tante. - Demain je *(prendre)* le train de huit heures. - Le mois dernier nous *(fêter)* son anniversaire.

7 *Complète au futur simple.*

Ils surgi.... - Ils remerci.... - Nous guéri.... - Vous applaudi.... - Tu expédi.... - Elles jou.... - Tu avou.... - Je bâti.... - Nous vérifi....

8 *En un court paragraphe, imagine les conseils que la sorcière de la mer continue à donner à la petite sirène. Emploie le futur.*

Les constituants du groupe nominal : les déterminants et les noms

LE MAÎTRE AVAIT PARLÉ DE MOI !...

• Relève les GN du texte. Rends ces GN minimaux. De quoi sont-ils alors constitués ?
• Classe les différents déterminants selon leur nature : articles (définis, indéfinis), adjectifs (possessifs, démonstratifs, indéfinis, numéraux). Trouve d'autres exemples pour chacune de ces classes.
• Donne des exemples (pris hors du texte) de GN constitués de noms propres :
- sans déterminant - avec déterminant.

Moi qui croyais passer inaperçu parmi la cinquantaine de camarades qui formaient la classe, voilà qu'il se rendait compte de mon travail, qu'il me connaissait particulièrement, qu'il connaissait mon père ! C'était donc qu'il connaissait tous ses élèves ! Certainement, il aimait les bons et détestait les mauvais. Pourtant il n'y avait aucun indice visible qui montrât qu'il nous différenciait. J'avais beau réfléchir, je ne trouvais pas. Tant pis, il fallait se rendre à l'évidence. Il avait dit à mon père que j'étais un mauvais élève... Mon père pensait m'avoir fait de la peine par le ton sévère qu'il avait pris. Au fond, j'étais presque heureux de constater qu'il s'intéressait à ce que je faisais, qu'il était peiné de me voir parmi les traînards et qu'il partageait cette peine avec le maître. Cette petite réprimande me fit prendre mon rôle au sérieux. J'exagérai mon importance. En réalité, mon père était plus fâché de ma flânerie que de ma mauvaise place à l'école.

MOULOUD FERAOUN, *Le Fils du pauvre*, Édition du Seuil.

• **Le groupe nominal** réduit est généralement constitué d'un déterminant et d'un nom. GN = D + N :
Mon père *rencontra* **le maître**.

• Le GN est parfois un nom propre, accompagné ou non d'un déterminant.
La Seine *traverse* **Paris**.

Le GN est parfois un nom commun sans déterminant.
Il attend avec **patience**.

• **Les déterminants** (articles, adjectifs) apportent des précisions sur le genre et le nombre du nom.
Tous les mots pouvant se substituer à *un* dans le GN *un* *élève* appartiennent à la classe des déterminants :
son *élève* - **cet** *élève* - **aucun** *élève* - **quelques** *élèves* - **deux** *élèves*...

TABLEAU DES DÉTERMINANTS							
	articles		**adjectifs**				
	définis	**indéfinis**	**possessifs**	**démonstratifs**	**indéfinis**	**numéraux**	**interrogatifs-exclamatifs**
masc. sing.	*le, l'*	*un*	*mon, ton, son notre, votre, leur*	*ce, cet*	*aucun tout certain*	*un*	*quel*
fém. sing.	*la, l'*	*une*	*ma, ta, sa notre, votre, leur*	*cette*	*aucune toute certaine*	*une*	*quelle*
pluriel	*les*	*des*	*mes, tes, ses nos, vos, leurs*	*ces*	*tous certains plusieurs*	*deux, dix*	*quels quelles*

définis contractés

au (à le) *aux* (à les)
du (de le) *des* (de les)

---

1 *Écris un déterminant différent devant chacun des noms suivants :*

... école - ... classes - ... bibliothèque - ... ordinateurs - ... correspondants - ... visite - ... spectacle - ... acteurs - ... fête - ... musique.

2 *Place le déterminant qui convient.*

Nous n'allons pas à ... école ... mercredi. - ... élèves déjeunent à ... cantine ... jour. - ... correspondants nous écrivent ... mois. - Dans ... classe nous sommes ... élèves. - Sur ... carte postale on voit ... école et ... environs.

3 *Complète avec un déterminant quand c'est nécessaire.*

... Loire - ... Pyrénées - ... Lyon - ... Panthéon - ... tour Eiffel - ... Astérix - ... Corse - ... Antilles - ... Louvre - ... Picasso.

4 *Complète avec les déterminants :* **chaque, tout, aucun, quelque, certain.** *Fais les accords.*

Une ... agitation règne dans cette .classe. - Depuis ... jours il est souffrant. - Je n'ai fait ... erreur de calcul. - ... vérité n'est pas bonne à dire. - ... jour le facteur distribue le courrier. - ... jeux sont brutaux. - La barque prenait l'eau de ... côtés.

5 *Complète chaque phrase par l'adjectif démonstratif qui convient.*

Comme ... garçon est habile ! - Qui est ... homme ? - Je ne connais pas ... route. - Avez-vous visité ... ville ? - Où peut-on voir ... tableaux ? - Je n'ai pas lu ... ouvrage. - Je connais ... histoire. - ... chevaux sont sauvages.

6 *Transforme les phrases sur le modèle suivant.* **Ce livre est à moi. → C'est mon livre.**

Ces disques m'appartiennent. - Ces jeux sont à eux. - Voici la maison que nous habitons. - Est-ce que ce chien est à vous ? - Elle m'a parlé des voyages qu'elle a faits. - Connaissez-vous les projets que nous avons ?

7 *Emploie* **cet** *et* **cette** *dans deux phrases distinctes.*

8 *Ne confonds pas* **leur** *(pronom) et* **leur(s)** *adjectif possessif. Complète par le mot qui convient.*

Les oisillons guettent ... parents qui ... apportent ... nourriture. À ... âge, ils doivent suivre ... conseils. Ceux-ci ... donnent le bon exemple, Ils quitteront ... nid quand ... ailes auront poussé. Du bout de ... bec, ils lissent ... plumes.

9 *Emploie* **leur** *(pronom) et* **leur** *(adjectif) dans deux phrases distinctes.*

10 *Écris en lettres les adjectifs numéraux cardinaux (indiquant le nombre).*

25 élèves - 140 francs - 75 mètres - 90 places -365 jours.

11 *Écris en lettres les adjectifs numéraux ordinaux (indiquant l'ordre, le rang).*

le 2e jour - le 12e mois - la 5e place - le 18e étage - la 150e page.

12 *Complète à l'aide d'un article défini contracté.*

Chaque semaine, il va ... théâtre. - Sophie a préparé une tarte ... abricots. - Nous avons écrit ... maire de la commune. - Ils arrivent bientôt ... sommet ... col. - ... prochaines vacances, il ira peut-être ... États-Unis. - ... printemps nous cueillons ... muguet ... fond ... jardin.

13 *Mets à la forme négative. Que remarques-tu ?*

Dans cette bibliothèque, il y a des livres intéressants. - Cet été nous avons eu du beau temps. - Ils ont fait des randonnées en montagne. - La météo annonce du froid. - Nous avons reçu des nouvelles de Nathalie. - Vous perdez du temps.

Des mots dérivés préfixés

SUR L'EAU

• *Relève un mot de la famille de* fin, *de* semence, *de* mobile.
• *Relève un mot, pour chacune des familles des verbes* paraître, naître, mettre, voler, sortir.
• *Comment ces mots sont-ils formés ?*

« Beau temps, monsieur. »

Je me lève et monte sur le pont. Il est trois heures du matin ; la mer est plate, le ciel infini ressemble à une immense voûte d'ombre ensemencée de graines de feu...

Nous voilà glissant sur l'onde, vers la pleine mer. La côte disparaît ; on ne voit plus rien que du noir...

Jusqu'à dix heures, nous flottons immobiles, comme une épave, puis un petit souffle du large nous remet en route, tombe, renaît, semble se moquer de nous, agacer la voile, nous promettre sans cesse la brise qui ne vient pas...

Les marsouins, ces clowns de la mer, jouent autour de nous, jaillissent hors de l'eau d'un élan rapide comme s'ils s'envolaient, passent dans l'air plus vifs qu'un éclair, puis plongent et ressortent plus loin.

GUY DE MAUPASSANT, *Sur l'eau.*

> Devant **le radical,** on peut ajouter un élément pour former un **mot dérivé.** Cet élément est appelé **préfixe** et le mot ainsi construit est un **dérivé préfixé :** *en*semencer, *dis*paraître, *re*naître, etc.

1 *Recopie les mots suivants et encadre le radical.*

soupeser - reprendre - inconnu - soulever - relire - soutenir - antivol - immobile - exposer - irrégulier - défaire - surélever - mésentente - supercarburant - transpercer.

2 *Trouve les mots construits à l'aide du même préfixe.*

Enlever la crème . . .   les chenilles . . .
            les feuilles . . .   la poussière . . .
            les grappes . . .   les graines . . .

3 *À partir des noms donnés, construis des verbes en utilisant les préfixes* -en, em- *ou* dé-.

paquet - chaîne - chaussure - chant - colle - pile - coiffure - caisse - rhume - bord - herbe - baume - place - route.

4 *Utilise le préfixe* re- *pour construire des verbes (infinitif).*

bond - froid - fleur - gorge - pêche - plâtre - bois - maille.

5 *Le radical est donné : complète avec un préfixe convenable pour finir de construire le mot.*

Il faut . . .lever cette valise pour juger de son poids. - Les restes du bateau flottent à la surface, on les voit . . .nager. - La France fait venir du pétrole du Moyen-Orient, elle l' . . .porte. - Ces colonnes . . .tiennent les poutres qui portent le plancher. - On a . . .élevé la maison d'un étage. - Notre pays . . .porte du vin vers certains pays étrangers. - Le soleil . . .paraît derrière les nuages. - Cet athlète a été . . .qualifié pour dopage. - La cuisinière s'est . . .passée pour confectionner ce plat. - Ce contribuable se plaint d'être . . .chargé d'impôts.

6 *Complète avec des mots construits à l'aide du même préfixe.*

Le blessé a été . . . à la clinique. - Cet avion . . . les passagers de Montpellier à Paris en 1 heure et 10 minutes. - Une balle lui a . . . le bras. - Le radio de l'appareil vient de . . . un message important. - . . . un arbre, c'est l'arracher et le planter dans un autre endroit. - Le chemin de fer . . . traverse la Sibérie. - Cette course . . . a lieu entre des voiliers qui traversent l'Atlantique.

Éviter la répétition

1 *On peut employer* dont :

Ex. : **Nos amis habitent, au bout du village, une villa. La façade de cette villa est blanche.**
→ Nos amis habitent, au bout du village, une villa *dont* la façade est blanche.

Transforme, de même :

Au large, nous apercevons un bateau. La voile de ce bateau est déchirée. → . . .

Il a acheté une voiture. Le moteur de cette voiture a été refait. → . . .

Dans mes bagages, j'ai emporté les livres. J'ai besoin de ces livres pour préparer mon examen. → . . .

Les spectateurs assistent à un match de football. L'issue de ce match est incertaine. → . . .

Les promeneurs flânent sur les grands boulevards. Les magasins de ces grands boulevards sont ouverts jusqu'à 22 heures. → . . .

La manufacture vient de fermer ses portes. Nous avons si souvent parlé de cette manufacture. → . . .

Faire des comparaisons

2 *Complète les phrases avec des comparaisons :*

Tante Martine n'arrêtait pas de parler, elle était . . .

Après la course, André avait si soif qu'il se mit à . . .

Quand elle dansait . . ., Aude donnait l'impression de ne pas toucher le sol.

Mathieu a mal au pied, mais il se précipite derrière le ballon. Cela ne l'empêche pas de . . .

Répondre

3 *Voici une série de questions. Retrouve les réponses correspondantes.*

Questions :
— Combien de buts ont-ils marqués ?
— À quelle heure êtes-vous arrivés ?
— Avez-vous faim ?
— Aimez-vous les animaux ?
— Que préférez-vous : la mer ou la montagne ?
— Qui a gagné la course ?
— As-tu fait ton shampooing ?
— Tu n'as pas oublié d'éteindre dans la chambre ?

Réponses :
— Regarde mes cheveux !
— Deux, je crois.
— Il me semble que c'est un Espagnol.
— Non, ils font des saletés partout.
— J'aime bien les deux.
— Il devait être onze heures, onze heures e demie.
— Non ; je suis même allé vérifier deux fois.
— Je mangerais bien quelque chose.

Rapporter un fait divers

4 *Un animal du cirque vient de s'échapper. Dans un court récit, décris cet animal, pui indique les circonstances de son évasion (où quand, comment, pourquoi ?...). On l recherche (où ? comment ?...).*

Jeu poétique

5 *Le lipogramme.*

• *Un texte dans lequel il est interdit d'em ployer une lettre s'appelle un lipogramme. En voici un exemple, sans la lettre « e ».*

Il abandonna son roman sur son lit. Il alla à so lavabo ; il mouilla un gant qu'il passa sur son front sur son cou.

GEORGES PEREC, *La Disparition*

• *Essaie à ton tour, en tirant au sort, pa exemple, une voyelle que tu ne devras pa employer. Attention, sans la lettre « e », c'es très difficile !*

Reconstitution de texte

6 LA MAISON DU PÊCHEUR

C'est une petite demeure de pêcheur, aux murs d'argile, au toit de chaume empanaché d'iris bleus Un jardin large comme un mouchoir, où poussen des oignons, quelques choux, du persil, du cer feuil, se carre devant la porte. Une haie le clôt le long du chemin.

L'homme est à la pêche, et la femme, devant la loge, répare les mailles d'un grand filet brun, tend sur le mur ainsi qu'une immense toile d'araignée

GUY DE MAUPASSANT, *Le Retour*

Savoir écrire : *quelque - tout - même*

- *Essaie d'expliquer l'ortho-graphe des mots en italique.*
- *Observe :* **Des enfants** *tout* **ristes.**
Quel est le sens de **tout** *dans cette phrase ?*
- **La classe** *tout* **entière.**
Pourquoi **tout** *n'est-il pas écrit au féminin ?*

JULIEN EST SOUFFRANT

Depuis *quelques* jours, Julien est souffrant. Personne n'a de ses nouvelles. Nicolas et Sandra, ses amis, eux-*mêmes* ne savent rien. Ils ont décidé de lui écrire. La classe tout entière signera la lettre. *Tous* espèrent le voir revenir bientôt, *même* Xavier et Bruno qu'il ennuie pourtant souvent.

- **Quelque** ne s'accorde que lorsqu'il a le sens de *plusieurs* :
Quelques *élèves* - *Depuis* **quelque** *temps.*

- **Tout** est variable quand il accompagne un groupe nominal ou le remplace :
Tout *le jour* - **Toute** *la nuit* - **Tous** *les jours* - **Toutes** *les nuits* - **Tous** *s'amusaient bien* - **Tout** *l'émerveille.*
Quand *tout* signifie *tout à fait*, il est invariable, sauf devant les adjectifs qualificatifs féminins commençant par une consonne :
Des fruits **tout** *abîmés* - *Des maisons* **tout** *isolées* - *Des fleurs* **toutes** *fanées.*

- **Même** s'accorde quand il signifie *pareil, semblable* :
Il porte les **mêmes** *chaussures que toi.*
Même *Sophie et Marc sont partis.*
On écrit : *nous-mêmes, vous-mêmes, eux-mêmes.*

---

1 *Complète par* quelque *ou* quelques.

Dans ... jours c'est leur anniversaire. - Maria dit ... chose à Sylvie. - Depuis ... instants il pleut. - Elle a reçu cette récompense avec ... plaisir. - Après cette dure journée, il a pris ... repos.

2 *Écris deux phrases, en employant* quelque *dans chacun des sens ci-dessus.*

3 *Complète par* tout, toute, tous, toutes.

Elle a voyagé ... la nuit. - ... les matins il est pressé. - ... le village est en fête. - ... les vitrines sont décorées. - Les acteurs saluent ; ... les spectateurs applaudissent.

4 *Même exercice.*

... espèrent le revoir. - ... attendent son discours. - ... voudraient être Cendrillon. - ... finit par se savoir. - Demain nous irons ... au théâtre.

5 *Même exercice.* Tout *a le sens de* tout à fait.

Cyril est ... étonné. - Laura est ... fatiguée. - Cette maison est ... humide. - Ces routes sont ... sinueuses. - Les rues sont ... éclairées.

6 *Écris comme il convient.*

(tout) ces enfants - *(tout)* à l'heure - *(tout)* la classe - *(tout)* l'année - *(tout)* ses amis - elles sont *(tout)* agitées - *(tout)* viendront - des cheveux *(tout)* blonds - je les connais *(tout)* - des robes *(tout)* blanches.

7 *Complète par* même *ou* mêmes.

Elles travaillent ... le dimanche. - Ils écoutent toujours les ... disques. - Nous avons construit cette cabane nous- .... - J'y retourne toujours avec le ... plaisir. - Ce clown fait rire ... les grandes personnes. - On lui raconte toujours les ... histoires.

8 *Dictées à préparer.*
- *Autodictée : le texte d'étude.*

- CHRISTOPHE S'ENDORT
Il passe ses petits bras autour du cou de sa mère et l'embrasse de toutes ses forces. Elle lui dit en riant : « Tu veux donc m'étrangler ? » Il la serre plus fort. Comme il aime, comme il aime tout ! Toutes les personnes, toutes les choses. Tout est bon, tout est beau... Il s'endort. Les récits de grand-père, les figures héroïques flottent dans la nuit.

ROMAIN ROLLAND, *Jean-Christophe*, Éd. Albin Michel.

Le futur simple de l'indicatif (2)

Conjugaison

- Relève tous les verbes du texte écrits au futur. Donne leur infinitif.
- Rappelle la règle générale de construction du futur des verbes des 1er et 2e groupes. Quelles remarques peux-tu faire pour les verbes **voir** et **pouvoir** ?
- Donne l'infinitif des verbes suivants, écrits au futur :
je courrai - je mourrai - j'enverrai.
Quelles remarques peux-tu faire sur leur construction ?
- Même question avec les verbes :
j'irai - je viendrai - je ferai - je voudrai - je saurai - je cueillerai...

PROJETS D'AVENIR

« Dans deux ou trois ans, tu seras assez fort pour aller travailler en France. Tu verras alors qu'avec tes deux certificats, tu te débrouilleras mieux que nous tous. Tu ne connaîtras pas les misères que j'ai connues. C'est très beau la France, tu verras tout, tu comprendras tout. À ton retour, nous te marierons. Telle est la vie que je te propose. C'est la seule qui nous convienne. Ton frère grandira, tu le guideras. Tes sœurs se marieront. Tu me remplaceras en toutes choses et je pourrai mourir tranquille. »

Fouroulou écoutait silencieusement et admirait cette sagesse.

MOULOUD FERAOUN, *Le Fils du pauvre*, Éd. du Seuil.

- La plupart des verbes du 3e groupe ne suivent pas la règle générale de formation du **futur** : infinitif + *ai, as, a, ons, ez, ont.*

Leur radical se modifie. La terminaison, elle, reste inchangée.
Allez : *j'irai* - ***Venir :*** *je viendrai* - ***Faire :*** *je ferai* - ***Savoir :*** *je saurai* - ***Vouloir :*** *je voudrai* - ***Cueillir :*** *je cueillerai...*

- Quelques verbes prennent **deux r** :
Voir : *je verrai* - ***Pouvoir :*** *je pourrai* - ***Mourir :*** *je mourrai* - ***Envoyer :*** *j'enverrai* - ***Courir :*** *je courrai.*

1 *Écris les verbes suivants à la 2e personne du singulier du futur.*

voir - pouvoir - savoir - aller - faire - venir - vouloir - tenir - courir - cueillir.

2 *Écris entre parenthèses l'infinitif des verbes suivants :*

Tu le reverras. (...) - Vous le secourrez. (...) - Il reviendra. (...) - Nous le renverrons. (...) - Je le parcourrai. (...) - Cela lui conviendra. (...)

3 *Mets le pronom personnel qui convient.*

... recevront - ... appuierai - ... ferons - ... aura - ... faudra - ... pourrez - ... deviendras - ... saurons.

4 *Écris les verbes entre parenthèses au futur.*

Tu le (voir) quand il (venir). - (Savoir)-vous le faire ? - Ils ne (pouvoir) pas le comprendre. - Tu (devoir) réussir cet examen. - Je lui (envoyer) de nos nouvelles.- Il (se marier) au retour.

5 *Écris le texte suivant au futur.*

Elle travaillait bien à l'école. Elle poursuivait des études. Ses parents étaient fiers d'elle. Elle partit pour la ville. Nous recevions de ses nouvelles. Elle a obtenu son diplôme. Elle est revenue vivre au pays. Cette vie lui convient bien.

6 *Fais les liaisons possibles.*

On •
Tu •
Tous •   • viendra
Chacun •   • viendras
Eux •   • viendront

Rédiger une entrevue

QUELS SONT LES GOÛTS DE NICOLAS LOGAN ?

* *Qui pose les questions ?*
* *Relève dans l'extrait de la cassette tout ce qui indique que Nicolas et Valérie hésitent, réfléchissent avant de parler.*
* *Compare les deux extraits et retrouve dans le premier les informations que Valérie a utilisées pour écrire le deuxième.*
* *Lequel des deux textes est le plus précis ? Pourquoi ?*

(Nicolas Logan, chanteur, accorde une entrevue à Valérie Ricordari, journaliste.)

Voici ce qu'elle peut écouter sur sa cassette :

VALÉRIE RICORDARI : Euh... Et le cinéma ?

NICOLAS LOGAN : Ben... J'ai des goûts variés. Je veux dire : je vais voir un peu tout. Enfin, quand j'ai le temps. Mais j'essaie...

VALÉRIE RICORDARI : Et vous allez voir quoi ?

NICOLAS LOGAN : Ben... quand même des films français... Et puis, bon, surtout, les vieux westerns, vous voyez, John Wayne, vous voyez, quoi... Tout ça...

Voici ce qu'elle a écrit dans l'article :

Nicolas Logan, le chanteur et l'homme
par Valérie Ricordari

— Quels sont vos goûts en matière de cinéma ?

— J'aime bien les films français, mais je préfère les vieux westerns américains, avec John Wayne, par exemple...

---

* Une entrevue doit **se préparer.** Il faut rédiger les questions qui correspondent à ce qu'on veut savoir. Il vaut mieux éviter les questions auxquelles on répond par *oui* ou *non.*

* Il est conseillé d'enregistrer les réponses avec un magnétophone.

* Quand on rédige l'entrevue :

— il ne faut pas oublier de dire qui on a rencontré ;
— il faut garder tout ce qui se rapporte aux informations qu'on veut présenter ;
— il faut supprimer ce qui n'a rien à voir avec ce qu'on veut présenter ;
— il faut construire des phrases et supprimer les répétitions, les hésitations, les passages inutiles.

[1] *Prépare des questions pour réaliser une entrevue.*

- *Par exemple, tu peux rendre visite à un commerçant de l'endroit où tu habites.*

- *Demande-lui qui il est, pourquoi il a choisi ce métier. Intéresse-toi à tout ce qui concerne son métier, à ce qu'il vend, à ses problèmes.*

- *Prépare bien ton entrevue en faisant la liste des questions principales que tu te poses sur lui (elle).*

[2] *Connais-tu bien le métier de ton maître ou de ta maîtresse ?*

- *Prépare les questions concernant son identité.*

- *Tu veux savoir comment il est devenu (ou : elle est devenue) maître (ou : maîtresse). Prépare des questions qui se rapportent à tout ce qu'il (elle) a dû faire pour y parvenir : combien de temps a-t-il (elle) étudié ? Quels examens a-t-il (elle) passés ? À quel âge a-t-il (elle) commencé ce métier ? etc.*

- *Tu veux savoir si ce métier est intéressant. Pose des questions qui se rapportent au métier qu'il (elle) exerce : quels sont les avantages ? les inconvénients ?*

- *Tu peux enregistrer les questions et les réponses sur une cassette.*

- *Rédige maintenant l'entrevue en ne gardant que l'essentiel, de façon qu'on puisse bien connaître cette profession.*

[3] *À partir de ces réponses à une entrevue retrouve les questions.*

— Non, je ne lisais pas de bandes dessinées. Mes parents ne voulaient pas.
— Le film que j'ai préféré dans ma jeunesse, c'es *La Grande Vadrouille.*
— J'ai beaucoup d'admiration pour les médecins qui s'en vont soigner les gens là où il y a des guerres.
— Si je n'avais pas été chanteur, j'aurais bien aimé être journaliste.
— J'aurais aimé vivre en Chine.

[4] *Imagine que tu es un grand sportif (ou une grande sportive). Rédige les réponses que tu donnerais à ces questions.*

— Pourquoi avez-vous choisi ce sport ?
— Avez-vous commencé jeune ?
— Avez-vous eu du mal à réussir ?
— Est-ce que des gens vous ont apporté de l'aide ? Qui ?
— Quel est votre meilleur souvenir ?
— Et le plus mauvais ?
— Quel est votre vœu le plus cher ?

[5] *Voici des réponses qui correspondent à un enregistrement au magnétophone. Récris-les correctement. Attention aux négations ! Rédige également la question.*

— Mon défaut ? Le plus grand ? Défaut ? Défaut ? Attends, je vois pas… Ben, c'est-à-dire que… Ah si ! J'ai pas de mémoire. J'oublie tout. C'est pas possible à ce point-là.
— Ah ! Ben là, c'est plus facile… Enfin je crois… Parce que c'est pas à moi de le dire, en principe. C'est une question qu'il faudrait poser, je sais pas, moi… Enfin pas à moi… Bon, allez, je vais passer pour un prétentieux. Je crois quand même que ma qualité principale, c'est la générosité.

[6] *Prépare et rédige une entrevue avec un personnage intéressant de ton entourage. Ce peut être un membre de ta famille qui exerce un métier rare, ou dangereux, ou mal connu…*

L'expansion du groupe nominal : l'adjectif qualificatif

● *Quel est le groupe nominal sujet du 1er vers ?*
Rends ce GN minimal. Quel mot a disparu ?
À quoi servait ce mot ?
● *Trouve dans le texte d'autres GN comportant des adjectifs qualificatifs.*
Que peux-tu dire de la place de ces adjectifs par rapport au nom ?
Quel nom leur donne-t-on ?
● *Observe :* **Éclatant, le soleil surgit.**
Comment a-t-on séparé le nom de l'adjectif ?
Trouve un autre exemple dans le texte.
Invente deux phrases sur ce modèle.

VOICI LE JOUR

Une faible lueur palpite à l'horizon
Et le vent glacial qui s'élève redresse
Le feuillage des bois et les fleurs du gazon ;
C'est l'aube ! tout renaît sous sa froide caresse.

De fauve, l'Orient devient rose, et l'argent
Des astres va bleuir dans l'azur qui se dore ;
Le coq chante, veilleur exact et diligent ;
L'alouette a volé, stridente : c'est l'aurore !

Éclatant, le soleil surgit : c'est le matin !
Amis, c'est le matin splendide dont la joie
Heurte ainsi notre lourd sommeil et le festin
Horrible des oiseaux et des bêtes de proie.

PAUL VERLAINE, « Les vaincus », *Jadis et naguère*.

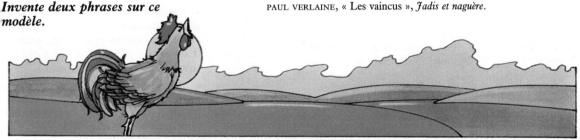

● Le groupe nominal peut être étendu (complété) à l'aide d'**adjectifs qualificatifs**. *GN = D + N + Adj.*

> Un ⟨chaud⟩ soleil réchauffe la nature ⟨engourdie⟩.

L'adjectif qualificatif peut être placé **avant** ou **après** le nom. Il s'accorde en genre et en nombre avec lui.

● Plusieurs adjectifs peuvent accompagner le même nom. Les adjectifs sont **épithètes** du nom.
> Un *joli petit* village **montagnard**.

● Il arrive que l'adjectif qualificatif (épithète) soit **détaché du nom**, par une virgule, par exemple. On dit alors qu'il est **apposé** au nom.
> ***Épuisé***, *l'athlète franchit la ligne d'arrivée.*

1 *Récris le groupe nominal sujet (GNS) de chacune des phrases et souligne les adjectifs qualificatifs.*

Un vent violent soulevait des nuages de poussière. Une forte tempête balayait la côte. D'énormes vagues se brisaient sur les rochers. Un soleil éclatant perçait les nuages. Une petite pluie fine cinglait les visages.

2 *Complète chaque GN avec l'adjectif qualificatif qui convient.*

des frères - une campagne - un chêne - une rue - une revue - un amour.
piétonne - centenaire - jumeaux - fraternel - électorale - hebdomadaire.

3 *Complète les GN suivants à l'aide d'adjectifs qualificatifs.*

Des fruits - ce jardinier - quelques arbustes - une récolte - un marché - des confitures.

4 *Complète les GN de chaque phrase à l'aide d'adjectifs qualificatifs.*

Une libellule se pose sur une fleur. - Ces roses forment un bouquet. - Une allée traverse la forêt. - L'écureuil niche au sommet du chêne. - Le chevreuil s'enfuit à travers les fourrés.

5 *Réunis en une seule phrase, sans ajouter de mots nouveaux.*

Une lumière déchire le ciel. La lumière est éblouissante et blanche.
Le claquement du tonnerre nous fait sursauter. Le claquement est sec et violent.
Une bourrasque déracine le bouleau. La bourrasque est soudaine et puissante.

6 *Même exercice.*

Émilie a acheté une robe. Cette robe est longue, brodée et blanche.
Nicolas a lu l'aventure de Michel Strogoff. C'est une aventure émouvante et passionnante.
Le chat guette le mulot. Le chat est patient et attentif. Le mulot est petit et frêle.
Le trapéziste exécute un saut. Le trapéziste est jeune et intrépide. Le saut est difficile et dangereux.

7 *Récris chaque phrase en utilisant tous les adjectifs qualificatifs donnés.*

Le sommet est recouvert d'une couche de neige. *(épaisse, blanche et étincelante)*
Le clown Bubu porte un chapeau. *(magnifique, petit, pointu, rouge)*
Des fleurs composent ce bouquet. *(variées, multicolores, magnifique, champêtre)*
Quelques platanes ombrageaient la place. *(gigantesques, somptueux, jolie, petite, publique)*

8 *Trouve les adjectifs qui répondent à ces définitions. Vérifie l'orthographe avec ton dictionnaire.*

Le conseil de la commune : le conseil . . . .
Un produit qui peut brûler : un produit . . . .
La fille la plus jeune de la famille : la fille . . . .
Un village du Moyen Âge : un village . . . .
Un mur qui sépare deux voisins : un mur . . . .
Une maison où il y a beaucoup d'espace : une maison . . . .

9 *Souligne les adjectifs qualificatifs détachés du nom.*

Immobile, le terrible épervier guettait sa proie.
Inquiètes, tremblantes, les volailles se précipitaient vers le poulailler.
Le nouvel élève, ému, n'osait prendre la parole.
Le roi Dagobert, étourdi, avait mis sa culotte à l'envers.
Tranquille, assuré, le pilote pose son lourd appareil sur la piste.

10 *Récris les phrases de l'exercice 9 en déplaçan les adjectifs épithètes détachés.*

11 *Donne la nature et la fonction des mots en italique dans les phrases suivantes.*
Ex. : **Les** *spectateurs* **applaudissent le** *fantastique* **exploit.**
spectateurs : *nom commun, sujet de applaudissent.*
fantastique : *adjectif qualificatif, épithète du nom exploit.*

La puissante *voiture* dérape dans le *dangereux* virage. *Paisible,* le gros *chat* dort sur son coussin *moelleux.*

ÉCRIRE

12 *On ne peut écrire :* **Une voiture rapide et française, un chat siamois et caressant,** *car certains adjectifs ne peuvent être associés. Écris deux GN comportant deux adjectifs pouvant être associés et deux GN comportant deux adjectifs ne pouvant être associés.*

13 *La place de l'adjectif modifie le sens du GN. Ex. :* **Un grand homme - Un homme grand.** *Trouve d'autres exemples (au moins quatre) et place-les dans des phrases. Pour t'aider : maigre, pauvre, brave, propre, triste…*

14 *Décris ce que tu vois sur les différentes vignettes ci-dessous. Utilise de nombreux adjectifs dans tes descriptions.*

Sens propre et sens figuré

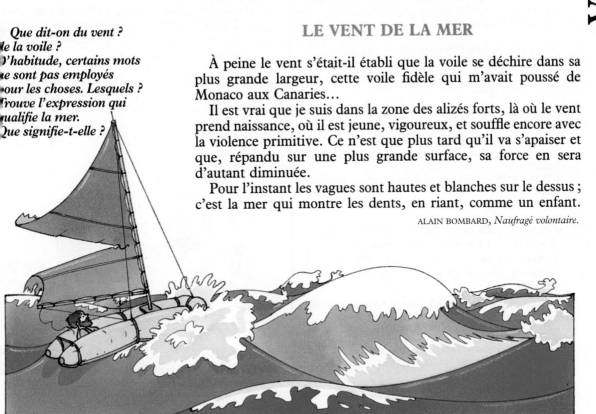

Que dit-on du vent ?
de la voile ?
D'habitude, certains mots
ne sont pas employés
pour les choses. Lesquels ?
Trouve l'expression qui
qualifie la mer.
Que signifie-t-elle ?

LE VENT DE LA MER

À peine le vent s'était-il établi que la voile se déchire dans sa plus grande largeur, cette voile fidèle qui m'avait poussé de Monaco aux Canaries...

Il est vrai que je suis dans la zone des alizés forts, là où le vent prend naissance, où il est jeune, vigoureux, et souffle encore avec la violence primitive. Ce n'est que plus tard qu'il va s'apaiser et que, répandu sur une plus grande surface, sa force en sera d'autant diminuée.

Pour l'instant les vagues sont hautes et blanches sur le dessus ; c'est la mer qui montre les dents, en riant, comme un enfant.

ALAIN BOMBARD, *Naufragé volontaire.*

● Certains mots peuvent être employés au **sens propre** (dans le texte : *déchirer la voile*) ou au **sens figuré** *(déchirer le cœur).*

● *C'est la mer qui montre les dents, en riant.*
Pour évoquer la mer, l'auteur emploie une expression imagée qui s'applique habituellement aux êtres humains : c'est **le langage figuré.**

---

1 *La voile* se déchire *sous l'action du vent.*
Voici la définition du mot **déchirer** *:*

DÉCHIRER V.

> 1. Mettre en morceaux. *Quelqu'un a déchiré les pages du livre.*
> 2. Causer une grande douleur. *La nouvelle de son accident m'a déchiré le cœur.*

Dans les phrases suivantes, indique si ce mot est employé au sens propre ou au sens figuré :

Hélène a déchiré sa belle robe. (*sens* ...) - Le blessé poussait des cris déchirants. (*sens* ...) - J'ai déchiré le brouillon de ma lettre. (*sens* ...) - Le départ de son ami lui déchira le cœur. (*sens* ...) - En s'accrochant aux fils de fer barbelés, Vincent a déchiré son pantalon. (*sens* ...) -

Hélène a fait une tache de peinture et elle a déchiré son dessin. (*sens* ...) - Ne déchirez pas vos billets, le contrôleur peut vous les demander. (*sens* ...)

2 *Dans les phrases suivantes, indique si le verbe* **découvrir** *est employé au sens propre (ôter ce qui couvre) ou au sens figuré (trouver, connaître quelque chose).*

La soupe bout trop fort, il faut découvrir la casserole. (*sens* ...) - Christophe Colomb a découvert l'Amérique. (*sens* ...) - Quand il fait trop chaud, on se découvre. (*sens* ...) - Tintin a découvert le secret de la Licorne. (*sens* ...) - Christine porte une nouvelle robe qui découvre ses épaules. (*sens* ...) - D'ici on découvre le mont Blanc. (*sens* ...) - Le vent violent a découvert le hangar et la toiture est à refaire. (*sens* ...)

3 *Indique si le mot en italique est employé au sens propre ou au sens figuré.*

Le jardinier *brûle* les herbes sèches. (sens ...)
La voiture *a brûlé* le feu rouge. (sens ...)
La cuisinière *s'est brûlée* à la main. (sens ...)

Marie est la *perle* des cuisinières. (sens ...)
Son collier est fait de véritables *perles*. (sens ...)
De bon matin, on voyait les *perles* de rosée sur l'herbe des prés. (sens ...)

Cette pièce sans fenêtre est *sombre*. (sens ...)
Paul est bien *sombre* aujourd'hui, il n'a pas envie de jouer. (sens ...)
Le ciel s'est obscurci, le temps devient *sombre*. (sens ...)
Selon certaines études, l'avenir serait *sombre*. (sens ...)

4 *Les parties du corps humain servent souvent à nommer les parties d'un objet. Le mot à trouver est employé au sens propre dans la première phrase et au sens figuré dans la seconde.*

Son chapeau trop grand cachait la plus grande partie de sa ..... - Ce petit insecte n'est pas plus gros qu'une ... d'épingle.

La maman met une cuillerée de soupe dans la ... de son bébé. - Les eaux de pluie s'engouffrent dans la ... de l'égout.

Il faut se laver les ... matin et soir. - Les ... de la scie mordent dans le bois tendre.

Le coureur est tombé sur le ..., il ne peut articuler son bras. - La rivière fait un ... au pied de la colline.

Le pompier tenait dans ses ... la petite blessée. - Un ... du fauteuil est cassé.

Allongés sur le ..., ils regardaient le ciel. - Indiquez votre adresse au ... de l'enveloppe.

Le ... envoie le sang dans tout notre corps. - L'explorateur a disparu au ... de la forêt vierge.

5 *Pour les curieux.*
Un nom d'animal a été donné à des noms de chose. Cherche leur sens dans ton diction- naire :

une grue - une chèvre - un rossignol - une tête de loup - un pied de biche.

6 *Le mot en italique est employé tantôt au sens propre, tantôt au sens figuré. Indique-le.*

a. Coupez la viande en tranches *minces*. (sens ...) - Dans cette affaire, son rôle a été bien *mince*. (sens ...) - Une *mince* couche de neige recouvre les champs. (sens ...)

b. Sophie a glissé et elle est *tombée*. (sens ...) - La nuit *tombe*, allumons nos phares. (sens ...) - Quand elles sont bien mûres, les pommes *tombent* de l'arbre. (sens ...) - Cette année, Noël *tombe* un vendredi. (sens ...)

c. Cette nuit-là, le ciel était beau et la lun[e] *resplendissait*. (sens ...) - Son visage *resplendis- sait* de santé. (sens ...)

d. Arrivé premier, Julien était *ivre* de joie. (sens ...) - Le chauffeur *ivre* conduisait dangereuse- ment. (sens ...)

7 *Observe l'image. Que fait le personnage ? Trouve pour le dire une expression qui a auss[i] un sens figuré. Elle signifie alors « fair[e] éclater une affaire. »*
Emploie-la dans une phrase.

8 *Voici des expressions au sens figuré. Qu[e] signifient-elles ?*

— Être comme un poisson dans l'eau.
— Mettre les pieds dans le plat.
— Avoir un chat dans la gorge.
— Ne pas être dans son assiette.
— Avoir le bras long.
— Avoir les yeux plus gros que le ventre.
— Être dans de beaux draps.
→ Être entre le marteau et l'enclume.
— Avoir la bosse du commerce.

9 *Relève dans cette image une expression de l[a] langue figurée.*
Que signifie-t-elle ?

Pourvu que cela ne dure pas trop longtemps! ..Je commence à avoir des four- mis dans les jambes...

Tintin au pays de l'Or noir. © HERGÉ.

94

L'accord en genre au sein du GN

• **Un mauvais chien.**
Quel est le genre de ce GN ?
Écris-le au féminin
et rappelle les règles
que tu connais.
• *Récris les GN de la 4ᵉ phrase*
en changeant le genre
des noms. Rappelle les règles
que tu connais.
• **Une glace mince et fragile.**
Remplace le nom glace *par le*
nom sol.
Quelle remarque peux-tu
faire ?

UN ÉQUIPAGE PEU SÛR !...

À Koumiout, l'Eskimo Adami nous a vendu quatre mauvais chiens et un vieux traîneau rafistolé. Quelques cordes avaient consolidé celui-ci, mais les chiens étaient restés mauvais. La petite chienne au poil ras, aux oreilles jaunes trottinait avec prudence, comme sur de la glace mince et fragile. Avec elle un grand et beau mâle aux oreilles noires, turbulent et rageur ; une femelle blanche, vieille, expérimentée et blasée ; un quatrième chien enfin, si quelconque qu'il me serait impossible de le décrire.

PAUL-ÉMILE VICTOR, *Sur la piste blanche*, Éd. Robert Laffont.

• Tous les éléments du GN, déterminant, nom, adjectif, **s'accordent en genre,** masculin ou féminin.

• C'est le nom qui donne sa marque au GN.
Un mauvais chien - Une mauvaise chienne.

• À l'oral, on n'entend pas toujours les marques du genre.
Paul, mon ami très cher - Paule, mon amie très chère.

Le tableau de la page 204 rappelle les différentes marques du genre des noms et des adjectifs.

---

1 *Place un déterminant qui convient devant chaque GN.*

. . . enfant sérieuse - . . . maître sévère - . . . ami René - . . . chanteuse célèbre - . . . amie Andrée - . . . linge sale - . . . visage souriant - . . . automne humide - . . . atmosphère agréable.

2 *Écris au masculin.*

Une vendeuse vive et gracieuse - sa chienne querelleuse et violente - cette jeune institutrice débutante - ma belle et bonne dame - sa généreuse et douce grand-mère - Quelle maîtresse patiente et attentive !

3 *Classe les noms suivants en deux colonnes : a) ceux qui ont un féminin ; b) ceux qui n'ont pas de féminin.*

un médecin - un auteur - un avocat - un présentateur - un ministre - un juge - un poète - un rédacteur - un journaliste - un maire.

4 *Écris au féminin.*

Les moutons du fermier - le cadet de mes frères - un excellent docteur - mon couturier favori - le cheval du cavalier - un cerf inquiet - un professeur aimable - un écrivain célèbre.

5 *Écris le féminin des noms suivants :*

le bouc - l'ogre - le canard - le jars - un perroquet - le tsar - un rat - le héros - le comte - l'empereur.

6 *Écris un déterminant indéfini,* **un** *ou* **une,** *devant chacun des mots suivants et ajoute un adjectif qualificatif.*

autoroute - élastique - musée - pétale - apéritif - oasis - satellite - magazine.

7 *Dictées à préparer.*
• *Autodictée : la 4ᵉ phrase du texte d'étude jusqu'à* **blessée.**

• GRAND-PÈRE
La fenêtre s'ouvrit lentement et un vieil homme se pencha à la croisée. Il était coiffé du chapeau noir, rond, à larges bords, des paysans d'autrefois. Un gilet de toile brune dont une épaisse chaîne de montre retenait les deux parties, une chemise aux manches retroussées, le col largement ouvert, un mouchoir rouge noué autour du cou lui donnaient une apparence de félibre*. Des cheveux blancs touffus, une moustache grise bien taillée, un sourire frais, un grand calme lui conféraient une attitude noble.

D'après ROBERT SABATIER, *Les Noisettes sauvages*, Éd. Albin Michel.

* poète.

Le passé composé de l'indicatif

• *Relève les verbes du texte écrits au temps passé. Quel est l'infinitif de ces verbes ?*
• *Comment nomme-t-on ce temps ? Qu'indique-t-il ? Pourquoi ce passé est-il appelé composé ?*
• *Cite d'autres verbes que ceux du texte, conjugués :*
- avec l'auxiliaire avoir
- avec l'auxiliaire être.

JE SUIS MALADE

Le docteur est venu ce matin. Quand il est entré dans ma chambre, j'ai pleuré, mais plus par habitude que pour autre chose, parce que je le connais bien, le docteur, et il est rudement gentil. Et puis ça me plaît quand il met la tête sur ma poitrine, parce qu'il est tout chauve et je vois son crâne qui brille juste sous mon nez et c'est amusant. Le docteur n'est pas resté longtemps, il m'a donné une petite tape sur la joue et il a dit à maman : « Mettez-le à la diète et surtout, qu'il reste couché, qu'il se repose. » Et il est parti.

SEMPÉ et GOSCINNY, *Le Petit Nicolas*, Éd. Denoël.

• Le **passé composé** de l'indicatif indique généralement **un fait achevé** au moment où l'on parle.
Le passé composé est formé de l'auxiliaire *avoir* ou *être* au présent et du participe passé du verbe que l'on conjugue :
J'ai bien travaillé. Le plombier est venu.

• Dans les verbes formés avec l'auxiliaire *être*, le participe passé s'accorde avec le sujet :
Elles sont arrivées.

---

1 *Écris le verbe* avoir *puis le verbe* être *au passé composé.*

2 *Souligne les verbes écrits au passé composé.*

J'ai mangé trop de chocolat. - J'ai été très malade. - Nous avons écouté le médecin. - Ils ont suivi ses conseils. - Tu prends ton livre et tu commences à lire. - Sophie est arrivée en courant. - Julien a eu peur. - Maman était étonnée.

3 *Indique entre parenthèses l'infinitif des verbes conjugués.*

Ils sont partis à huit heures. (...) - Tu as été en retard. (...) - Nous sommes allés au cinéma. (...) - Vous avez choisi le programme. (...) - Nous avons vu un film fantastique. (...) - Avez-vous eu peur ? (...)

4 *Écris le participe passé des verbes suivants. Pour t'aider, utilise les auxiliaires.*
Ex. : faire → avoir *fait.*

préparer - obéir - venir - rester - dire - tomber - envoyer - prendre - naître - faire - entrer - offrir.

5 *Écris la phrase suivante en utilisant les sujets :* **Je, Nous, Nicolas et Farid, Nathalie, Claire et Stéphanie.**

Tu es revenu très tard.

6 *Même exercice avec les mêmes sujets et la phrase suivante :*

Vous avez traversé avec prudence.

7 *Écris au passé composé.*

Tu prends ce médicament et tu guéris vite. - Maman me dit que je suis insupportable. - J'entends crier derrière moi, j'ai très peur et je lâche tout. - Nous apercevons Rosa, nous lui faisons signe ; elle vient vers nous. - Elle écrit à sa grand-mère ; elle lui envoie ses vœux.

8 *Même exercice.*

Tu lui faisais ses courses. - Je recevais un cadeau. - On leur cueillait des fleurs. - Je ne les voyais plus. - Elles nous suivaient toujours. - Vous ne les entendiez plus.

L'expansion du groupe nominal :
le GN prépositionnel complément du nom ou GNP ; l'apposition

● *Observe :*
① **La maison de neige**
② **La lampe à huile**
③ **La chaleur des vêtements**
④ **Les géants du vent.**

Réduis ces GN à un GN minimal.

Quels éléments disparaissent ? À quoi servaient-ils ?

● *Comment appelle-t-on les petits mots servant à unir les deux GN, en 1 et 2 ? en 3 et 4 ?*

Quelle remarque peux-tu faire sur le nom propre et le GN qui le suit dans la 1re phrase ?

LE RÉVEIL D'AKAVAK

Akavak, le petit Esquimau, se réveilla lentement. Contre son corps, il sentait la douce chaleur des vêtements en peau de caribou. Il tendit l'oreille. Il n'entendait plus les géants du vent qui depuis plusieurs jours essayaient d'ensevelir la maison de neige. Oui, à présent, ils étaient partis. Il régnait un silence de mort. Akavak était couché dans l'igloo de son père, au milieu de toute sa famille, sur le grand lit de neige recouvert de peaux. La lampe à huile de phoque qui éclairait et chauffait la maison était presque éteinte. Akavak regarda son souffle s'élever lentement en buée vers le dôme du plafond, puis se congeler en petits cristaux blancs qui retombaient sur les fourrures sombres du lit.

D'après JAMES HOUSTON, *Akavak,* Éd. Flammarion.

● Le groupe nominal peut être complété à l'aide d'un autre groupe nominal, souvent introduit par une **préposition**, et appelé **le groupe nominal prépositionnel, complément du nom** : le GNP.

*Un lit **de neige**.   Une lampe **à huile**.*

GN = D + N + Prép. + N

● Les principales prépositions sont : *à, de, sur, en, avec...*
Le GNP peut également être introduit par des **articles définis contractés** : *du - des - au - aux.*

*Le dôme **du plafond**. La chaleur **des vêtements**.*
(= de le)   (= de les)

● **Le GN en apposition** désigne le même être ou le même objet que le GN qu'il complète :

*Akavak, **l'Esquimau**... L'igloo, **l'habitation de la famille**...*

1 *Souligne le GNP de chaque GN. Entoure la préposition ou l'article défini contracté qui l'introduit.*

Un couloir de neige - les lumières du Nord - les esprits de la nuit - un attelage de chiens - un sac en peau - une cache à nourriture.

2 *Même exercice.*

Une expédition au pôle - une nuit sans lune - un atterrissage en douceur - des troupeaux de morses - la rencontre avec un ours - un abri sur pilotis.

3 *Complète à l'aide d'un GNP.*

Une peau . . . - un fusil . . . - la chasse . . . - un froid . . . - un village . . . - une promenade . . .

4 *Même exercice.*

Un coup . . . - une tarte . . . - la crinière . . . - une dictée . . . - un sculpteur . . . - une lettre . . .

5 *Complète par la préposition qui convient.*

Un vêtement . . . mesure - un chariot . . . bagages - une histoire . . . paroles - une pince . . . sucre - une course . . . la montre - un immeuble . . . ascenseur.

6 *Trouve les GN qui peuvent être complétés par ces GNP.*

. . . à lettres - . . . en or - . . . sans escales - . . . aux pommes - . . . par correspondance - . . . sous vide.

7 *Remplace chaque adjectif par un GNP.*
Ex. : Un col alpin → Un col des Alpes.

Un froid polaire - un chalet montagnard - une ville côtière - la chaleur estivale - un terrain communal - la kermesse annuelle.

8 *Même exercice.*

Le transport aérien - un liquide inodore - un mouvement infini - un choc frontal - un arrêt cardiaque - un conseil ministériel.

9 *Remplace le GNP par l'adjectif épithète qui convient.*

Un transport par mer - une fête de village - le cabinet du médecin - le Conseil de la région - le Parlement de l'Europe - une base de l'armée.

10 *Récris les phrases en ajoutant un GNP à chaque GN.*

Au sommet, la couche est très épaisse. - Le pilote s'installe aux commandes. - L'avion quitte la piste. - Le Président prépare le Conseil. - Un trousseau a été trouvé dans la cour. - Le directeur reçoit les parents.

11 *Réunis les deux phrases données en une seule sur le modèle suivant :*
Bruno Peyron a traversé l'Atlantique. Cela n'a pas duré vingt-cinq jours. →

La traversée de l'Atlantique par Bruno Peyron n'a pas duré vingt-cinq jours.

La fusée Ariane a été lancée. Cela a parfaitement réussi.
Le tunnel sous la Manche a été percé. Cela a duré quatre années.
Mon voisin bavarde. Cela me gêne souvent.
Sa voiture a été réparée. Cela lui a coûté mille francs.
Nous préparons un spectacle pour Noël. Cela nous plaît beaucoup.

12 *Sur le modèle ci-dessous, transforme les phrases suivantes en groupes nominaux (suppression des verbes).*
Ex. : Le tunnel sous la Manche a été inauguré.
Inauguration du tunnel sous la Manche.

Les viticulteurs du Midi manifestent. - Un dangereux malfaiteur est arrêté. - L'équipe de France remporte la victoire. - L'avion est détourné par des pirates de l'air. - Ce vol spatial est une grande réussite.

13 *Souligne les GN mis en apposition.*

Yoko, chien de traîneau, était querelleur. - Renart, le goupil, joue un tour à Ysengrin. - Montaron, commune de France, compte cent cinquante habitants. - Victor Hugo, l'auteur des *Misérables,* a vécu au XIXe siècle. - Marianne, symbole de la République, est présente dans toutes les mairies.

14 *Même exercice.*

Le mistral, vent méditerranéen, souffle avec violence.
Le toit du monde, l'Everest, culmine à 8 800 m.
Auteur incomparable, Molière fut un grand critique.
L'hydromel, boisson des dieux, était aussi consommé par les Gaulois.
L'héroïne du film, cette jeune adolescente, joue avec aisance.

ÉCRIRE

15 *Écris trois phrases comportant des GN complétés à l'aide de GNP.*

16 *Recherche dans un journal, un magazine, des titres constitués de GN complétés (sans verbe). Écris-les, puis transforme-les en phrases verbales.*
Ex. : Naissance d'un bébé tigre au zoo de Londres.
Un bébé tigre est né au zoo de Londres.
● *À ton tour, invente quelques titres possibles.*

17 « Obondodo, le matelas du vrai repos. »
● *Recherche des slogans publicitaires comportant des GN mis en apposition.*
● *À ton tour, inventes-en quelques-uns.*

Les niveaux de langue

L'ACCIDENT DE CLOTAIRE

Dans le texte, relève des mots du langage familier.

SEMPÉ

On lui a demandé si ça lui faisait mal, et qu'est-ce que c'était que ce truc dur qu'il avait autour du bras et on lui a dit qu'on était drôlement contents de le revoir ; mais la maîtresse s'est mise à crier… « Ben quoi, a dit Geoffroy, si on ne peut plus parler aux copains, maintenant… »

« Nous allons faire une dictée », a dit la maîtresse. Nous avons pris nos cahiers et Clotaire a essayé de sortir le sien de son cartable avec une seule main. « Je vais t'aider », a dit Joachim, qui était assis à côté de lui. « On ne t'a pas sonné », a répondu Clotaire…

Chaque fois qu'il y avait un mot difficile, moi je regardais Clotaire et il rigolait.

Et puis la cloche de la récré a sonné.

SEMPÉ et GOSCINNY, *Les Récrés du petit Nicolas*, Éd. Denoël.

Un *truc*, un *copain*, la *récré*, *on ne t'a pas sonné* sont des mots ou expressions du **langage familier.**
On peut dire : — dans un langage familier : *drôlement content*
— dans un langage courant : *très content*
— dans un langage recherché : *fort content.*

---

1 *Voici des mots de la langue familière ou populaire. Trouve des synonymes de la langue courante.*

le boulot, une bagnole, une blague, de la veine, les gosses, le cuistot, un cabot, un mécano, une bécasse.

2 *Certains noms ont un emploi familier. Indique-le en les soulignant.*

{ Anne joue du violon.
{ L'homme a passé la nuit au violon.

{ Le voleur s'est fait pincer.
{ Virginie m'a pincé le bras.

{ Cette nouvelle n'est qu'un canard.
{ Les canards sauvages passent.

{ J'aime les poires juteuses.
{ Il m'a pris pour une poire.

3 *Les phrases suivantes sont en langage familier. Écris-les en langage courant.*

Le professeur Tournesol est un peu dur d'oreille. - Ouf ! Le cascadeur a eu chaud. - C'est plein de lapins dans ce petit bois. - Avec tout ce bruit,
impossible de fermer l'œil. - Nous voilà dans de beaux draps. - Pour les prix, dans ce magasin, c'est le coup de barre. - Il a eu ce terrain pour une bouchée de pain. - Notre voiture est bien vieille, elle suce beaucoup.

4 *Même exercice.*

Cherchons quelque chose à nous mettre sous la dent. - On les a définitivement semés ! - Ils sont faits comme des rats. - L'automobiliste a grillé le feu rouge. - Plus on est de fous, plus on rigole. - Maintenant, nous allons casser la croûte. - L'oncle Jules a sifflé un verre de vin. - On s'est fichu de moi !

5 *Complète :*

familier	langage courant	recherché
↓	↓	↓
le . . .	le travail	la . . .
un . . .	un . . .	un ami
. . .	. . .	dérober
le bout	la . . .	le . . .
. . .	. . .	choir
causer	. . .	. . .

Avec deux phrases en faire une seule

1 1. Le conducteur est *nerveux*.

2. Cela risque d'occasionner un accident.
→ La *nervosité* du conducteur risque d'occasionner un accident.

Transforme, de même :

1. Ce nouveau médicament est *efficace*.
2. Cela permettra de sauver de nombreux malades.
→ . . .

1. L'examen est *proche*.
2. C'est une source d'inquiétude pour bon nombre de candidats.
→ . . .

1. La danseuse de l'Opéra est *souple* et *agile*.
2. Cela fait l'admiration des habitués du théâtre.
→ . . .

1. Le ciel méditerranéen est *clair* et *lumineux*.
2. Cela fait le bonheur des peintres, des photographes et des habitants.
→ . . .

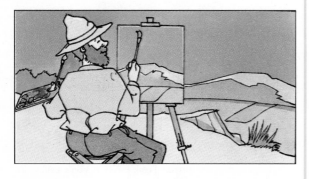

2 1. Le nombre des accidents de la circulation *augmente*.

2. Cela pose un important problème pendant la période des vacances.
→ *L'augmentation* du nombre des accidents de la circulation pose un important problème pendant la période des vacances.

Transforme, de même :

1. L'arbitre *intervient*.
2. Cela calme les joueurs des deux équipes.
→ . . .

1. La fusée Ariane *a été lancée*.
2. Cela a été couronné de succès.
→ . . .

1. Certains animaux *disparaissent* de notre planète.
2. Cela risque de produire un déséquilibre.
→ . . .

1. Le beau temps *arrive*.
2. Cela pousse les abeilles à sortir de leur ruche.
→ . . .

Composer des titres

3 *Fais des titres en transformant la phrase verbale en phrase nominale.*

Ex. : **L'autoroute sera *inaugurée* mardi.** → *Inauguration de l'autoroute mardi.*

— L'Italie entre dans la légende.
— Le président arrive par train spécial.
— L'assemblée vote le budget.
— Les lots de la quinzaine commerciale ont été tirés.
— Les éleveurs s'opposent aux importations.

4 *Fais des titres en transformant la phrase nominale en phrase verbale.*

Ex. : **Lundi, présentation *du nouveau modèle Citroën*.** → **Citroën présente son nouveau modèle lundi**, *ou :* **On présentera lundi le nouveau modèle Citroën**, *ou :* **Le nouveau modèle Citroën sera présenté lundi.**

— Négociations entre les deux partis.
— Blocage des prix.
— Cambriolage dans un magasin d'appareils ménagers.
— Condamnation d'un délinquant par le tribunal.
— Coupures de courant mardi.

Jeu poétique

5 *S + 7.*

● *On peut transformer un texte en remplaçant tous les noms, ou tous les adjectifs, ou tous les verbes par le septième nom, adjectif ou verbe qui lui succède dans le dictionnaire.*

Par exemple :
La *Cigale* et la *Fourmi* → La *Cimaise* et la *Fraction*.
La *cimaise :* septième nom après *cigale* dans le dictionnaire.
La *fraction :* septième nom après *fourmi* dans le dictionnaire.

(OULIPO)

● *Prends un texte de ton livre, par exemple un poème, et applique-lui cette technique.*

Reconstitution de texte

6 INSTALLATION AU MOULIN

Ce sont les lapins qui ont été étonnés !…
La nuit de mon arrivée, il y en avait bien, sans mentir, une vingtaine assis en rond sur la plate-forme, en train de se chauffer les pattes à un rayon de lune… Le temps d'entrouvrir une lucarne, frrt ! voilà le bivouac en déroute, et tous ces petits derrières blancs qui détalent, la queue en l'air, dans le fourré. J'espère bien qu'ils reviendront. Quelqu'un de très étonné aussi, en me voyant, c'est le locataire du premier, un vieux hibou sinistre, à tête de penseur, qui habite le moulin depuis plus de vingt ans.

ALPHONSE DAUDET, *Lettres de mon moulin.*

L'accord en nombre au sein du GN

● **Une Citroën bleue.**
De quoi se compose ce GN singulier ?
Écris-le au pluriel.
Quels mots ont changé :
à l'oral ? à l'écrit ?
  Ses signaux mystérieux.
Écris ce GN au singulier.
Quels mots ont changé :
à l'oral ? à l'écrit ?
● *Reprends les mêmes questions avec d'autres GN du texte.*

EN TRAIN

Une Citroën bleue fit quelque temps la course avec le train, puis disparut derrière les frondaisons. Par-delà le paysage ferroviaire avec ses rails luisants, ses postes d'aiguillage, ses signaux mystérieux, ses remblais, ses passages à niveau, Olivier pressentait des étendues de terre chargées de secrets, des chemins fabuleux, des forêts magiques, aussitôt aperçus aussitôt perdus. Une image en effaçait une autre.

ROBERT SABATIER, *Les Noisettes sauvages*, Éd. Albin Michel.

● Tous les éléments du GN, déterminant, nom, adjectif **s'accordent en nombre,** singulier ou pluriel.
C'est **le nom** qui donne sa marque au GN.

● À l'oral on n'entend pas toujours les marques du nombre.
Certaine forêt magique → Certaines forêts magiques.

● Lorsque les noms ont **des genres différents,** l'adjectif qualificatif se met au **masculin pluriel**.
*La biche et le cerf **craintifs**.*
Le tableau de la page 205 rappelle les différentes marques du genre des noms et des adjectifs.

---

1 *Écris au singulier.*

Ces enfants aux genoux écorchés - des paysages changeants - les travaux pénibles des mineurs - leurs troupeaux quittent les bergeries - les hiboux nichent dans les trous des murs - voici des journaux régionaux sérieux.

2 *Écris au pluriel.*

Ce cheval fameux remportait une belle victoire. - Le vaisseau spatial envoie un signal lumineux. - Cette église médiévale possède un vitrail splendide. - Avec ce chou, je prépare un mets délicieux. - Le règlement interdit tout jeu brutal et dangereux.

3 *Même exercice.*

Le chacal rôde près de l'étang. - Avec du bambou, le pêcheur fabrique sa canne à pêche. - Le mécanicien contrôle le pneu de cette voiture. -Une souris grignote le morceau de gruyère. - Le galet est un caillou rond.

4 *Écris les cinq noms en -al qui font leur pluriel en -als.*

5 *Écris les sept noms en -ou qui font leur pluriel en -oux.*

6 *Écris les sept noms en -ail qui font leur pluriel en -aux.*

7 *Accorde correctement les adjectifs qualificatifs.*

Une place et une rue très (fréquenté) - un chien et un chat (ami) - un cerf et une biche (traqué) - un narcisse, une tulipe et une rose (fleuri) - un air, un climat (frais) - des vêtements, des tissus (déchiré) - une poule, un canard, une oie, un dindon (effrayé) - une eau et une température très (doux).

8 *Dictées à préparer.*
● *Autodictée : le texte d'étude depuis « Par-delà » jusqu'à « forêts magiques ».*

● PAYSAGE
Il appuya son front contre la vitre où une pluie de passage avait dessiné en oblique des pointillés boueux. Le pays des volcans lui apparut dans toute sa splendeur sombre. Son regard erra parmi les monts étêtés, lunaires, les vallons verdis, les pâturages mouillés de rosée, les maisons en moellons granitiques, les clochers élancés, les fontaines dansantes, les arbres noirs...

ROBERT SABATIER, *Les Noisettes sauvages*.

Le plus-que-parfait de l'indicatif*

L'ENFANT IMMIGRÉ

Relève les verbes du texte écrits au passé et à un temps composé. Donne leur infinitif. Qu'exprime ce temps ?

Lorsque j'avais déjeuné, j'allais faire un tour.
De ces deux actions passées, laquelle s'est déroulée avant l'autre ?

Comment est composé le plus-que-parfait ?

Elle lui parlait de l'Amérique, qui était le pays de la paix. Mais Tanguy ne la croyait plus. On lui avait dit que la France était le pays de la liberté et on l'avait interné dans un camp de concentration ; on lui avait raconté qu'en France on mangeait bien et il avait eu plus faim qu'à Madrid en pleine guerre ; on lui avait assuré qu'en France les gens étaient polis et un patron d'hôtel l'avait appelé « sale étranger ». À neuf ans, il ne croyait plus à grand chose.

MICHEL DEL CASTILLO, *Tanguy*, Éd. Julliard.

• Le **plus-que-parfait** indique **une action passée, accomplie avant une autre action passée,** généralement exprimée à l'imparfait.

*Dès qu'il **avait déjeuné**, il allait faire un tour.*

• Le plus-que-parfait est formé de l'auxiliaire *avoir* ou *être* à l'imparfait, et du participe passé du verbe que l'on conjugue :
J'avais eu. J'avais été. J'avais chanté. J'avais fini. J'étais tombé. Elle était arrivée. Elle était revenue.

---

1 *Conjugue le verbe* avoir *et le verbe* être *au plus-que-parfait.*

2 *Souligne les verbes écrits au plus-que-parfait.*

Il avait oublié ce qu'on lui avait appris. - Elle était arrivée en retard et avait manqué le début du film. - Vous êtes allés en Espagne et vous avez visité Madrid. - Nous avions regardé des photos du pays que nous allions visiter. - Je croyais qu'elle était venue seule. - Il était né dans un pays qu'il ne connaissait pas encore.

3 *Indique entre parenthèses l'infinitif du verbe conjugué.*

Ils étaient épuisés. (...) - Vous aviez très chaud. (...) - Julien avait eu peur. (...) - Nous avions attendu. (...) - Avaient-ils obéi ? (...) - Quel train prenaient-elles ? (...) - Je n'avais pas pu. (...) - Vous n'étiez pas sortis. (...)

4 *Écris au plus-que-parfait.*

J'ai fait un détour qui m'a conduit chez elle. - Je prends mon temps mais je ne le perds pas. - Êtes-vous allées le voir ? - Ont-ils cru ce qu'ils ont vu ? - Nous n'avons pas reçu la lettre que vous nous avez envoyée.

5 *Écris les verbes entre parenthèses au plus-que-parfait.*

On fermait les portes dès qu'elle (rentrer). - Lorsque l'incendie (éclater), nous dormions. - J'étais patiente et j'(être) récompensée. - Il ne se couchait que lorsqu'il (apprendre) ses leçons. - On m'(offrir) le livre que je souhaitais.

6 *Même exercice.*

Tu (avoir) peur, mais tu (rester). - Toi et moi (réussir) cette ascension. - À la vue de son père, il (obéir) aussitôt. - Elles (revenir) par le chemin qu'il leur (indiquer).

7 **Je le vois, je le reconnais, je l'appelle, je l'attends.** *Récris cette phrase au plus-que-parfait en utilisant les sujets* **Tu - Claire et moi - Elles.**

8 *Indique entre parenthèses le temps de chacun des verbes.*

Ils ont perdu. (...) - Olivier était rentré. (...) - Nous reviendrons. (...) - Qu'en penses-tu ? (...) - Avez-vous choisi ? (...) - Étiez-vous fatigués ? (...)

L'expansion du groupe nominal : la proposition relative

● *Observe :*
① **Le plastec renvoyait la lumière.**
② **Le plastec, qui remplaçait les pavés et le bitume triste, renvoyait la lumière.**
À quoi sert l'élément ajouté en ② *?*
De quoi se compose-t-il ?
Peut-on le remplacer par un adjectif qualificatif ?
Quel est le rôle du mot qui ?
● *Trouve dans le texte d'autres phrases dont le GN est complété de la même façon.*

EN 2052

Il décida d'aller faire un repas rapide à la Brasserie 13, boulevard Saint-Germain... Il prit la passerelle qui permettait aux piétons de passer au-dessus des quais, réservés aux autos.

Un énorme courant de voitures roulait sur la chaussée lumineuse. Le plastec[1] luminescent, qui remplaçait les pavés et le bitume triste, renvoyait en douce lueur la lumière qu'il avait absorbée pendant la journée. Les autos circulaient phares éteints sur cette voie claire. Du haut de la passerelle, François voyait leurs silhouettes noires se dépasser, se croiser, sur le sol couleur de lune.

La température s'était à peine abaissée. François transpirait. Sa valise pesait au bout de son bras. D'innombrables barquettes de plaisance, à moteurs électriques, ronronnaient sur la Seine. Leurs lanternes d'ornement et leurs feux de bord composaient un ballet multicolore dont le reflet tremblait dans l'eau.

RENÉ BARJAVEL, *Ravage*, Éd. Denoël.

_____
1. Nouvelle matière plastique (imaginaire).

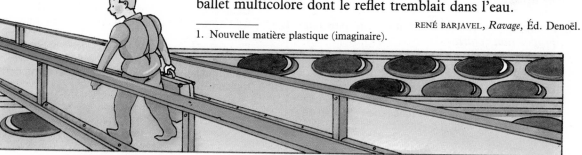

● Le groupe nominal peut être complété à l'aide d'**une proposition relative**, qui joue le même rôle que l'adjectif qualificatif et le complément du nom. Elle peut d'ailleurs les remplacer ou s'ajouter à eux.

Le plastec ⎰ luminescent / de la chaussée / **qui remplaçait les pavés** ⎱ renvoyait la lumière.

● La proposition relative est constituée au moins d'un verbe et de son sujet propre. Elle est reliée au GN qu'elle complète, appelé **antécédent**, par un **pronom relatif** : *qui, que, qu', dont, où, lequel, auquel, duquel...*

---

1 | *Souligne la proposition relative et entoure le pronom relatif qui l'introduit.*

Le boulevard Saint-Germain où il se rendait était interdit aux autos. - La foule qui emplissait la rue produisait un bruit sourd. - Le restaurant dont tu m'as parlé est fermé aujourd'hui. - La boisson qu'il buvait avait une couleur vert foncé. - Les produits chimiques que nous consommions enrichissaient notre nourriture.

2 | *Même exercice.*

À huit heures, j'arrivais à l'endroit où il m'avait donné rendez-vous. - Dans ce restaurant, on servait des plats que j'aimais. - On ne fabriquait que des voitures qui fonctionnaient à l'électricité. - C'est un exploit dont il est fier. - Bientôt nous visiterons la maison qu'ils font construire. - C'est une fête à laquelle nous participons.

3 *Complète les GN suivants par une proposition relative. Varie les pronoms relatifs.*
Ex. : La rue → La rue *où il habite.*

Le magasin - les vêtements - le cinéma - le film - les acteurs.

4 *Remplace le complément du nom par une proposition relative.*
Ex. : Le vent du sud → Le vent *qui vient du sud.*

Le chemin de la forêt - le lieu de notre rencontre - le chapeau du clown - le pont sur la Seine - une montre en or - mon pays de naissance - le train de six heures - un wagon de marchandises.

5 *Remplace l'adjectif qualificatif par une proposition relative.*
Ex. : Une histoire incroyable → Une histoire qu'on ne peut croire.

C'est un bruit insupportable. - Voilà une œuvre admirable. - *Robinson* est mon roman préféré. - Il a acheté un canapé transformable. - Nous avons reçu une visite inattendue. - L'inondation est due à une pluie incessante.

6 *Remplace la proposition relative par un complément du nom ou un adjectif qualificatif.*

Le hibou est un oiseau qui voit la nuit. - Sylvain est un ami que j'ai connu enfant. - C'est le chemin qui mène à la rivière. - Nous avons applaudi l'équipe qui a gagné. - Il a écrit un message qu'on ne peut comprendre. - Le trésor est caché dans un lieu auquel on ne peut accéder.

7 *Complète à l'aide du pronom relatif qui convient.*

L'immeuble . . . il habite est situé dans cette rue. - Ses parents lui ont offert le vélo . . . elle rêvait. - Lucky Luke, Tintin, Astérix sont les bandes dessinées . . . je préfère. - L'incendie . . . a ravagé le petit bois est dû à la foudre. - Le train . . . elle attendait avait du retard.

8 *Même exercice avec l'emploi des pronoms lequel, auquel, duquel...*

Le train dans . . . il voyage est un rapide. - Voilà le chêne au pied . . . nous avons ramassé ces champignons. - Le match . . . tu as participé était très animé. - C'est un vase . . . ma mère tient beaucoup. - Ma petite sœur possède des puzzles avec . . . elle joue souvent.

9 *Enrichis les GN sujets à l'aide de propositions relatives. Varie les pronoms relatifs.*

L'avenue, . . ., était bordée d'arbres. - Les magasins, . . ., scintillaient de lumière. - Le quartier, . . ., était très calme. - Devant le cinéma, la queue des spectateurs, . . ., s'allongeait.

10 *Même exercice avec les GN compléments.*

Pour mon anniversaire, j'ai reçu un cadeau . . . . - Chaque année, nous retournons en vacances dans le village . . . . - Julien a offert à sa sœur un disque . . . . - Avec mes parents nous avons visité le collège . . . .

11 *Réunis en une phrase à l'aide d'un pronom relatif. Change de pronom à chaque phrase.*

Cette ville est très belle. J'ai visité cette ville.
Ce camelot est très drôle. Ce camelot attire les badauds.
L'immeuble donne sur le parc. Nous habitons cet immeuble.
Cette maison coûte bien cher. Ils rêvent de cette maison.

ÉCRIRE

12 *Écris cinq phrases en utilisant les propositions relatives données.*

. . . dont tu m'avais tant parlé. . .
. . . que Louis XIV a fait construire. . .
. . . où vivent encore des Indiens . . .
. . . qui découvrit le vaccin contre la rage . . .
. . . à laquelle tous les champions participent . . .

13 *Écris quatre phrases contenant une proposition relative introduite par un pronom relatif différent.*

14 *Si les phrases suivantes ne te paraissent pas claires, récris-les correctement.*

Nous avons visité la ville dans un taxi que nous ne connaissions pas. - Julien lit le livre que lui ont offert ses parents dans son lit. - Il a mis la lettre qu'il avait écrite à son grand-père à la poste.

15 *Essaie d'imaginer la ville ou le village dans lequel tu vivras plus tard. Écris un court paragraphe dans lequel tu essaieras d'employer des propositions relatives pour compléter les GN.*

La ville dans laquelle j'habiterai plus tard...
Le village dans lequel je vivrai plus tard...

Des mots dérivés suffixés

LA CARPE

● *Relève dans le texte un mot de la famille de* **consommer,** *de* **exception,** *de* **centre,** *de* **vase.**
● *Comment ces mots sont-ils formés ?*
● *Trouve d'autres mots formés de la même façon.*

Cyprinus carpio, la carpe, mesure entre 40 et 75 cm et peut exceptionnellement atteindre 130 cm. Les carpes destinées à la consommation pèsent généralement de 1 à 2 kg, mais il en existe chez nous de 5 à 10 kg.

On trouve la carpe dans toute l'Europe, bien qu'elle soit originaire d'Asie centrale et orientale. La pisciculture, dans les lacs, concerne trois types de carpes : la carpe à écailles, la carpe miroir et la carpe cuir.

La carpe affectionne les fonds vaseux où vivent des plantes aquatiques et de petits animaux dont elle se nourrit. Si l'été elle s'alimente, l'hiver elle demeure dans un état d'engourdissement. De mai à juillet, ses œufs, 200 000 à 700 000, se collent aux plantes et éclosent en peu de jours. La carpe peut atteindre l'âge de 15 ans et s'accommoder d'une eau pauvre en oxygène.

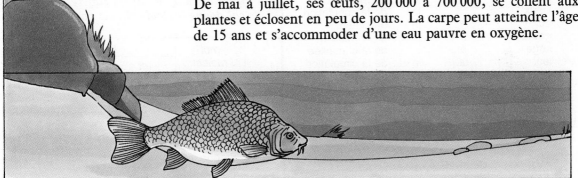

● Pour former des **mots dérivés,** on peut ajouter à la suite du mot simple ou radical, des éléments appelés **suffixes** :
général → générale|ment|, aliment → aliment|er| → aliment|ation|

● Dans la langue française les suffixes sont nombreux. Souvent, le radical ne se retrouve pas en entier dans le dérivé :
vase → vas|eux|, lumière → lumin|eux|

---

1 *À partir des verbes donnés, trouve les noms dérivés (ils sont formés à l'aide du même suffixe).*

Le blessé a dû subir une délicate . . . *(opérer).* - La . . . *(cicatriser)* de la plaie se poursuit normalement. - Il n'y aura pas d'. . . *(aggraver).* - Les arboriculteurs ne traitent pas leurs vergers pendant la floraison pour éviter l'. . . *(intoxiquer)* des abeilles. - Les maisons d'aujourd'hui ont une bonne . . . *(isoler).* - Le médecin donne ses . . . *(consulter)* le matin, à partir de 10 heures. - La chaleur provoque la . . . *(transpirer).* - Les pouvoirs publics luttent contre la *(propager)* de l'épidémie. - L'eau est un des agents de . . . *(contaminer)* dans les épidémies de typhoïde.

2 *Complète en utilisant les suffixes :*

consommer → la consomm|ation|

suffixe

Nom	Verbe	Nom complété
un aliment	. . .	l'. . . des enfants
un plant	. . .	la . . . des arbres
un programme	. . .	la . . . des émissions
un édifice	. . .	l'. . . du monument
une formule	. . .	la . . . de la demande
le climat	. . .	la . . . de la salle
une charge	. . .	le . . . de la voiture
le chemin	. . .	le . . . des idées
un écart	. . .	l'. . . des roues
un éclat	. . .	l'. . . du pneu

3 *Complète en utilisant des suffixes :* l'engour- dissement de la truite *(engourdir)*

les . . . du blessé *(gémir)*
le . . . du courant électrique *(rétablir)*
la . . . des cours d'eau *(polluer)*
la . . . du malade *(guérir)*
le . . . des métaux *(polir)*
la . . . du matériel *(fournir)*
le . . . de la citerne *(remplir)*
le . . . de la température *(frais)*
la . . . du magasin *(fermer)*
la . . . des jeunes *(forme)*

4 *À partir de l'adjectif, trouve le verbe et le nom dérivés obtenus par suffixation :* gourd → engourdir → l'engourdissement de la carpe

Adjectifs	Verbe	Nom complété
brun	. . .	le . . . de la peau
gros	. . .	le . . . du microscope
vieux	. . .	le . . . de la population
dur	. . .	le . . . du ciment
grand	a . . .	l' . . . de la maison
large	é . . .	l' . . . de la chaussée
lent	ra . . .	le . . . de la circulation
belle	em . . .	l' . . . de la ville
chaud	é . . .	l' . . . des athlètes

5 *Le suffixe* -eux. *Un fond vaseux est un fond plein de vase.*

qui est plein de poussière → . . .
　　　　　　de mystère → . . .
　　　　　　de grâce → . . .
　　　　　　de délices → . . .
　　　　　　de lumière → . . .
　　　　　　de sable → . . .
　　　　　　de rocs → . . .

qui n'est pas bruyant → . . .
　　　　　　ensoleillé → . . .
　　　　　　sec → . . .
　　　　　　droit → . . .

6 **L'Asie centrale**
central → du centre

un climat hivernal　　　→ d' . . .
une visite médicale　　 → du . . .
une coutume régionale　→ de . . .

le service chirurgical　　　→ de . . .
les finances départementales → du . . .
un programme musical　　　→ de . . .
le pays natal　　　　　　　→ de la . . .
une maladie virale　　　　　→ à . . .
un conte médiéval　　　　　→ du . . .

7 *En ajoutant des suffixes à ces adjectifs, form des adverbes dérivés :*

général	gentil
exceptionnel	hâtif
sauvage	méchant
solide	violent
sérieux	récent
jaloux	savant
laborieux	public
rageur	sec
actif	fou

8 *Pour former des mots dérivés, complète le tableau en ajoutant les suffixes au mot radi- cal donné (quand cela est possible) :*

mot radical	mots suffixés		
	-er	-eur	-age
colle			
affiche			
balai			
camp			
marque			
danse			
carreau			
	(verbes)	*(noms)*	*(noms)*

9 *Deux sens du suffixe* -age :
1. Il indique l'action ou le résultat d'une action :
élever des carpes → l'élevage des carpes
Recherche d'autres dérivés formés avec le même suffixe et désignant les travaux de la maison, de l'atelier ou des champs.
2. Quel est l'autre sens du suffixe -age *dans les dérivés suivants ?*

plumage, outillage, feuillage, herbage.

Le pluriel des noms composés

● *Relève tous les noms composés du texte écrits au pluriel.*
Quelle est la nature des mots qui composent ces noms ?
Que peux-tu dire de la plupart des accords ?
● *Observe des pommes de terre, des pieds d'alouette. Comment peux-tu expliquer l'orthographe des mots en italique ?*

LE JARDIN DE MES GRANDS-PARENTS

Mes grands-parents possèdent un petit jardin qu'ils entretiennent avec amour. Grand-père s'occupe des légumes et grand-mère des fleurs. Dans ce petit espace où nichent les rouges-gorges, cohabitent, séparés par des plates-bandes fleuries, pommes de terre et reines-marguerites, choux-fleurs et pieds-d'alouette, salades et roses pompons...

● En général, lorsque le nom composé est formé de **deux noms ou d'un nom et d'un adjectif,** les deux prennent la marque du pluriel :
Un oiseau-mouche → des oiseaux-mouches.
Un rouge-gorge → des rouges-gorges.

● En général, lorsque le nom composé est formé de **deux noms séparés par une préposition,** seul le premier nom prend la marque du pluriel :
Un arc-en ciel → des arcs-en-ciel.

● Lorsque le nom composé est formé **d'un verbe et d'un nom :**
— le nom peut rester invariable : *un pare-feu → des pare-feu ;*
— le nom peut prendre la marque du pluriel : *un essuie-glace → des essuie-glaces ;*
— il y a deux possibilités : *un porte-serviette → des porte-serviette* ou *des porte-serviettes.*

Il existe de nombreux cas particuliers. En cas de doute, utilise le dictionnaire.

---

1 *Écris au pluriel.*

Une porte-fenêtre - un sapeur-pompier - un chat-tigre - une fourmi-lion - un chien-loup - un camion-citerne - un point-virgule - un adjudant-chef.

2 *Même exercice.*

Un bouton d'or - un rez-de-chaussée - un trait-d'union - un chef-d'œuvre - une eau-de-vie.

3 *Écris correctement les noms en italique.*

Il te faut un *(tire-bouchon)* pour ouvrir cette bouteille. - L'hiver, en montagne, les *(chasse-neige)* dégagent les routes. - De nos jours, les *(pare-brise)* sont fabriqués avec un verre spécial. - Ce *(porte-bouteille)* est constitué de cent rayons.

4 *Recherche quatre noms composés comportant le verbe* porter.
Ex. : **un porte-bagages.** *Construis une courte phrase avec chacun d'eux.*

5 *Les noms composés suivants restent-ils invariables au pluriel ? Pourquoi ?*

Un casse-noix - un rendez-vous - un garde-manger - un garde-meuble - un porte-cartes - un lance-pierres - un cessez-le-feu - un après-midi - un porte-plume.

Dictées à préparer.
● *Autodictée : le texte d'étude.*

● LE PÂTURAGE DES ÉCURIES
Le pâturage des Écuries, ainsi nommé parce qu'il était le plus proche des écuries, d'un mille carré, présentait un aspect d'une beauté sauvage et surprenante. Au sud, une large bande d'herbe s'étendait le long de la clôture de la grand-route... Entre les masses rocheuses, dans de petits vallons parfumés, des champignons, des pieds-d'alouette et des fraisiers poussaient parmi les aiguilles de pin... Pendant tout l'été, les cerfs, les daims, les biches s'y faufilaient entre les arbres.

D'après MARY O'HARA, *Mon Amie Flicka,*
Éd. Calmann-Lévy.

Conjugaison

Le passé simple de l'indicatif (1)

• *À quel temps est écrit ce texte ?*
• *Compare :*
Les bisons grattaient le sol.
Les bisons grattèrent le sol.
Qu'est-ce qui distingue ces deux temps ?
• *Donne l'infinitif des verbes conjugués du texte.*
À quelles personnes sont-ils employés ? Essaie d'en trouver la conjugaison complète.

COMME UNE VRAIE CHASSE !

Les hommes déguisés en bisons grondèrent, grattèrent le sol avec fureur, pointèrent leurs cornes dans notre direction... Et ce fut la chasse, où se mêlèrent charges et esquives.

Je fus le premier à crier « Yuhoo ! ». Le bison que je réussis à toucher avec ma flèche s'écroula et resta inanimé... J'en eus beaucoup de fierté. D'autres « Yuhoo ! » éclatèrent et d'autres bêtes tombèrent...

Lorsque nous regagnâmes nos places, nos parents et amis nous félicitèrent comme si nous avions participé à une vraie chasse.

D'après WILLIAM CAMUS, *La Grande Peur*, Éd. Presses de la Cité.

• Le **passé simple** de l'indicatif s'emploie le plus souvent dans **le récit écrit** (conte, roman, légende, faits divers...), pour raconter un événement ou une action qui a eu lieu à un moment défini du passé.
Il s'utilise surtout à la 3e personne.

*Le ciel se **couvrait** ; soudain la pluie **tomba**.*
(imparfait)   (p. simple)

Avoir : J'eus, tu eus, il eut, nous eûmes, vous eûtes, ils eurent.
Être : Je fus, tu fus, il fut, nous fûmes, vous fûtes, ils furent.
Rester : Je restai, tu restas, il resta, nous restâmes, vous restâtes, ils restèrent.
Réussir : Je réussis, tu réussis, il réussit, nous réussîmes, vous réussîtes, ils réussirent.

---

1 *Complète par le pronom qui convient.*

... fûtes - ... eut - ... passèrent - ... criâmes - ... choisirent - ... eûtes - ... ôtai - ... réunis.

2 *Écris les verbes suivants à la 3e personne du singulier et du pluriel du passé simple.*

arriver - balayer - être - surgir - avoir - plier.

3 *Écris au passé simple.*

Il imagine une ruse. - Nous sommes tous d'accord. - Rien ne l'arrête. - Il bondit sur lui. - Ils roulent sur le sol. - La lutte est sans merci.

4 *Écris le verbe à l'imparfait ou au passé simple.*

Nous *(arriver)* lorsque le téléphone *(sonner)*. - Quand la grue *(tomber)*, le vent *(souffler)* violemment. - Dès que l'incendie *(se déclarer)*, il *(appeler)* les pompiers. - Nous *(aller)* partir lorsqu'il *(arriver)*. - Elle *(avoir)* peur et *(trembler)* comme une feuille.

5 *Imagine une suite à chacune des phrases suivantes. Emploie le passé simple.*

Il roulait à vive allure quand .... - Tous les cœurs battirent quand la fusée .... - Elle partait lorsque .... - Comme la panne d'électricité durait, on .... - Au moment où elle s'élançait, ...

6 *Recherche, dans un journal, un court article sur un fait divers écrit au passé simple. Lis-le, puis rédige-le de mémoire.*

7 *Indique, entre parenthèses, le temps de chaque verbe.*

Je côtoyais (...) une vieille femelle. - Elle tourna (...) la tête pour me renifler et je sentis (...) la pression de sa corne sur mon mollet... Mon poney ne broncha pas (...) et je louai (...) le dressage de mon père.

WILLIAM CAMUS.

8 *Même exercice.*

Mon père dégringola (...), laissant échapper son arc. Cependant, il avait eu (...) le temps d'apercevoir l'animal en furie, il boula (...) et s'aplatit (...) dans l'herbe... Les sabots du bison frôlèrent (...) sa tête.

WILLIAM CAMUS.

Le journal : la « une »

*Regarde et lis attentivement
cette première page
d'un quotidien régional.*
- *Relève son nom,
le prix de l'exemplaire.*
- *Relève le titre qui est
en plus gros caractères.*
- *Relève les autres titres
et classe-les en les copiant
dans l'ordre décroissant
des grosseurs des lettres.*
- *Relève les publicités.
Où se trouvent-elles ?*
- *Fais correspondre
les textes et les illustrations.*

- La première page d'un journal s'appelle **la « une »**. Elle comporte :
— le nom du journal, la date, le prix de l'exemplaire ;
— un grand titre en gros caractères ;
— d'autres titres d'importances différentes ;
— sous les titres, des articles ou des débuts d'articles ;
— des illustrations en relation avec les titres : photos, dessins humoristiques… ;
— des encarts publicitaires.

- Les **informations** contenues dans la première page sont de plusieurs sortes : **internationales** (« *Bosnie : les otages rentrent en France* »), **nationales** (« *Sécu : les chirurgiens creusaient le trou* ») et **régionales** (« *Bordeaux : les retrouvailles avec Gambetta* »).

- Des **domaines** différents sont abordés : politique, société, sport, spectacle…

1 *Regarde et lis attentivement cette première page du même quotidien régional. Tu vas la comparer à la précédente.*

● *Écris tout ce que tu retrouves à la même place.*

● *Relève le plus gros titre et écris, en deux ou trois phrases, de qui ou de quoi il s'agit.*

● *Classe les titres par ordre d'importance (dans l'ordre décroissant de grosseur des lettres).*

● *Quel article lirais-tu en premier ? Explique pourquoi en quelques phrases.*

● *Écris ce que tu constates en comparant la place et la surface de la publicité.*

2 *À partir de ces dépêches, compose les titres pour la première page et classe-les par ordre d'importance. (Ce qui te semble le plus important doit être écrit en plus gros caractères. Regarde bien la page précédente pour t'en inspirer.)*

● *Tes titres doivent être courts pour attirer l'attention. Tu peux choisir des phrases nominales ou des phrases verbales.*

Ex. : Luis Ocaña abandonne *(phrase verbale)* - La fronde des régions *(phrase nominale).*

● *Attention à la ponctuation !*
— Le ministre des transports va inaugurer un nouveau tronçon de l'autoroute A18.
— Le départ du tour de France cycliste sera donné demain sur l'esplanade du Château Pompon.
— De violentes manifestations de pêcheurs sont prévues demain sur toute la côte Atlantique.
— En raison d'une grève des personnels techniques, toutes les émissions de télévision sont annulées.

3 *Tu es le rédacteur en chef du journal de Gloumiers, une toute petite ville. Tu dois composer la première page.*

● *Imagine le nom du journal. Tu peux même le dessiner.*

● *Voici quelques événements qui se sont déroulés le même jour.*

— Le maire de Gloumiers a disparu.
— Un orage de grêle a détruit le toit de l'église.
— Le club de football de Gloumiers a battu celui de Tartifume.
— Une habitante est centenaire.
— Le tunnel sous la Manche est ouvert aux voitures.

● *Rédige des titres à partir de ces informations sous forme de phrases nominales ou verbales.*

● *Classe les titres par ordre d'importance pour tes lecteurs. (N'oublie pas que ce sont les habitants de Gloumiers !)*

● *Donne un nom au maire et à la centenaire ; trouve un sigle pour chacun des deux clubs de football.*

● *Invente une ou deux publicités et place-les sur la « une ».*

4 *Compose la première page du journal de l'école, qui paraît juste avant la fin de l'année scolaire.*

● *Trouve-lui un grand titre qui attire le regard et l'attention.*

● *Trouve deux ou trois autres titres moins importants.*

● *Pour t'aider, voici quelques sujets qui te donneront des idées.*

voyage - séjour - kermesse - fête - concours - correspondants - sport - vacances - visite - poésie - cinéma - aide humanitaire…

L'expansion du groupe nominal : le complément de l'adjectif*

LE MILAN

• *Observe les adjectifs qualificatifs en italique, dans le texte.*
Par quoi sont-ils complétés ?
• *Essaie de compléter quelques adjectifs par des GNP.*

Un animal fantastique est là, sur eux, presque à les toucher, un oiseau gigantesque, ailes grandes ouvertes, bec béant, pattes crochues et quelles pattes ! Immenses, en fer noirci et *dur* comme des tenailles. Si Civa et Kâli[1] n'étaient pas *immobiles* d'épouvante, ils auraient déjà fui n'importe où, droit devant eux au bout du monde.

La petite poule s'est gonflée démesurément, ses ailes battent très vite, elle a fait passer sa nichée derrière elle, et maintenant, face au monstre, le front *bas* comme un bouclier, elle continue à crier :

— N'avancez pas… N'y touchez pas… Je vous défends… Cott cott… Je vous défends…

D'après LOUISE BELLOCQ, *Contes de mes bêtes au vent*, D.R.

1. deux chats.

L'**adjectif qualificatif** peut être complété par un groupe nominal prépositionnel (GNP) ou par un infinitif.
*Un paysage **plein de charme.***
*Un animal **difficile à dresser.***

1 **Souligne le GNP relié à chaque adjectif.**

J'habite cette maison aux volets peints en blanc. - Il montrait toujours un visage rayonnant de bonheur. - L'oiseau de proie s'abattit, rapide comme l'éclair. - Il disparut rapidement, honteux de son échec. - Il était petit par la taille, grand par la force.

2 **Même exercice.**

C'est un pays riche en ressources industrielles. - Quel paysage magnifique à contempler ! - Son explication devint facile à comprendre. - Cet enfant est digne de confiance. - Voilà un roman plaisant à lire.

3 **Complète avec la préposition qui convient.**

Julien est persévérant … l'effort. - Malgré ses caprices, Sandra reste patiente … sa petite sœur. - Pascal et Loïc sont satisfaits … leurs résultats. - Ce montage est impossible … réaliser. - Il ne se corrige pas ; il reste insensible … reproches.

4 **Complète chaque adjectif avec un GNP ou un infinitif.**

Rapide, le fauve bondit sur sa proie. - Furieux, le rhinocéros charge le chasseur. - À Noël, les vitrines des magasins sont agréables. - L'avocat estime que ce document est important. - J'avais choisi un livre passionnant.

5 **Complète chaque adjectif par le GNP qui convient :**

On dit : rapide comme …
rusé comme …
doux comme …
têtu comme …
léger comme …
muet comme …
bavard comme …
malin comme …

6 **Écris quatre phrases dans lesquelles tu emploieras des adjectifs qualificatifs complétés par des GNP ou des infinitifs.**

111

LES CONSTITUANTS DU GN : RÉCAPITULATION

- Le groupe nominal (GN) peut être constitué :
  — d'un nom propre : → *Kâli*
  — d'un déterminant et d'un nom :
  $$D + N → un\ chat$$
  — d'un déterminant, d'un nom et d'un adjectif :
  $$D + N + Adj. → un\ chat\ capricieux$$
  — d'un déterminant, d'un nom et d'un complément du nom :
  $$D + N + GNP → un\ chasseur\ de\ souris$$
  — d'un déterminant, d'un nom, d'un adjectif et d'un complément de l'adjectif :
  $$D + N + Adj. + GNP → un\ chat\ blanc\ comme\ neige$$
  — d'un déterminant, d'un nom et d'une proposition relative :
  $$D + N + P.\ relative → un\ chat\ qui\ chassait\ les\ mulots$$
  — d'un déterminant, d'un nom, d'un GNP, d'un adjectif, d'un GNP et d'une P relative :
  $$D + N + GNP + Adj. + GNP + P\ relative →$$
  le chat de gouttière blanc comme neige qui chassait dans la grange.

1 *Souligne les GN puis indique leurs constituants (D + N + Adj. ...).*

Le jeune chaton dormait dans son joli panier. - Un énorme chien garde l'entrée de l'immeuble. - Le vent du nord soufflait avec violence. - Le petit chemin que nous prenons mène à la rivière.

2 *Complète à l'aide d'un GN → (D + N). Attention aux accords !*

... plane au-dessus de la basse-cour. - ... affolées regagnent le poulailler. - La mère protégeait .... - Dans le grenier nichaient .... - Dès l'aurore, ... chantaient.

3 *Complète à l'aide d'un GN → (D + N + Adj.).*

... souffle depuis ce matin. - Nicolas offre ... à sa maman. - Cette semaine j'ai lu .... - ... réduit la visibilité des conducteurs. - Nos correspondants nous ont adressé ....

4 *Complète à l'aide d'un GN → (D + N + GNP du nom).*

... est la grande course cyliste de l'été. - Le mécanicien range ses pinces, ses tournevis, dans une grande .... - ... contient tous les médicaments. - En août, nous passerons nos vacances .... - Rome est .... - ... est un grand musée parisien.

5 *Complète chaque GN par une proposition relative. Varie les pronoms relatifs.*

L'histoire ... est vraie. - Le quartier ... est tout récent. - Ces fleurs ... sont magnifiques. - C'est un tableau .... - Le pays ... s'appelle l'Algérie.

6 *Remplace chaque GN par le pronom qui convient.*

Le photographe prépare son appareil. - La photo de classe est réussie. - Mylène et sa sœur ont été photographiées ensemble. - Jean-Luc et moi avons bien répondu. - Des journalistes préparent un article. - Rosa et Manuel reviennent du Portugal.

7 *Raconte.*
En t'aidant des vignettes ci-dessous, imagine la suite de l'histoire du milan.

L'oiseau s'est posé sur le sol. Il terrorise les deux chats. La petite poule fait face ... Le chien accourt ...

Autour du mot *fleur*

DÉCOUVERTE

— Elle est habillée de satin ! murmura Mioritza.

— Elle a une robe couleur de cerise ou de ciel couchant, dit Radou. Je n'ai jamais vu une rose si jolie.

— Je n'ai jamais senti un parfum si fin et si pénétrant, ajouta Mioritza.

Et tous deux chuchotèrent :

— Que vous êtes belle et parfumée, Mademoiselle la petite Rose !

Mais la petite rose se dressa vers eux et se mit à parler en leur jetant son gentil parfum :

— Emportez-moi dans votre maison, mes enfants. Enfin, vous arrivez ! Je craignais que vous passiez sans me voir. Emportez-moi avec vous. Ici je m'ennuie…

PIERRE GAMARRA, *La Rose des Karpathes*, Éd. La Farandole.

---

1 *Les fleurs peuvent être :*

des fleurs naturelles ou des fleurs . . .
des fleurs cultivées ou des fleurs . . .
des fleurs fraîches ou des fleurs . . .
des fleurs en pot ou des fleurs . . .

2 *Des mots de la famille de* **fleur**. *Construis une phrase avec chacun d'eux.*

se couvrir de fleurs		fleur	. .
qui vend des fleurs		fleur	. . . .
fleurir de nouveau	. .	fleur	. .

relatif aux fleurs	flor	. .
épanouissement de fleurs	flor	. . . . .
exposition de fleurs	flor	. . . .

3 *Les expressions contenant le mot* **fleur**. *Rapproche-les de leur signification.*

- La fine fleur
- La fleur de l'âge
- Faire une fleur à quelqu'un
- Couvrir quelqu'un de fleurs
- Être fleur bleue
- Avoir les nerfs à fleur de peau

- le combler de compliments
- lui procurer un avantage
- être très irritable
- le meilleur
- période de la vie où l'on est au sommet de la santé, de la beauté, etc.
- être sentimental(e)

4 *Le mot* **fleurir** *a :*
— *un sens propre (s.p.) :* **se couvrir de fleurs,**
— *un sens figuré (s.f.) :* **se développer en grand nombre.**
Complète avec (s.p.) ou (s.f.).

Ces roses fleurissent dès le mois d'avril. (. . .) - Il fleurit de nombreux vendeurs de pizza sur le bord des routes. (. . .) - Quand les pommiers fleurissent, l'apiculteur installe ses ruches dans les vergers. (. . .) - Le pré est tout jaune lorsque les pissenlits fleurissent. (. . .) - En ce moment, les contraventions fleurissent sur les pare-brise des voitures. (. . .) - Les marchands de vêtements fleurissent les jours de foire ou de marché. (. . .)

5 *Ces mots du vocabulaire des fleurs sont classés dans l'ordre alphabétique.*
Décalque le croquis et reporte correctement les numéros :

étamine ①, ovaire ②, ovule ③, pédoncule ④, pétale ⑤, pistil ⑥, sépale ⑦, stigmate ⑧, style ⑨.

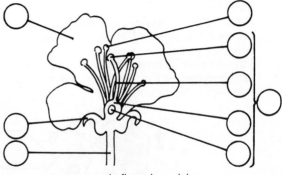

la fleur du cerisier

Que signifient les mots :
calice, corolle, pollen ?

Préciser les circonstances

1 *Complète les phrases avec le complément circonstanciel de lieu qui convient.*

Compléments circonstanciels de lieu : dans un virage - à la salle des fêtes - à la mairie - quai numéro 2 - sous les halles.

— Le marché se tiendra mardi . . .
— Le conducteur a perdu le contrôle de son véhicule . . .
— Le concours de majorettes aura lieu . . .
— Le conseil municipal s'est réuni . . .
— Les voyageurs pour Nantes doivent se rendre . . .

2 *Complète les phrases avec le complément circonstanciel de temps qui convient.*

Compléments circonstanciels de temps : hier soir - dimanche prochain - à 21 heures - à la tombée de la nuit - vers midi.

— Le match retour aura lieu . . .
— Le tour de France passera . . .
— On tirera le feu d'artifice . . .
— Le concert aura lieu . . . dans la salle polyvalente.
— Le TGV est arrivé . . . avec une demi-heure de retard.

3 *Complète les phrases avec le complément circonstanciel de manière qui convient.*

Compléments circonstanciels de manière : avec prudence - sur mesure - en poussant sa moto - lentement - avec beaucoup d'émotion.

— À la suite de cet incident, il a dû rouler très . . .
— Les sauveteurs ont travaillé . . .
— À cause de sa pointure, il a fallu lui faire des chaussures . . .
— La chorale a chanté . . .
— Il a fini la course . . .

Éviter la répétition

4 *On peut employer* **qui** *ou* **que** *pour éviter la répétition.*

● *Ex. :* **J'ai un voisin. Mon voisin passe son temps à bricoler.** → **J'ai un voisin** *qui* **passe son temps à bricoler.**
J'ai un voisin. J'invite mon voisin à regarder la télévision. → **J'ai un voisin** *que* **j'invite à regarder la télévision.**

● *Transforme les phrases suivantes de cette manière.*

— Ma sœur a un fils. Son fils joue de la guitare.
— Le vent souffle très fort. Le vent a emporté mon bonnet.
— Il a acheté un disque. Nous avions entendu ce disque à la radio.
— Le gâteau était délicieux. Ma tante a acheté ce gâteau.
— La voiture roulait très vite. La voiture nous a dépassés.
— L'émission était très intéressante. J'ai regardé cette émission.

Jeu poétique

5 *Le tautogramme.*

● *On peut écrire un texte dont tous les mots commencent par la même lettre. (On appelle ce texte « tautogramme ».)*
Si l'on n'arrive pas à trouver tous les mots, on cherchera à en mettre le plus possible...
Par exemple :

« Tania, ton travail t'attend ; tu trieras toutes tes tomates ! »

● *Tire au sort une lettre, et écris un tautogramme.*

Reconstitution de texte

6 LA FOIRE AU MIEL

À cette époque, l'élevage des abeilles se faisait dans des troncs d'arbres évidés, appelés « bruscs ». On apportait à la foire ces bruscs, sans abeille, et les acheteurs coupaient à l'intérieur les rayons remplis de miel...

Beaucoup de fermiers apportaient comme nous leurs bruscs au marchand, ce qui faisait flotter sur la place une capiteuse odeur d'abeilles, de cire, de miel, de propolis. Vers les dix heures, toutes les abeilles des environs — elles venaient parfois de cinq kilomètres — envahissaient, pour les lécher, les bruscs vides d'où ruisselaient encore de nombreuses gouttes de miel. Le pré de foire devenait alors comme un immense rucher où des milliers d'abeilles, dans un grand bruissement d'ailes, tourbillonnaient.

MARCEL SCIPION, *Le Clos du roi*, Éd. Seghers.

Les adjectifs qualificatifs de couleur

Observe :
– une petite tête gris-bleu ;
– une fourrure gris bleuté.
Comment sont composés ces adjectifs de couleur ?
D'après les règles d'accord précédemment étudiées, quelles remarques peux-tu faire ?
On écrit :
des yeux noisette - des yeux bleus - des tissus orange.
Quelles remarques peux-tu faire ?

LE RENARDEAU DE L'ARCTIQUE

Milly, toute joyeuse, éclatait en petits rires et babillait, tandis qu'elle gambadait autour de son frère. Sur son sweater bleu clair, ses courtes nattes blondes s'agitaient drôlement à chacun de ses sauts...

Mark entrouvrit sa chemise : un nez pas plus gros qu'un bouton noir apparut, puis une petite tête gris-bleu aux yeux ronds et brillants, avec les oreilles dressées.

Ce renardeau de l'Arctique n'avait pas plus de deux mois. Sa fourrure gris bleuté semblait aussi douce et vaporeuse qu'une neige fraîchement tombée.

D'après W. Lindquist, *L'Appel du renard blanc*, Éd. de l'Amitié G.T. Rageot.

• **L'adjectif de couleur simple** suit la règle générale d'**accord en genre et en nombre** avec le nom :
*Des voiles **blanches** - des tissus **bleus**.*

• **Le nom employé comme adjectif de couleur** reste **invariable** :
*Des robes **cerise**. Des gants **crème**. Des chaussures **marron**.*
Exceptions : *rose, mauve, fauve. Des pages **roses**.*

• **L'adjectif de couleur composé** formé de deux adjectifs de couleur, ou d'un adjectif de couleur et d'un autre mot, est **invariable**.
*Des pantalons **bleu marine**. Des tapis **brun-rouge**.*
*Des carreaux **bleu foncé**. Des peintures **jaune clair**.*

---

1 *Écris comme il convient les adjectifs de couleur entre parenthèses.*

Mes chaussures *(noir)* - des volets *(vert)* - quelques rubans *(grenat)* - ses beaux yeux *(noisette)* - ces papillons *(blanc)* - des coloris *(paille)*.

2 *Même exercice.*

Une veste et un blouson *(bleu)* - mes chaussures et mon sac *(noir)* - sa chemise et son pantalon *(rose)* - des rubans et une barrette *(orange)* - un papier et des rideaux *(crème)*.

3 *Sur le modèle ci-dessus, écris à ton tour quelques GN avec les adjectifs de couleur :*
marron - beige - kaki - jaune - violet.

4 *Écris comme il convient les adjectifs de couleur.*

Je n'aime pas ces tissus *(bleu foncé)*. - La peinture *(jaune paille)* de la cuisine convient bien. - Ces volets *(brun-rouge)* sont un peu tristes. - Aimez-vous ces rideaux *(gris clair)* ? -J'ai acheté deux coussins *(vert olive)*. - Ils ont choisi une couverture *(rose orangé)*.

5 *Complète avec les adjectifs de couleur qui conviennent. Contrôle avec ton dictionnaire.*

Les pierres précieuses :
des saphirs . . . - des émeraudes . . . - des rubis . . . - des topazes . . . - des améthystes . . .

6 *Écris quelques GN avec les adjectifs de couleur composés suivants :*

bleu pâle - marron clair - rouge vif.

7 *Dictées à préparer.*
• *Autodictée : 2e et 3e paragraphes du texte d'étude.*

• MAROUSSIA
C'était une vraie fillette ukrainienne, aux sourcils veloutés, aux joues brunies par le soleil... Elle portait une chemise brodée à la mode du pays, un jupon bleu foncé et une ceinture rouge ; ses cheveux magnifiques, aux reflets dorés, étaient tressés en grosses nattes, et quoique tressés, ils ondulaient encore et brillaient comme de la soie. Les filles du pays portent en été une couronne de fleurs. Maroussia avait encore quelques fleurs rouges dans ses cheveux.

P.J. STAHL, *Maroussia*, Éd. Hachette.

Le passé simple de l'indicatif (2)

LA FIN DU DÉLUGE

- *Quels sont les temps utilisés dans ce récit ?*
- *Relève les verbes du texte écrits au passé simple et indique leur groupe.*
- *Écris la 1ʳᵉ personne du singulier du passé simple de chacun de ces verbes.*
- *Cherche d'autres verbes du 3ᵉ groupe ayant la même conjugaison.*

Au bout de quarante jours, (…) Noé lâcha d'auprès de lui la colombe, pour voir si les eaux avaient diminué à la surface du sol. La colombe, ne trouvant pas un endroit où poser les pattes, revint vers lui dans l'arche, car il y avait de l'eau sur toute la surface de la terre ; il étendit la main, la prit et la fit rentrer auprès de lui dans l'arche. Il attendit encore sept autres jours et lâcha de nouveau la colombe hors de l'arche. La colombe revint vers lui sur le soir et voici qu'elle avait dans le bec un rameau tout frais d'olivier ! Ainsi Noé connut que les eaux avaient diminué à la surface de la terre.

La Bible de Jérusalem, Éd. du Cerf.

> Au **passé simple** de l'indicatif, les terminaisons des verbes du 3ᵉ groupe peuvent se classer en quatre catégories :
> — verbes en : *-is, -is, -it, -îmes, -îtes, -irent* → **voir, prendre...**
> — verbes en : *-us, -us, -ut, -ûmes, -ûtes, urent* → **boire, savoir...**
> — verbes en : *-ins, -ins, -int, -înmes, -întes, inrent* → **tenir, venir...**
> — un verbe en : *-ai, -as, -a, -âmes, -âtes, -èrent* → **aller.**

1 *Écris la conjugaison des verbes suivants au passé simple :*

tenir - écrire - vivre - croire.

2 *Écris la première personne du singulier du passé simple des verbes suivants :*

conduire - boire - voir - devoir - connaître - lire - vouloir - mettre - éteindre - craindre.

3 *Écris au passé simple :*

Noé construit une arche. Les animaux s'y abritent. Le déluge dure quarante jours. Tout est recouvert par les eaux. Tout ce qui était sur la terre meurt. Au bout de quarante jours, Noé, sa famille et tous les animaux sortent de l'arche.

4 *Écris le verbe comme il convient au passé simple.*

Le canard *(plonger)* et *(disparaître)* dans l'eau sombre. - Quand le train *(s'arrêter)*, les voyageurs *(descendre)*. Je l'*(apercevoir)* ; je lui *(faire)* signe. Dès qu'il me *(voir)*, il *(venir)* vers moi. - Dans le ciel, l'avion *(tracer)* des lettres blanches. - Nous *(changer)* de cap et nous *(revenir)* vers la côte.

5 *Écris aux temps indiqués.*

Le second jour de pluie, il *(décrocher, p. simple)* la bâche qui *(séparer, imp.)* les deux compartiments du wagon. Il l'*(emporter, p. simple)* et l'*(étendre, p. simple)* sur le capot du camion, puis il *(rentrer, p. simple)* et *(s'asseoir, p. simple)* sur un matelas. Le rideau de séparation *(tomber, p.-que-parfait)*, les Joad et les Wainwright ne *(former, imp.)* plus désormais qu'une seule famille.

J. STEINBECK, *Les Raisins de la colère*, trad. M. Duhamel, Éd. Gallimard.

6 *Chasse l'intrus. Justifie ton choix.*

— Je trouvai - j'allai - j'arrivai - je ferai - je tremblai.
— Tu lis - tu écrivis - tu partis - tu appris - tu sortis.

7 *Fais les liaisons qui conviennent.*

Lui et moi •   • écrivîtes
Elle et lui •   • vîmes
Clara •   • tinrent
Elle et toi •   • aperçut
Nous la •   • battirent
Tu les •   • vis
Elles le •   • suivis
Je la •   • comprîmes

8 *Écris l'infinitif des verbes suivants.*

Elles combattirent (. . .)   Ils accueillirent (. . .)
Ils répondirent (. . .)   Elles interrompirent (. . .)
Elles suivirent (. . .)   Ils défendirent (. . .)

Les remplaçants du groupe nominal : les pronoms démonstratifs, possessifs, indéfinis

Grammaire

• Quels GN remplacent les mots en italique ? Quelle est la nature de ces mots ?
• Parmi ces pronoms, quels sont ceux qui évitent la répétition :
— de l'adjectif démonstratif et du nom ?
— de l'adjectif possessif et du nom ?
— d'êtres ou d'objets déjà désignés ?
• Trouve d'autres exemples pour chacune de ces catégories.

LES CONSTRUCTEURS DE CABANES

Des cabanes de tous styles et de toutes tailles poussaient sur la rive. *Certaines* étaient des abris rudimentaires que seuls leurs propriétaires ou des hommes préhistoriques auraient pu qualifier d'agréables résidences ; *d'autres* étaient plus ambitieuses, avec des vérandas. *Celle* de Briggs et Morrison était si basse qu'ils ne pouvaient s'y tenir qu'à plat ventre. Au contraire, *celle* d'Atkins était si haute qu'elle aurait pu loger une jeune girafe, mais si étroite que la pauvre bête n'aurait même pas eu la place de remuer la queue.

« Venez voir un peu *ce* que nous faisons ! leur cria Bennett. C'est formidable, chez nous... »

« Je suis sûr qu'elle n'est pas aussi bien que *la nôtre !* répliqua Briggs. *La nôtre* est si petite, si douillette, qu'*on* n'a même plus la place de respirer, ni de s'y tourner, ce qui fait qu'on doit sortir en marche arrière. Pas vrai, Tom ? »

ANTHONY BUCKERIDGE, *Bennett et sa cabane*, Hachette-Poche.

• Comme les pronoms personnels et les pronoms relatifs, **les pronoms démonstratifs, possessifs, indéfinis** remplacent des GN dont ils évitent la répétition. Ils ont **même genre, même nombre** et **même fonction** que les GN remplacés.

    Certaines (certaines cabanes) *sont petites.*
    sujet
    Celle-ci (cette cabane) *appartient à Tom.*
    sujet
    Je te montre **la mienne** *(ma cabane).*
    C.O.D.

• **Pronoms démonstratifs :**
celui, celle, ceux ; celui-ci, celui-là, ceux-ci, ceux-là, celle-ci, celle-là, celles-ci, celles-là ; ce, ceci, cela (ça).

• **Pronoms possessifs :**
le mien, le tien, le sien, le nôtre, le vôtre, le leur ;
la mienne, la tienne, la sienne, la nôtre, la vôtre, la leur.
les miens, les tiens, les siens } *les nôtres, les vôtres,*
les miennes, les tiennes, les siennes } *les leurs.*

• **Pronoms indéfinis :** *certains, d'autres, plusieurs, on, personne...*

1 *Souligne en bleu les pronoms démonstratifs, en rouge les pronoms possessifs.*

Tom proposa de l'aide à Bennett ; celui-ci accepta. - Ta cabane est trop petite, la mienne est trop haute. - Avec ça nous allons faire le toit. - Comment avez-vous couvert la vôtre ? - Tes planches sont déformées, comme les miennes. - Nous ne ferons pas une aussi belle cabane que la leur. Regarde celle de Frédéric, un vrai pain de sucre. - On a mieux réussi que lui.

2 *Remplace chaque GN par les pronoms démonstratifs possibles.*
Ex. : cette cabane → celle-ci, celle-là.

Ce sentier - ces fleurs - ces arbres - cette construction - ce plan - ces travaux.

3 *Remplace chaque GN par le pronom possessif qui convient.*

ma cabane - ton amie - mes affaires - votre joie - leur enthousiasme - nos satisfactions.

4 *Souligne les pronoms indéfinis.*

Avaient-ils tous construit une cabane ? Non, seulement quelques-uns. Certains avaient tracé des plans, d'autres construisaient au hasard. Plusieurs s'étaient fait aider, mais aucun n'avait abandonné. On trouvait certaines constructions bien réussies.

5 *Évite les répétitions en remplaçant le second GN par un pronom possessif.*

Sa bicyclette est bleue, ma bicyclette est rouge. - C'est mon choix, ce n'est pas ton choix. - Elle prend ses responsabilités, nous prenons nos responsabilités. - J'ai rangé mes livres, tu n'as pas rangé tes livres. - Notre rue est très animée, leur rue est calme.

6 *Complète par un pronom démonstratif.*

J'aime beaucoup cette chanson, ... me plaît moins. - Elle prend toujours ce chemin-là, jamais .... - Mes vêtements sont dans ce placard, ... de mon frère sont dans cette armoire. - Peux-tu me dire ce que tu caches ? Non, ... ne te regarde pas. - Ces fleurs sont belles, mais je préfère ... de mon jardin.

7 *Complète par un pronom possessif.*

Nous avons nos soucis, vous avez .... - Prête-moi tes clefs car je ne retrouve plus .... - J'ai appris mes leçons, as-tu appris ... ? - Ils connaissent notre adresse, moi j'ignore ....

8 *Complète par un pronom démonstratif ou un pronom possessif. Plusieurs réponses sont possibles.*

Connaissez-vous ces champignons ? Oui, ... sont comestibles, mais attention à .... - Avec ... que j'ai ramassés, nous ferons une bonne omelette. - Ce petit chien est à vous ? Oui, c'est ... ; il est moins gros que ..., mais c'est un bon gardien ; c'est ... qui compte.

9 *Récris chaque phrase en remplaçant le pronom par un GN.*

Je n'aime pas ceux qui aboient tout le temps. - Où avez-vous trouvé cela ? - Pouvez-vous me montrer celle-ci ? - Quel est celui qui a gagné le Tour de France cette année ? - Quelles sont celles que tu préfères ? - Versailles fut celui de Louis XIV.

10 *Même exercice.*

Pouvez-vous me prêter le vôtre pour signer ? - Avec la sienne, la route est sûre. - À quelle heure atterrit le leur ? - Jouons avec les miennes, elles sont toutes neuves. - Je te prête le mien, n'oublie pas de me le rendre. - Écoute le sien, il bat très vite.

11 *Écris, entre parenthèses, un GN qui pourrait convenir à la place de chaque pronom indéfini.*

Certains (...) écrivent, dans la presse, des articles de qualité. - Ce film a déjà été vu par plusieurs (...). - Quelques-uns (...) montaient la garde à la porte de la caserne. - À dix heures, tous (...) s'ébattaient dans le cour de récréation. - Beaucoup (...) partirent avant la fin du spectacle.

12 *Écris, entre parenthèses, la fonction (sujet - C.O.D. - C.O.I.) de chaque pronom.*

Celle-ci (...) est la plus jolie. - J'ai retrouvé la mienne (...) au fond de ma poche. - Je salue toujours ceux (...) que je rencontre. - Les miens (...) habitent la campagne. - Il écrit à celle (...) qu'il aime. - Écoutez les nôtres (...) et suivez-les.

ÉCRIRE

13 *Explique le sens de chacune des phrases suivantes.*

1. Nathalie a encore fait des siennes. - 2. Dimanche, nous espérons être des vôtres. - 3. Si vous y mettez du vôtre, tout ira bien. - 4. À la vôtre !

14 *Écris trois phrases dans lesquelles tu emploieras chacune des catégories de pronoms étudiés.*

15 *Écris deux phrases sur le modèle suivant :*
Romain et Vincent ne se ressemblent pas : *celui-ci* est doux et timide, *celui-là* est vif et passionné.
Mets en scène deux personnes, puis deux animaux.

16 *Écris deux phrases sur le modèle suivant :*
De gros nuages noirs arrivent de l'ouest : *cela* annonce la tempête.

17 *Emploie* ça (cela) *dans deux courtes phrases.*

118

Les homonymes

- **Trouve dans le texte un mot qui se prononce comme *de* et dont l'orthographe est différente.**
- **Dans le texte, des mots ont la même prononciation, mais une orthographe différente. Trouve-les.**
- **Trouve trois mots qui se prononcent comme les trois mots du texte : chant, hors, mois.**

LA NUIT SUR LA RIVIÈRE

Nos nuits n'étaient qu'un empire d'étoiles.

Il en pendait de tous côtés et l'entrecroisement de leurs branches d'argent étincelait, en haut, sur l'ombre, tandis que, tout autour de nous, leurs milliers de feux purs luisaient sur les eaux immobiles. Nous flottions entre deux ciels calmes, hors du temps et de l'espace...

Le renard se taisait et nous retenions notre souffle tant était beau le chant nocturne du rossignol, en cette fin du mois d'avril, qui est le temps des pariades.

HENRI BOSCO, *L'Enfant et la rivière*, Éd. Gallimard.

- ● Des mots comme *tant* et *temps* ou *haut* et *eaux*, se prononcent de la même façon, mais n'ont pas le même sens : ce sont des **homonymes.** Ils n'ont pas la même orthographe.

- ● Certains homonymes peuvent avoir la même orthographe : une *tour* et un *tour* ou un *avocat* (le fruit) et un *avocat* (la personne).

---

1 *Trouve l'homonyme du mot en italique. Cet homonyme a une lettre de plus à la fin :*

un *ver* de terre	→ un crayon . . .
le *plan* de la ville	→ un . . . de salade
l'*air* pur	→ une . . . de repos
la *cour* de l'école	→ un . . . de français
un *flan* à la vanille	→ le . . . de la montagne
chez *soi*	→ un bas de . . .
du pain *mou*	→ faire la . . .
un *peu*	→ on . . .

2 *Le mot en italique a un homonyme : même orthographe, même genre. Donne le sens de cet homonyme et emploie-le dans une phrase.*

L'*avocat* est un fruit en forme de poire. - La *pêche* mûre a une peau duveteuse. - Sa chemise porte une *raie* bleue sur chaque manche. - La maison s'élevait dans un *lieu* magnifique. - L'été, je préfère boire un sirop à la *fraise*. - La pièce est grande et bien éclairée par une large *baie*. - Le navire perdu dans la brume fait entendre sa *corne*.

3 *Trouve les homonymes : pour le second, la consonne au milieu du mot est doublée.*

femelle du canard . |.|. .

bâton pour s'appuyer . |.|.| .

jour, mois, année . |.|. .

fruit des pays chauds . |.|.| .

substance de couleur jaune qui brûle avec une fumée suffocante . . |.|. . .

verbe *souffrir* Il . . .|.|. . .

promenade . |.|. . .

petit poème . . |.|.| . . .

4 *Trouve les deux homonymes : celui de la deuxième phrase a une lettre de moins.*

L'épicier met un . . . sur le plateau de la balance. - Les petits . . . sont des légumes à grains ronds.

Le . . . cuit au feu de bois a bon goût. - Le . . . est un arbre à feuilles en aiguilles.

Emporte une boîte de . . . à l'huile pour le déjeuner. - La couverture de . . . livre est déchirée.

Le . . . a interprété une œuvre musicale célèbre, à plusieurs voix. - Le . . . de la ville est interdit à la circulation des véhicules après 14 heures.

5 *De quels homonymes s'agit-il ? Ils n'ont pas la même dernière lettre.*

Cette . . . de communication est interdite aux poids-lourds. - L'homme parlait à . . . basse.

Le . . . circule dans nos veines et nos artères. - Ne sortez pas . . . votre imperméable.

Le pneu est crevé, je dois utiliser la . . . de secours. - Le pelage de l'écureuil est d'un beau . . . .

Le . . . de veau figure au menu. - Le . . . est la base de l'alimentation des peuples d'Extrême-Orient.

La . . . est un dépôt qui se forme dans un liquide et qui tombe au fond du récipient. - L'été, on se promène dans le . . . de la rivière.

Le jardinier a semé des petits . . . primeurs. - La . . . est une matière agglutinante tirée du sapin ou du pin.

6 *Trouve les trois homonymes : même orthographe et même genre.*

Ce petit fruit avec des pépins est une
Le soleil et l'air entrent par une grande
Les bateaux viennent s'abriter dans la
. . .
. . .
. . .

7 *Trouve les homonymes : ils ont la même orthographe, mais l'un est du genre masculin et l'autre du féminin.*

Pendant l'orage, la |. . .| est tombée sur le clocher.
Le vin coule dans un |. . .| en bois.

Il fait un |. .| au pied de l'arbre.
Faites la |. . .| de toutes vos dépenses.

La cliente achète une |. . .| de lentilles.
Charles a perdu son |. . .| de lecture.

Les guetteurs surveillaient du haut de la |. . .|
Après le repas, nous irons faire un |. . .|

Le |. . .| donne une forme à la pâte.
La |. . .| est un coquillage.

8 *Dans chaque couple d'homonymes, une lettre du milieu du mot est différente :*

sœur de mon père	ma	
abri de toile	une	
fruit à coque dure	l'	
contravention	une	
titre de noblesse	le	
récit merveilleux	un	
former une idée dans sa tête		
soigner		

9 *Voici trois mots :*

être *(le verbe)* - une *(le déterminant)* - anche *(partie avant d'un instrument de musique où l'on souffle).*

Les homonymes de ces trois mots commencent par la lettre **h**. *Écris-les. Que désignent-ils ? (Consulte ton dictionnaire.)*

être
le . être *est*
— une maladie
— un arbre
— un reptile

une
la . une *est*
— une chaîne de télé
— un oiseau de nuit
— la partie haute du mât d'un navire

anche
la . anche *est*
— l'articulation de la jambe et du tronc
— une salade sauvage
— un outil de menuisier

Construis une phrase pour chacun des trois mots commençant par la lettre **h**.

Les adjectifs numéraux*

CHÈRE SÉVERINE,

● *Observe les mots
en italique.
Qu'accompagnent-ils ?
Quel rôle jouent-ils ?
● Classe ces mots en deux
groupes :
— ceux qui indiquent
un nombre ;
— ceux qui indiquent
un ordre, un rang.
● Comment s'accordent
les adjectifs appartenant
à chacun de ces groupes ?
● des centaines d'élèves.
Quelle est la nature du mot
en italique ?*

En réponse à ta *première* lettre, je vais à mon tour me présenter et te donner quelques détails sur mon école.

Je m'appelle Sandra. J'ai *dix* ans et je suis en CM$_2$ A. Notre école compte plus de *deux cent cinquante* élèves. Notre classe est située au *deuxième* étage. Nous sommes *vingt-sept* élèves. Il y a *trois* classes de CM$_2$ pour *quatre-vingts* élèves.

J'habite à *trois cents* mètres de l'école, près du collège où j'irai l'an prochain. Des centaines d'élèves passent dans ma rue.

Je t'envoie ma photo. Elle a été prise l'année *dernière*. J'ai un peu changé. J'espère que nous allons nous écrire souvent.

Je t'embrasse.

Sandra.

Parmi les adjectifs numéraux, on distingue :

● ceux qui indiquent **le nombre (adjectifs numéraux cardinaux) :**
*les **deux** étages - les **vingt-sept** élèves.*
Ils sont invariables, sauf *vingt* et *cent,* qui prennent un *s* lorsqu'ils sont précédés d'un autre numéral mais non suivis d'un autre :
*les deux **cent** dix élèves - les trois **cents** élèves
les quatre-**vingt**-deux élèves - les quatre-**vingts** élèves.*
Un est variable en genre - *vingt et un francs - vingt et une pages.*

● ceux qui indiquent **l'ordre**, le rang **(adjectifs numéraux ordinaux) :**
*le **deuxième** étage - les **premiers** jours.*
Ils s'accordent en genre et en nombre avec le nom.

● *mille* est toujours invariable : *Les deux **mille** élèves de ce lycée.*
Centaine, millier, million... sont des noms et peuvent prendre la marque du pluriel.

---

1 **Complète en lettres. Transforme quand c'est nécessaire.**

Je suis né(e) le ... à ... dans le département n°
.... - J'ai ... ans. J'habite au ... de la rue ....
- L'école est située à ... mètres de mon domicile.

2 **Écris les nombres suivants en lettres.**

24 élèves - 31 tables - les 18 classes de l'école - les 42 livres de ma bibliothèque - Ma mère fête ses 34 ans - Ce disque coûte 86 F.

3 **Même exercice.**

Mes économies s'élèvent à 225 F. - Philippe court le 80 m en 13 secondes. - Avec mes 200 F, je peux acheter cette montre. - La piscine se trouve à 500 m de chez moi.

Le mont Blanc culmine à 4 807 m. - Cette voiture est vendue 70 000 F. - Il faut contrôler le moteur tous les 10 000 kilomètres. - La vitesse de la lumière est d'environ 300 000 kilomètres à la seconde, celle du son de 343 mètres à la seconde.

4 **Écris en lettres et fais les accords qui conviennent.**

Les *(dernier)* nouvelles sont bonnes. - Après les essais, cette voiture est en 5e position. - Des *(centaine)* de places ont été retenues. - On attend des *(millier)* de spectateurs. - La recette s'élèvera à plusieurs *(million).*

5 **En t'inspirant de la lettre de Sandra à Séverine, enquête sur ton école et transcris les résultats en lettres (nombre d'élèves, nombre de classes, nombre d'élèves par classe, situation de l'école...)**

6 **Dictée à préparer.**
● **Le deuxième paragraphe du texte d'étude.**

Révision : les temps simples de l'indicatif

RÉSISTANCE

- *Lis le texte.*
- *Relève les verbes écrits :*
— *au présent,*
— *à l'imparfait,*
— *au passé simple,*
— *au futur simple.*
- *Conjugue chacun d'eux au temps auquel il est employé.*

Cette fois-ci, il fallait organiser la résistance à la gouvernante

« Moi, dit Antoine, si jamais elle essaie de me battre, je ne lui dirai plus "Méchante femme", mais je me lèverai et je sortirai de la pièce sans lui adresser un mot.

— Moi je ferai pareil », affirma Alexandre qui trouvait là l'occasion de se racheter pour sa lâcheté passée. Alexandra le jaugea d'un coup d'œil tant il était petit et dit :

« Tu parles ! Toi ! Toi, elle va t'allonger sur ses genoux comme d'habitude et elle te donnera la fessée. »

Antoine mit une main protectrice autour des épaules de son petit frère.

« Ne crains rien, lui dit-il, je te prendrai par la main et nous sortirons ensemble. »

PÉNÉLOPE S. DELTA, *Toinon l'espiègle*, Éd. Nathan

Rappel.
Le **mode indicatif** est composé de **quatre temps simples :**
- un temps exprimant **le présent :** *elle essaie de me battre ;*
- deux temps exprimant le passé :
— **l'imparfait :** *Alexandre se trouvait là ;*
— **le passé simple :** *Il mit sa main autour de ses épaules ;*
- un temps exprimant **le futur :**
— **le futur simple :** *Je me lèverai.*

---

1 *Indique, entre parenthèses, le temps de chacun des verbes.*

Je partirai. (. . .) - Vous passiez. (. . .) - Je vais bien. (. . .) - Nous entrons. (. . .) - Tu seras. (. . .) - Je pouvais. (. . .) - Ils parlèrent. (. . .) - J'allais. (. . .) - Je viens. (. . .)

2 *Écris chacun des verbes au temps et à la personne demandés.*

crier *(2ᵉ pers. sing. futur simple)* - envoyer *(3ᵉ pers. plur. présent)* - boire *(1ʳᵉ pers. sing. passé simple)* - réunir *(1ʳᵉ pers. plur. imparfait)* - venir *(3ᵉ pers. plur. passé simple)* - faire *(2ᵉ pers. plur. présent)* - entendre *(2ᵉ pers. sing. passé simple)* - savoir *(1ʳᵉ pers. sing. futur simple).*

3 *Même exercice.*

lier *(2ᵉ pers. plur. imparfait)* - vivre *(1ʳᵉ pers. sing. passé simple)* - apercevoir *(1ʳᵉ pers. sing. futur simple)* - écrire *(1ʳᵉ pers. sing. passé simple)* - remuer *(3ᵉ pers. plur. futur simple)* - dire *(2ᵉ pers.* *plur. présent)* - aller *(3ᵉ pers. plur. futur simple)* - peindre *(3ᵉ pers. sing. présent).*

4 *Écris le premier verbe à l'imparfait, le second au passé simple.*

Le soleil *(se lever)* quand il *(partir).* - On *(vendanger)* lorsqu'il *(revenir).* - Elle *(descendre)* du train quand elle *(l'apercevoir).* - Nous *(finir)* de dîner lorsqu'ils *(arriver).* - Nous *(n'être)* plus que trois quand nous *(parvenir)* au sommet.

5 *Écris au futur simple.*

Tu étudies tes leçons. - Nous scions cette planche. - Avez-vous vu ce film ? - Il n'a pas couru après lui. - J'essaie de réussir.

6 *Écris au passé simple.*

Mon ordinateur tombe en panne. - Prennent-ils ce chemin ? - Elles applaudissent son exploit. - Je ne le sais pas. - Il fait de gros efforts.

L'attribut du sujet (1)

- *Observe :*
① **Leurs petits mentons finissaient en pointe.**
② **Leur bouche était petite.**
Fais l'analyse de ces phrases en GNS/GV.
- *À quel groupe appartient l'adjectif qualificatif petits en* ① *? petite en* ② *?*
Peut-il être supprimé en ① *? en* ② *?*
Que peux-tu en conclure ?
- *Mets la phrase* ② *au pluriel.*
Quelle remarque peux-tu faire ?
Cherche dans le texte des exemples semblables à ②*.*

D'ÉTRANGES CRÉATURES

Je sentis alors d'autres petits et tendres tentacules sur mon dos et mes épaules. Ils voulaient se rendre compte si j'étais bien réel…

Il y avait dans les manières de ces jolis petits êtres quelque chose qui inspirait la confiance, une gracieuse gentillesse, une certaine aisance puérile. Et d'ailleurs ils paraissaient si frêles que je me figurais pouvoir renverser le groupe entier comme un jeu de quilles…

Examinant de plus près leurs traits, j'aperçus de nouvelles particularités dans leur genre de joliesse de porcelaine de Saxe. Leur chevelure qui était uniformément bouclée se terminait brusquement sur les joues et le cou ; il n'y avait pas le moindre indice de système pileux sur la figure ; et leurs oreilles étaient singulièrement menues. Leur bouche était petite, avec des lèvres d'un rouge vif, mais plutôt minces ; et leurs petits mentons finissaient en pointe. Leurs yeux étaient larges et doux…

H.G. WELLS, *La Machine à explorer le temps*, Éd. Mercure de France.

- **L'adjectif qualificatif attribut du sujet** est relié au sujet par l'intermédiaire du verbe *être* ou d'un verbe équivalent : *sembler, devenir, paraître, rester, demeurer, avoir l'air, passer pour.* Il exprime une qualité du sujet.

*Leurs yeux étaient **larges** et **doux**.*
P = GN₁ + V *être* + Adj.

- L'adjectif qualificatif attribut *s'accorde en genre et en nombre avec le sujet.*

*Leurs bouches étaient **petites**.*

---

1 *Souligne les adjectifs qualificatifs attributs.*

Les habitants étaient intrigués. - Ils s'approchèrent de l'étrange machine. - Leur attitude semblait pacifique. - Je demeurai calme. - Ces curieuses créatures n'étaient pas très grandes. - De longs tentacules glissaient vers moi.

2 *Souligne les adjectifs attributs et les sujets auxquels ils se rattachent.*

La surprise devint générale. - De grands édifices s'élevaient devant moi. - Les voix lointaines étaient de plus en plus nettes. - Cette créature avait l'air douce et paisible. - Mon geste parut timide.

3 *Écris quatre phrases dans lesquelles tu emploieras des adjectifs attributs. Varie les verbes.*

4 *Sur le modèle ci-dessous, transforme les phrases afin que l'adjectif épithète devienne attribut. Varie les verbes.*
Un épais brouillard nous entourait → Le brouillard qui nous entourait était épais.

De magnifiques vitraux ornaient la façade. - Une fragile bâtisse abritait cette famille. - Une colline boisée descendait jusqu'à la mer. - Une lumière irréelle éclairait la place. - D'inquiétants personnages venaient à ma rencontre.

5 *Même exercice.*

Jérôme raconte une histoire extraordinaire. - Le vaisseau spatial atteindra une vitesse fantastique. - Les astronautes effectueront un vol dangereux. - La station orbitale émet un appel de détresse. - Le centre de contrôle capte des signaux lumineux.

6 *Écris les phrases suivantes au pluriel. Souligne les adjectifs attributs.*

Cette machine explore le temps. - Le pilote semble inquiet. - Une impressionnante créature se dirige vers l'appareil. Elle ne paraît pas menaçante. Elle me regarde ; je passe pour gigantesque. L'échange devient amical.

7 *Écris, entre parenthèses, la fonction de chaque adjectif qualificatif : épithète -attribut - apposé.*

Effrayée, (…) la petite (…) créature resta silencieuse (…). - Immobile, (…) l'énorme (…) engin paraissait abandonné (…). - La puissante (…) machine, invulnérable, (…) était très mystérieuse (…). Étranges, (…) ces petits êtres tentaculaires (…) demeuraient inoffensifs (…).

8 *Relève les adjectifs qualificatifs des phrases ci-dessous, puis donne pour chacun d'eux : le genre, le nombre et la fonction.*

Cette étonnante machine permettait de longs voyages dans le temps. Les découvertes étaient surprenantes. L'avenir devenait accessible.

9 *Fais deux groupes, en distinguant :* ① *… temps composé d'un verbe conjugué ave… l'auxiliaire* **être,** ② *l'adjectif attribut.*
Ex. : **Elle est** *tombée* (verbe *tomber*). **- Elle e…** *obéissante* (attribut).

Tu seras arrivée. - J'étais inquiète. - Il sera gent… - Nous sommes venus. - Vous êtes fatigués. - Ell… fut tranquille. - Vous serez partis. - Je su… stupéfait. - Il est entré. - Nous sommes attentifs…

10 **Les habitants sont pacifiques.** *Écris cet… phrase de toutes les façons possibles en ga… dant sa fonction d'attribut à l'adjectif.*

11 *Complète chaque adjectif attribut par u… GNP complément de l'adjectif.*

Philippe est satisfait . . . . - Les coureurs sont prê… . . . . - Ces fruits mûrs semblent bons . . . . - Lo… a l'air surpris . . . . - Nathalie paraît très heureus… . . . .

12 *Transforme chacune des phrases afin qu… l'adjectif attribut devienne épithète.*
Ex. : **Le château que nous visitions éta… ancien → Nous visitions un** *ancien* **château…**

La promenade que nous avons faite était agréa… ble. - Le torrent qui traversait le village paraissa… paisible. - Les hirondelles qui nichaient sous le to… étaient très bavardes. - La rue où tu habite… devient bruyante. - La route qui longe le bord d… mer est dangereuse.

13 *Récris chaque phrase en remplaçant le GN… et l'adjectif attribut par un pronom.*
Ex. : **Ces oisillons étaient affamés → I… l'étaient.**

Cette vieille chatte devenait jalouse. - Cet exercic… semble difficile à Julien. - Ces paysages son… pittoresques. - Ces déclarations paraissent sur… prenantes. - Les fleurs de son jardin son… magnifiques.

14 *Donne la nature, le genre, le nombre et l… fonction des mots soulignés.*

L'étrange créature reste muette ; elle l'observe…

Former un nom
à partir d'un adjectif

APRÈS LA MALADIE

Geneviève relevait d'une maladie qui l'avait obligée à garder la chambre pendant deux mois. Elle avait grandi ; sa figure était pâle. Sa vivacité coutumière semblait avoir fait place à une gaucherie un peu touchante. Point de timidité encore, mais une étrange maladresse. Ses cheveux, qui d'abord tiraient sur le roux, avaient perdu leur éclat, et on les avait noués sur la nuque, d'un court ruban. Le visage amaigri montrait un air de lassitude, mais très tendre...

HENRI BOSCO, *Le Mas Théotime*, Éd. Gallimard.

Relève des noms formés avec les suffixes -ité, -esse, -erie. Explique leur formation.

• *Trouve des noms à partir des adjectifs* tendre, pâle.

• On peut dire : *Geneviève est timide, maladroite, gauche.* Et parler de : *la timidité, la maladresse et la gaucherie de Geneviève.*
À partir de l'adjectif, on peut former des noms en ajoutant des **suffixes :** *-ité, -esse, -erie* ou encore *-itude : las, lasse → lassitude.*

• Le radical est souvent transformé : *mou → mollesse ; mûr → maturité.*

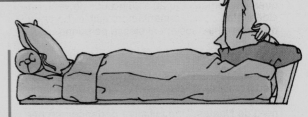

---

1 *Retrouve l'adjectif.*

la culpabilité	→ ...	l'inquiétude	→ ...
la chaleur	→ ...	la loyauté	→ ...
la surdité	→ ...	la proximité	→ ...
l'élégance	→ ...	la solitude	→ ...
l'amabilité	→ ...	la certitude	→ ...
la maturité	→ ...	l'étanchéité	→ ...
la notoriété	→ ...	la promptitude	→ ...

2 *Trouve le nom formé à partir de l'adjectif. Quels sont les deux nouveaux suffixes ?*

tendre	→ ...	responsable	→ ...
hardi	→ ...	stupéfait	→ ...
nerveux	→ ...	abondant	→ ...
léger	→ ...	chaud	→ ...
précis	→ ...	proche	→ ...
coquin	→ ...	galant	→ ...
gourmand	→ ...	toxique	→ ...

3 *Relie adjectif et nom correspondant.*

muet ●	● la calvitie
mou ●	● la cécité
chauve ●	● la mollesse
sourd ●	● le mutisme
aveugle ●	● la luminosité
lumineux ●	● la surdité

Relève tous les suffixes utilisés dans la leçon.

4 *Complète les phrases : l'adjectif permet de trouver le nom.*

La ... *(Les élections sont proches.)* a survolté les candidats. - L'absence de nouvelles a augmenté ... *(Ma mère est inquiète.)* - Le mauvais temps n'a pas diminué la ... *(Les cascadeurs sont hardis.)*

Les passagers ont été sauvés grâce à la ... *(Les secours ont été rapides.)* - L' ... *(La route est étroite.)* a causé des bouchons dans la circulation.

La ... *(Le clown est drôle.)* déchaîne le rire des enfants. - Les journalistes ont remarqué la ... *(Ce moteur est puissant.)* - L'accusé a obtenu l' ... *(Le tribunal est indulgent.)*

5 *Complète les phrases :*

Les clients apprécient ... *(La vendeuse est gentille et compétente.)* - La ... *(Ce vase est beau et fragile.)* en font un objet très surveillé. - La ... *(Les trains français sont rapides et exacts.)* sont connues du monde entier.

Préciser les circonstances

1 *Sur les thèmes donnés, en utilisant les questions posées, écris des phrases comportant des compléments circonstanciels.*

— La Révolution française. (où ? quand ? comment ?)
— Les grandes inventions. Cite un exemple que tu connais. (par qui ? où ? quand ? comment ?)
— Les débuts de l'aviation. (qui ? où ? quand ?)
— La conquête de l'espace. (par qui ? quand ? comment ?)

Le titre informatif

2 *Parmi ces trois titres, écris le plus informatif (celui qui donne le plus d'informations).*

— Première étape du Tour de France.
— Abdoujaparov gagne l'étape.
— Abdoujaparov gagne la première étape du Tour de France.

3 *Pour cet article, propose un titre informatif indiquant l'événement et les circonstances dans lesquelles il s'est produit.*

Un troisième incident, grave, cette fois, a touché un des vingt concurrents de la course à la voile Nantes-Porto-Pornichet. Alors qu'il était en tête, jeudi, au pointage de 15 heures, *Sol Dive* a brusquement démâté. Par 20 à 25 nœuds de vent, l'incident était complètement imprévisible. La chute du mât n'a heureusement blessé personne.

4 *Même exercice.*

Pendant une année scolaire, l'opération Ruban bleu a mobilisé 30 classes et environ 1 000 enfants des quatre communes de la vallée du Gesvres, au nord de Nantes. Une initiative pédagogique née à l'initiative de la maison de la nature de La Chapelle-sur-Erdre, et soutenue par le Conseil général dans le cadre des contrats verts.

Jeu poétique

5 *Rimes riches et rimes pauvres.*

● *Quand on entend seulement la voyel finale identique, c'est une rime* **pauvre.**

Ex. : **grand/blanc [ã].**

● *Quand on entend la voyelle finale, plus ur consonne avant et une consonne après, c'e une rime riche.*

Ex. : **vitrail/corail [rɑj].**

● *Cherche des rimes riches pour :*

silence - douceur - solitude - abeille.

● *Choisis d'autres mots et cherche des rime riches.*

Reconstitution de texte

6 LETTRE À UN AMI

Le lendemain, en sortant de l'école, j'allai a bureau de tabac, et j'achetai une très belle feuill de papier à lettres. Elle était ajourée en dentell sur les bords, et décorée, en haut à gauche, pa une hirondelle imprimée en relief, qui tenait dan son bec un télégramme. L'enveloppe, épaisse e satinée, était encadrée par des myosotis.
Dans l'après-midi du jeudi, je composai longue ment le brouillon de ma réponse...
Je relus deux fois ma prose, et j'y apporta quelques corrections de détail ; puis, armé d'un plume neuve, je la recopiai, un buvard sous l main et la langue entre les dents.

MARCEL PAGNOL, *Le Château de ma mère*, Éd. Pastorelly

L'accord du participe passé (1)

AU BORD DU CRATÈRE

Relève les participes passés du texte employés :
– sans auxiliaire ;
– avec l'auxiliaire avoir ;
– avec l'auxiliaire être.
Rappelle les règles d'accord selon ces différents emplois.

Tassé sur les hanches, épaules levées, cou rentré, menton en l'air, derrière effacé, je scrutais au-dessus de moi cette voûte de sinistres piaulements. Tout autour, en une succession de « plop » étouffés, des bombes s'écrasaient, pâteuses encore…

Tout à coup les vrombissements s'espacèrent. Quelques sifflements encore : l'averse avait pris fin.

Avez-vous imaginé l'état d'âme d'un escargot sortant de sa coquille, après le danger ? Ainsi, ma tête engoncée se dégagea progressivement du cou, mon dos courbé se redressa… Bon ! il s'agissait de ne pas traîner dans le secteur… Je me remis en marche. Déjà les trois quarts du cratère étaient contournés…

HAROUN TAZIEFF, *Cratères en feu*, Éd. Arthaud.

• Le **participe passé** employé **sans auxiliaire** s'accorde comme l'adjectif, avec le nom qu'il accompagne :
*Le cou **rentré** ; les épaules **levées**.*

• Le participe passé employé **avec l'auxiliaire *être*** s'accorde en genre et en nombre **avec le sujet :**
*L'éruption n'était pas **prévue**. Les secours sont **attendus**.*

• Le participe passé employé **avec l'auxiliaire *avoir*** ne s'accorde jamais avec le sujet :
*L'éruption a **commencé** - Les habitants ont **fui**.*

---

1 *Accorde les participes passés comme il convient.*

Une bombe *(attardé)* me frappe dans le dos ; j'en ai le souffle *(coupé)*. Les yeux *(fermé)*, j'avance vers une partie moins *(exposé)*. Des gaz *(empoisonné)* s'échappent du sol *(fissuré)*.

2 *Même exercice. Attention, le participe passé n'est pas toujours placé près du nom avec lequel il s'accorde.*

(Secouru) rapidement, les villageois quittaient leurs maisons *(menacé)* par la lave. *(Suspendu)* au-dessus du cratère, sans cesse *(reformé)*, une épaisse fumée obscurcissait le ciel. *(Entouré)* de murs brûlants, les volcanologues, *(enfoui)* dans leurs combinaisons spéciales, avançaient lentement.

3 *Accorde les participes passés employés avec l'auxiliaire être.*

Les volcanologues étaient *(parvenu)* au bord du cratère ; ils étaient *(bombardé)* de masses brûlantes et visqueuses. La forêt avait été *(touché)* ; tous les arbres étaient *(abattu et brûlé)*. Des paysans sont *(installé)* sur les pentes volcaniques car le sol est *(enrichi)* par la lave.

4 *Écris les participes passés employés avec l'auxiliaire avoir.*

L'explosion a *(pulvérisé)* le bouchon de lave. Une coulée visqueuse a *(dévalé)* la pente abrupte et a *(franchi)* le torrent. Les eaux ont *(bouillonné)*. Certains ont tout *(perdu)*. Les volcans ont *(causé)* bien des catastrophes.

5 *Dictées à préparer.*
• *Autodictée : Les deux premiers paragraphes du texte d'étude.*

• UN CHASSEUR MAL EN POINT.
Ghur était allongé sur la neige, enveloppé dans plusieurs peaux d'ours. Ses paupières étaient fermées, ses dents claquaient continuellement. Avec la nuit franchement venue, il avait cessé de parler comme de voir… Il était là, allongé comme une bûche, avec dans ses chairs toutes les marques du froid, et pourtant une peau brûlante… Accroupis en cercle autour du chef terrassé, les chasseurs ne disaient mot.

Pierre Pelot, *Les Légendes de la terre*, G.P. Rouge et Or.

Révision : les temps composés de l'indicatif

C o n j u g a i s o n

EN DANGER

- *Lis le texte.*
- *Relève les verbes écrits :*
- *— au passé composé,*
- *— au plus-que-parfait.*
- *Conjugue chacun d'eux au temps auquel il est employé.*

Un moment, j'ai cru que j'étais sauvé. Je ne sais pas sur quoi j'avais posé le pied, mais soudain, j'ai pu sortir le menton. Quel bonheur de respirer ! Je respirais à pleine bouche. J'avalais l'air sans prendre le temps de le goûter. Je le dévorais comme si, de nouveau, il allait me manquer. J'ai bien fait, car, un pas de plus, et je retombais dans la vase jusqu'aux yeux. Mon pied avait glissé sur l'écorce, mon autre pied m'a sauvé. Sous moi, l'arbre était solide. Il n'avait pas bougé, j'en étais sûr.

JEAN-CÔME NOGUÈS, *Le Mammouth et la Châtaigne*, Éd. G.P.-Rouge et Or

- Le **mode indicatif** est formé de **quatre temps composés :**
- Trois temps passés :
- — **le passé composé :** *J'ai pu* sortir le menton,
- — **le plus-que-parfait (*) :** *J'avais posé* le pied…
- — **le passé antérieur (*) :** Quand *j'eus terminé*, je partis.

- Un temps futur :
Le futur antérieur (*) : Quand *j'aurai terminé*, je partirai.

---

1. *Indique, entre parenthèses, le temps de chacun des verbes.*

J'ai sonné. (. . .) - Je suis arrivé. (. . .) - J'avais écouté. (. . .) - Nous sommes restés. (. . .) - Elles sont venues. (. . .) - Nous étions partis. (. . .) - Tu avais entendu. (. . .) - Ils avaient perdu. (. . .) - J'ai eu. (. . .) - Vous êtes allés. (. . .)

2. *Écris chacun des verbes au temps et à la personne demandés.*

prendre *(2ᵉ pers. sing. p. composé)* - faire *(3ᵉ pers. plur. pl.-que-parfait)* - venir *(1ʳᵉ pers. plur. p. composé)* - aller *(3ᵉ pers. plur. p. composé)* - savoir *(1ʳᵉ pers. sing. p. composé)* - mettre *(3ᵉ pers. sing. pl.-que-parfait)* - réussir *(2ᵉ pers. plur. p. composé)* - travailler *(1ʳᵉ pers. plur. p. composé)*.

3. *Même exercice.*

savoir *(2ᵉ pers. plur. pl.-que-parfait)* - partir *(2ᵉ pers. sing. p. composé)* - avoir *(3ᵉ pers. plur. pl.-que-parfait)* - apprendre *(1ʳᵉ pers. sing. p. composé)* - vendre *(2ᵉ pers. sing. pl.-que-parfait)* - recevoir *(3ᵉ pers. plur. p. composé)*.

4. *Écris au passé composé.*

Tu fais du cross. - Il prend le train. - Avez-vous froid ? - Il court après lui. - Il ne grandit pas vite. Il n'écoute pas les conseils.

5. *Écris au plus-que-parfait.*

Sa voiture tombe en panne. - Tu prends ce chemin. - Ils garnissent le sapin. - Il écoute un disque. - Elles ne viennent pas. - Ils vont en Italie.

Le journal : l'article

Fuite de fuel à l'usine

*Lis cet article
d'un quotidien.
Recopie son titre.
Récris la légende
de la photographie
qui illustre l'article.
Relève les informations
et classe-les : de quoi
s'agit-il ?
Où cela s'est-il passé ?
Quand ? Comment ?*

Les pompiers ont dû intervenir pour nettoyer le site. (Photo Daniel)

Les pompiers de la CUB ont été appelés hier matin peu après 10 h 30 à l'usine Lactel (produits laitiers), 263, rue de la Benauge à Bordeaux, pour une fuite d'hydrocarbure. Effectivement du fuel s'était échappé d'un bac de rétention placé sous une cuve, afin d'en recueillir des fuites éventuelles. Il se trouve que la pluie avait rempli le bac et que le fuel qui se trouvait à la surface s'est déversé à terre.

Pas des quantités, une trentaine de litres seulement, mais assez pour justifier le déplacement des pompiers avec tout le matériel adéquat (deux véhicules incendie, un de détection et de lutte antipollution) et il a fallu procéder au nettoyage du site avec des produits absorbants et au rinçage, ce qui a pris quand même deux bonnes heures.

Sud-Ouest, 24-05-1994.

Pour **rédiger un article,** il faut :

● donner les **informations essentielles** en répondant aux questions suivantes :
— De qui ou de quoi parle-t-on ? → *D'une fuite de fuel.*
— Où cela s'est-il passé ? → *À l'usine Lactel.*
— À quel moment ? → *Hier matin, peu après 10 h 30.*
— Dans quelles circonstances ? → *Du fuel s'était échappé d'un bac de rétention…*

● trouver **un titre bref et précis :** *Fuite de fuel à l'usine ;*

● respecter la chronologie des événements ;

● utiliser les temps du passé (imparfait, passé composé, etc.) ;

● illustrer l'article par **une photo légendée,** quand c'est possible.

1. *En t'inspirant de l'article que tu viens d'analyser, tu vas en écrire un autre qui rendra compte d'un incendie dans un magasin. Pour t'aider, voici quelques indications.*

• Donne toutes les informations nécessaires, mais ne fais pas un texte trop long. N'oublie pas de donner des précisions sur le lieu (adresse, nom du magasin...), le moment (date, heure, durée...), les circonstances (comment c'est arrivé, qui a donné l'alerte, qui est intervenu, comment ça c'est terminé...).

• Trouve un titre simple et clair. N'oublie pas de l'écrire en caractères plus gros que ceux du texte.

• Imagine la photo et sa légende.

2. *Trouve un titre pour chacun des trois faits divers suivants.*

• N'oublie pas qu'un titre doit être bref et clair (phrase verbale ou nominale).

---

① ■ Dimanche, vers 15 heures, sur le sentier du lac d'Ayous, en vallée d'Ossau (64), un randonneur girondin, M. Pierre Dupont, 50 ans, domicilié à Lignan-de-Bordeaux, s'est fracturé une jambe. Il a été transporté à l'hôpital d'Oloron-Sainte-Marie par l'hélicoptère de la Sécurité civile.

D'après *Sud-Ouest*, 24-05-94.

---

② ■ Le club Randonneige de Biganos organise le dimanche 29 mai la 4e Foulée boïenne. Course ouverte à toutes et à tous, licenciés, non licenciés, place de la mairie à Biganos.
9 h 30 : course de 1,8 km poussins et benjamins ; 10 heures : 15 km toutes catégories.
Classement informatique sur la ligne d'arrivée.
Engagement : 20 F pour les 1,8 km, 40 F pour les 15 km. Nombreux prix.

D'après *Sud-Ouest*, 24-05-94.

---

③ ■ Un planeur et un avion se sont écrasés samedi sur des terrains industriels de la ville de Goerlitz, dans l'est de l'Allemagne.
Les quatre occupants de l'avion et le passager du planeur ont été hospitalisés d'urgence. Les circonstances du drame n'étaient pas encore éclaircies hier. Il était notamment impossible de dire avec certitude si les deux appareils se sont heurtés en vol.

D'après *Sud-Ouest*, 24-05-94.

---

3. *Choisis l'un de ces titres et écris, en une quinzaine de lignes, l'article correspondant.*

• N'oublie pas de tenir compte des conseils qui t'ont été donnés dans l'encadré de la page précédente.

> **UNE CENTENAIRE AU VILLAGE**

> IMPORTANTS DÉGÂTS À LA SUITE DE VIOLENTS ORAGES

> *Un jeune champion*

> **Une mode pleine de nouveautés**

> ATTAQUE À MAIN ARMÉE À LA POSTE

4. *Rédige, pour chacune de ces photos de presse, l'article qui pourrait l'accompagner.*

• Pense bien :
— aux précisions indispensables (quoi ou qui ? lieu, moment, circonstances ?) ;
— au titre (bref et précis) ;
— à la légende de la photo.

• Relis bien ce que tu auras écrit avant de le donner au rédacteur en chef. Tu pourras lire ta production aux autres journalistes qui te donneront leur avis.

Bilan 2

Chaque fois que tu as réussi l'exercice, tu marques le nombre de points indiqué sur le domino.
Tu fais le total de tes points à la fin.
Si tu ne réussis que la moitié de l'exercice, tu ne marques que la moitié des points !

Grammaire

1 *Souligne le complément d'objet de chaque phrase et indique sa nature (COD ou COI).*

Cette revue est consacrée à l'aviation. — En 1927, Lindbergh réussit la traversée de l'Atlantique. — Les frères Montgolfier inventèrent les ballons à air chaud. — Ce satellite servira aux télécommunications. — Longtemps, je me souviendrai de mon baptême de l'air.

2 *Même exercice.*

Philippe offre un livre à Julien. — Isabelle organise une sortie avec ses élèves. — Dany a inscrit Nathalie à un cours de danse. — Sophie parle de son voyage à Sylvain.

3 *Remplace les GN sujets et les GN compléments d'objet par les pronoms qui conviennent.*

Le brouillard ralentit la circulation. — La météo annonce une amélioration. — De nombreuses autoroutes sillonnent le pays. — Les touristes renoncent à cette excursion. — Virginie et Nicolas parlent de leur voyage.

4 *Récris chaque phrase après avoir changé ses deux déterminants.*

La route conduit au château-fort. — Des enfants répètent une pièce de théâtre. — De gros nuages noirs annoncent l'orage. — Le vent violent abat le chêne centenaire. — Notre maison est située sur la colline.

5 *Récris les GN de chacune des phrases et souligne les adjectifs qualificatifs.*

Dans ce jardin s'épanouissaient des fleurs merveilleuses. Ici, des abeilles butinaient de magnifiques roses rouges. Là, des papillons voletaient dans l'air parfumé. De gros nénuphars étoilaient la surface du bel étang. Tout un peuple d'oiseaux bavards habitait le gros cerisier.

6 *Souligne les GN prépositionnels des phrases suivantes.*

La tour de contrôle capte le message du pilote. — Les passagers de l'Airbus attachent leur ceinture de sécurité. — La conquête de l'espace a fait de nombreuses victimes. — Le vaisseau spatial quitte sa rampe de lancement.

7 *Complète le GNS par une proposition relative. Varie les pronoms relatifs.*
Ex : Le livre lui plaît beaucoup. → Le livre qu'on lui a offert lui plaît beaucoup.

Ce petit village est pittoresque. — Le train part à neuf heures. — Les nouvelles ne sont pas bonnes. — Cette histoire semble incroyable.

8 *Écris quatre courtes phrases dans lesquelles le GNS répondra successivement aux schémas suivants :*

1 → D + N + Adj.   2 → D + N + GNP
3 → D + N + GNP + Adj.   4 → D + N + Prop. relative.

9 *Indique la nature, le genre, le nombre et la fonction des mots ou groupes de mots soulignés.*
Ex : L'alpiniste atteignait le sommet.
Le sommet : groupe nominal, masculin singulier, COD du verbe atteindre.

Les chamois gravissaient la pente rocheuse. — Nous les observions.

10 *Transforme chaque phrase afin que l'adjectif épithète devienne attribut. Varie les verbes attributifs.*

Nous avons assisté à un étonnant spectacle. — Rémi habite un immeuble bruyant. — Les déchets de cette usine provoquent une importante pollution. — Ce géant possédait une musculature redoutable.

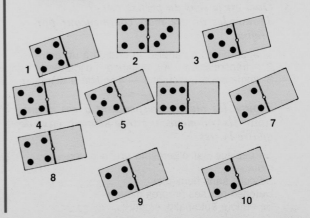

Vocabulaire

1 *Trouve les adjectifs :*

On ne peut le casser ; il est .... — Elle n'a pas d'odeur. — Il ne peut se déformer. — Il ne laisse pas passer l'eau. — On ne peut pas le lire.

Quels sont les préfixes utilisés ?
Quels sont les suffixes utilisés ?

2 *Dans les phrases suivantes, indique si le mot en italique est employé au sens propre (s.p.) ou au sens figuré (s.f.).*

Un verre d'eau *fraîche* désaltère bien. (...) — La nuit sera *fraîche*. (...) — Nous aurons des nouvelles *fraîches*. (...) — Cette chaussure est trop grande pour son *pied*. (...) — Arrêtons-nous au *pied* de la montagne. (...) — Paul a trop marché, il a une ampoule au *pied*. (...) — Dans la forêt de sapins, il fait *sombre*. (...) — Cet homme ne sourit jamais, il a un caractère *sombre*. (...)

3 *Dans chaque famille, sépare le radical et le suffixe :*

— éclater, éclatant, éclatement
— muraille, murette, murer, mural
— planter, planteur, plantation
— spécialement, spécialiste, spécialité
— crémeux, crémerie, crémier
— coller, collant, collage
— électricité, électricien, électrique, électrocuter.

4 *Trouve des synonymes du langage courant pour ces mots ou expressions du langage familier :*

Elles sont chouettes. — Ça sera rigolo ! — Je l'ai senti passer. — Un bouquin — Ce type — Bousiller le moteur — Offrir un pot — La frousse.

5 *Trouve des adjectifs de sens plus fort. Emploie-les dans une phrase.*

laid, froid, content, long, gros, pauvre, surpris, petit, belle, mouillée.

6 *Quel est le sens du préfixe* **télé-** *?*
Trouve les quatre mots commençant par ce préfixe.

1. appareil pour parler d'un endroit à un autre — 2. transmission à distance d'images — 3. commandé à distance — 4. guidé à distance.

7 *Trouve les mots correspondant à ces définitions. Ils commencent par le même préfixe de quatre lettres.*

Se déplace par elle-même grâce à son moteur :   l'...
Se colle sans humecter :   un ...
Défense par ses propres moyens :   l'...
Se nettoie automatiquement :   ...

8 *De quels homonymes s'agit-il ? Le second a un accent circonflexe :*

Le jardin est entouré d'un ... en pierre. — Quand le raisin est ..., on peut le manger.
Pose ton verre ... la table. — Je suis ... de gagner.
Je suis plus ... que toi, j'ai deux ans de moins. — Le médecin a recommandé de ne pas manger : il faudra faire un ... de deux jours.
Il a fait une ... de graisse sur son pantalon neuf. — Ce n'est pas une ... facile de réussir à ce concours.

9 *Trouve le nom formé à partir de l'adjectif :*

humide, fin, frais, tendre, puissant, inexact, familier, incertain, rusé, fier.

10 *Retrouve l'adjectif :*

La gentillesse, la responsabilité, l'élégance, la fidélité, la modestie, la perfection, la souplesse, la loyauté, la culpabilité.

11 *La famille du mot* **sable.**

jeter du sable
couvert de sable
lieu où l'on extrait du sable
petit appareil contenant du sable et qui sert à mesurer le temps
parce que le sable s'y est accumulé

sable
....
....
....
....

préfixe radical suffixe

12 *Sépare le radical, le préfixe et le suffixe :*

sur-(gel)- er - aplatir - supersonique - enrichir - représentation - injustice - regroupement - malheureusement - dénombrement.

Orthographe

1 *Complète comme il convient :*

Du pât... au poivre — la pât... du chien — la moit... d'une pomme — un superbe voili... — l'extrémit... de la jet... — le couch... de soleil.

2 *Souligne le sujet et accorde le verbe au présent de l'indicatif.*

Nous la lui donn.... — Tu le lui di.... — Elles me les offr.... — Vous ne le fai... pas. — Tu les leur envoi.... — Je la lui écri....

3 *Complète par* **tout** *ou* **tous.**

Nous recevrons ... nos correspondants. — Il a classé ... ses timbres. — Ces nuages sont ... noirs. — Nous allons à la piscine ... ensemble. — ... ont répondu à la question. — Ses cheveux sont ... blancs.

4 *Écris au masculin.*

Ma curieuse tante Renée — la nièce de ma cousine germaine — la gentille monitrice de la colonie — Danielle, la marraine de ma sœur — une grande musicienne polonaise — cette actrice internationale.

5 *Écris au singulier.*

Les festivals annuels nationaux — les doux bercements des trains rapides — des éventails somptueux recouverts de bijoux — ces travaux fabuleux réalisés par les Romains.

6 *Chasse l'intrus. Justifie ton choix.*

- chandail - rail - éventail - détail - corail.
- général - carnaval - métal - animal - rival.
- écrou - verrou - trou - pou - clou.

7 *Accorde les participes passés comme il convient.*

(Enseveli) sous une couche de cendres, la ville de Pompéi a *(disparu)* pendant plusieurs siècles. — Les habitants furent *(saisi)* d'effroi. — La lave ici a *(consumé)* la brousse, libérant notre marche des mille obstacles *(griffu)*.

Conjugaison

1 *Écris à l'imparfait.*

Nous étudions ce projet. — Vous dépliez la nappe. — Nous nous associons à eux. — Vous ne choisissez pas ce livre. — Envoyons-nous cette lettre ? — Vous payez votre place.

2 *Mots croisés.*

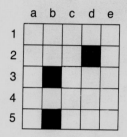

1. Verbe *savoir* au futur.
2. *Nés* en désordre.
3. On le respire pour vivre.
4. Verbe *agir* au futur.
5. Il est souvent de sable.

a. Verbe *être* au futur.
b. Il dure 365 jours.
c. Verbe *user* à l'imparfait.
d. Verbe *aller* au futur.
e. Verbe *avoir* au futur.

3 *Écris chaque phrase :*
1) au passé composé.
2) au plus-que-parfait.

Je reçois de ses nouvelles. — Chantal et Claire vont à la piscine ensemble. — Cette année, ils apprennent l'anglais. — L'entraîneur réunit tous ses joueurs. — Ce train part à sept heures. — Qui m'offre ces fleurs ?

4 *Écris le verbe entre parenthèses au passé simple.*

Dès qu'il l'*(apercevoir)*, il lui *(faire)* signe. — Dix heures sonnaient quand il *(entrer)*. — On ne *(parvenir)* pas à la convaincre. — Elle *(tenir)* bon et *(refuser)* de répondre. — Nous *(recevoir)* rapidement de ses nouvelles. — Il *(être)* absent pendant quelques jours.

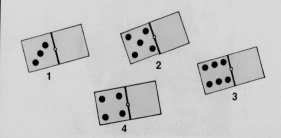

Production de textes

1 *Choisis l'un des trois personnages célèbres suivants. Écris les questions que tu aimerais lui poser.*

Indiana Jones (Harrison Ford).

Batman (Michael Keaton).

La chanteuse Patricia Kaas.

2 *Récris correctement cette entrevue.*

— Et les études ? Je veux dire, vous en avez fait
— Ben, j'ai passé mon bac... J'ai pas eu trop d
mal, ça s'est plutôt bien passé, j'y croyais pas trop
parce que j'avais pas trop bossé, tu vois ce qu
je veux dire... Après, j'ai un peu essayé...
l'Université... Je me suis inscrit... Bon, mais c'étai
pas trop mon truc, quoi... Enfin, bon, j'ai essayé
j'ai fait deux ans, mais pas terrible, tu vois...
J'avais pas trop l'habitude de travailler.
— C'est pas un bon exemple, non ?
— Bon, ben, tu vois, y avait la télé... J'étais dingu
de télé. Je regardais la télé jusqu'à... Bon, enfin
tard, si tu vois ce que je veux dire...

3 *Imagine que tu es un champion (ou un
championne) de patinage artistique, ou d'es
calade, ou d'un autre sport...*

● *Écris les réponses que tu ferais aux ques
tions suivantes, telles qu'elles pourraient s
trouver dans un journal ou une revue.*

— Avez-vous commencé très tôt ?
— Qui vous a fait commencer cette activité ?
— Quel est votre meilleur souvenir ?
— Et le plus mauvais ?
— Aimeriez-vous être champion (championne) d
monde ?
— Quels sont les côtés agréables de votre sport ?
— Et les côtés désagréables ?
— Quels conseils donneriez-vous à ceux qui veu
lent commencer ?

Surya Bonaly

4 *Tu es le rédacteur en chef du journal de Troubignou, une toute petite ville. Tu dois composer la première page.*

• *Imagine le nom du journal. Tu peux même le dessiner.*

• *Voici quelques événements qui se sont déroulés le même jour :*

— Le maire de Troubignou démissionne au cours du conseil municipal.
— La foudre est tombée sur la caserne des pompiers.
— Le club de rugby a battu celui de Totoucau.
— Une habitante a donné naissance à des quintuplés.
— Le Premier ministre est en voyage au Groenland.

• *Rédige des titres à partir de ces informations.*

• *Classe les titres par ordre d'importance et dispose-les sur la première page.*

• *N'oublie pas que ce sont les habitants de la ville qui sont tes lecteurs !*

5 *Choisis deux de ces trois photos de presse et écris, pour chacune, l'article qui pourrait l'accompagner.*

• *Pense bien :*
— *aux précisions indispensables (quoi ou qui ? lieu, moment, circonstances ?) ;*
— *au titre ;*
— *à la légende de la photo.*

Patrick Bruel.

6 *Deux journalistes ont envoyé chacun un article. Le premier avait pour titre : « Cérémonie du 14 juillet », l'autre : « Inauguration du nouveau stade ». Le compositeur a tout mélangé en un seul article.*

• *Reconstitue les deux articles. Les temps des verbes peuvent t'aider en cas de doute.*

Pour célébrer la fête nationale, la municipalité avait invité la population à une grande manifestation sur le champ de foire. Les travaux du nouveau stade sont enfin achevés. L'inauguration aura lieu dimanche 7 juillet. Dès 9 heures, les sapeurs-pompiers et les majorettes ont défilé sur la place de l'Hôtel-de-Ville. Monsieur le préfet prononcera un discours et rendra hommage aux efforts de notre municipalité. Ce stade accueillera toutes les manifestations sportives. La fanfare a joué en l'honneur des enfants de la ville morts pour la patrie. Il est même prévu d'y donner des concerts. Toute la jeunesse de notre ville se réjouit de disposer enfin d'un lieu où elle se sentira chez elle. Monsieur le maire et le conseil municipal au grand complet ont reçu leurs invités à un vin d'honneur.

Test - Bilan I

Tu entres en 6ᵉ l'année prochaine. Tu dois être capable de faire les exercices qui suivent.

Si tu obtiens de 40 à 50 points, tout va bien. De 30 à 40, tu dois redoubler d'efforts. Au-dessous de 30, revois vite les chapitres de ton livre correspondant aux exercices que tu n'as pas réussis. (Ton maître te conseillera.)

1 *Complète le texte avec les groupes sujets suivants :*

de hauts chevaux - la mélodie - qui - je - les syllabes

. . . se déployait avec lenteur ; . . . n'en finissaient plus d'étirer leur rumeur harmonieuse ; et soudain, . . . vis un grand paysage de collines avec . . . qui plantaient leurs sabots dans cette clarté ; je vis le petit sentier . . . glissait entre les cyprès.

(D'après MARC BERNARD, *Pareil à des enfants*, Éd. Gallimard)

5 points

2 *Pour chacune des phrases suivantes, indique la nature et la fonction du groupe souligné.*

L'éléphant plongeait <u>son énorme trompe</u> dans la mare.
L'étoile <u>que nous observions</u> brillait intensément.
Au coucher du soleil, les cimes enneigées devenaient <u>violettes</u>.
Sous la porte sifflait et ronflait <u>un vent hargneux</u>.
Nous avons commandé cet ouvrage <u>au libraire</u>.

5 points

3 *Remplace chacun des pronoms soulignés par un GN qui peut convenir.*

Le maître <u>les</u> leur distribue. — Je vais <u>la</u> <u>lui</u> raconter. — Je <u>lui</u> <u>en</u> offrirai. — Prête-<u>la</u>-<u>lui</u>. — Tu le <u>lui</u> ramèneras.

5 points

4 *Trouve les pronoms :*

On ne peut pas le boire. — Cela ne peut se réaliser. — On ne peut l'admettre. — On ne peut le réparer. — On ne peut y résister.

5 points

5 *De quels homonymes s'agit-il ? Le second a une lettre de plus à la fin :*

Elle porte un collier autour de son . . . . — Elle a donné un . . . de poing à son voisin.
Le bureau est placé dans un . . . de la pièce. — Le . . . est le fruit du cognassier, on en fait de la confiture.
Les violettes et les roses sentent . . . . — Le cheval a fait un . . . au-dessus de l'obstacle.
Les enfants jouent dans la . . . de l'école. — Notre entretien a duré un . . . instant.
Le pêcheur place un . . . à l'hameçon. — Le facteur passe d'habitude . . . dix heures.

5 points

6 *Complète les phrases à l'aide d'un groupe nominal.*

Vérifiez . . . .
(Les pneus sont usés.)
Mesurons . . . .
(La tour est haute.)
Contrôlez . . . .
(Votre toiture est étanche.)
Remarquez . . . .
(Cette dentelle est fine.)
Il faut montrer . . . .
(L'abeille est utile.)

5 points

7 *Écris au féminin :*

Ce jeune chien n'est pas très obéissant. Joueur, querelleur, il est peu craintif et son maître le rappelle souvent à l'ordre.

3 points

Récris en changeant le genre :

Madame Martin est une petite femme brune, ronde, courtoise et discrète. Elle est franche, vive, toujours prête à rendre service.

2 points

8 *Écris au singulier :*

Les animaux avançaient toujours. Les loups paraissaient énormes, plus grands qu'un homme ; leurs yeux jaunes reflétaient la lumière du feu, leurs flancs étaient creux et leurs cuisses maigres. Grognant, hurlant, aboyant, ils approchaient du camp, prudents mais pas effrayés.

(ROBERT SILVERBERG, *La Guerre du froid*, Éd. Hachette)

5 points

9 *Récris le texte au passé simple.*

Le soleil descendait vers l'eau de plus en plus vite. Le vent fraîchissait, l'île devenait violette. Dans le ciel, près de moi, un gros oiseau passait lourdement. Peu à peu la brume de mer montait.

(D'après A. DAUDET, *Lettres de mon Moulin*)

5 points

10 *Passé simple ou imparfait? Choisis pour chaque verbe le temps qui convient.*

Élisabeth traversa le jardin en courant, *(gravir)* l'escalier et *(glisser)* jusqu'à sa chambre. Elle *(aller)* s'avancer vers l'armoire quand ses jambes *(fléchir)*. Sur le mur, une énorme araignée *(s'étaler)* comme une tache d'encre. (D'après H. TROYAT)

5 points

3e partie
(unités 21 à 30)

Grammaire   **L'attribut . L'adverbe . Les compléments circonstantiels . La phrase complexe . Les subordonnées relatives, complétives, circonstantielles de temps**

Vocabulaire   **La dérivation . Les synonymes . Les sens d'un mot . Quelques champs sémantiques . Les emprunts**

Expression écrite   **Éviter la répétition . Corriger des phrases . Employer le style direct . Pontuer le dialogue . Raconter un fait . Repérer des indices . Trouver les mobiles . Rechercher le verbe précis . La chronologie . La simultanéité . Le retour en arrière . Créer une ambiance . Raconter un fait . Jeux poétiques . Reconstitutions de textes**

Production de textes   **Écrire un texte poétique . Le récit policier**

Orthographe   **L'adverbe . Le participe présent . Le participe passé . La consonne finale muette . Quelques homophones**

Conjugaison   **La transformation passive . La forme pronominale . L'impératif, le conditionnel, le subjonctif**

Sommaire de la 3ᵉ partie

Unité	Grammaire	Vocabulaire	Orthographe	Conjugaison
21	L'attribut du sujet (2)	Former un nom à partir d'un verbe	L'accord du participe passé (2)	La transformation passive
	Expression écrite	Éviter la répétition ; jeu poétique ; reconstitution de texte.		
22	L'adverbe	Autour du mot *forêt*	Les adverbes en *-amment* et *-emment*	La forme pronominale
23	Les compléments circonstanciels (1)	Les mots et les expressions imagées	Participe présent et adjectif verbal	Le présent de l'impératif (1)
	Expression écrite	Corriger des phrases ; employer le style direct ; ponctuer le dialogue ; jeux poétiques ; reconstitution de texte.		
	Production de textes	Écrire un texte poétique.		
24	Les compléments circonstanciels* (2)	Le vocabulaire des sciences et des techniques	Participe en *-é* ou infinitif en *-er* ?	Le présent de l'impératif (2)
25	La phrase complexe	Des mots de sens voisins : les synonymes	La consonne finale *muette*	Le présent du conditionnel (1)
	Expression écrite	Raconter un fait ; repérer des indices ; trouver des mobiles ; jeu poétique ; reconstitution de texte.		
26	Coordination et subordination	Les sens d'un mot	Participe passé en *-is* ou verbe en *-it* ? — Participe passé en *-u* ou verbe en *-ut* ?	Le présent du conditionnel (2)
	Production de textes	Le récit policier (1).		
27	Subordonnées : relative et complétive	Les bruits	Le sujet *qui*	Le présent du subjonctif (1)
	Expression écrite	Rechercher le verbe précis ; la chronologie ; la simultanéité ; le retour en arrière ; jeu poétique ; reconstitution de texte.		
28	Les subordonnées circonstancielles de temps	Le champ sémantique du mot *vert*	Distinguer le verbe du nom verbal	Le présent du subjonctif (2)
29	Récapitulation : propositions indépendante, principale, subordonnée	Les emprunts aux langues étrangères	Choisir entre des homophones : *peu, peux, peut — près, prêt— plus tôt, plutôt*	Les verbes impersonnels
	Expression écrite	Créer une ambiance ; raconter un fait ; jeu poétique ; reconstitution de texte.		
	Production de textes	Le récit policier (2).		
30	**Bilan 3 :** grammaire, vocabulaire, orthographe, conjugaison, production de textes			
	Test - Bilan II			

L'attribut du sujet (2)

UN HIVER PRÉCOCE...

● *Observe :*
① **Le voyage fut presque**
agréable.
② **La France était un pays**
tempéré.
— *A quel groupe*
correspondent les éléments
soulignés en ① *et en* ② *?*
Sont-ils essentiels dans ces
phrases ?
— *Quelle est la nature*
de chacun de ces groupes ?
Qu'expriment-ils ?
Par quel verbe sont-ils
introduits ? Quelle est
leur fonction ?
● *Observe :*
Nous étions **au début**
d'octobre.
Ce GN est-il attribut
du sujet ? Pourquoi ?

Jusqu'à Avignon, le voyage fut presque agréable, mais, passé cette ville, un ennemi surgit auquel nous n'avions pas pensé : le froid... Dans les compartiments, les gens avaient déjà leurs habits d'hiver, manteaux, gants, foulards, et nous, nous étions en estivants. Je n'aurais jamais cru qu'il y eût dans un même pays de telles différences de climat. J'avais appris rue Ferdinand-Flochon que la France était un pays tempéré, je pouvais certifier que c'était faux...

Nous étions au début d'octobre mais jamais un hiver ne fut aussi précoce que celui de cette année 1943. Les gens arpentaient les trottoirs pour se réchauffer mais le vent semblait venir de partout à la fois. Cette ville était un courant d'air glacial où malgré les superpositions[1], mes orteils me paraissaient être devenus de marbre dur. L'air passait par les manches de mes chemises, glissait le long des aisselles et j'avais la chair de poule depuis Valence.

Entre deux claquements de mâchoires, Maurice, frigorifié, arriva à articuler :

— Faut faire quelque chose, on va crever de pneumonie.

JOSEPH JOFFO, *Un sac de billes*, Éd. J.-C. Lattès.

1. Pour se protéger du froid, l'auteur a enfilé plusieurs paires de chaussettes.

● Le nom et le groupe du nom sont **attributs du sujet** lorsque :
— ils sont indispensables au GV,
— ils sont introduits par le verbe *être* ou un verbe équivalent,
— ils peuvent commuter avec un adjectif qualificatif,
— ils expriment la nature, la qualité ou la manière d'être du sujet.

La France est — *une terre d'asile.*
une démocratie.
accueillante.

● Dans la phrase : « *Nous étions au début d'octobre* », le GNP, qui n'exprime pas une qualité, une manière d'être du sujet, n'est pas attribut du sujet. Il en est de même pour les exemples suivants :
Mes amis sont dans le train. Leurs bagages sont là.

● Il ne faut pas confondre le C.O.D. avec l'attribut du sujet :
Julien attend le train (GN₂ C.O.D.)
Julien est un voyageur (attribut).

1 *Souligne les noms et les groupes du nom attributs du sujet.*

Avignon est une ville du Midi. - Le Rhône traverse Avignon. - Le palais d'Avignon fut la demeure des papes. - Il est construit sur les bords du Rhône. - On ne danse plus sur le pont d'Avignon. - Chaque année, le festival d'Avignon est un succès.

2 *Même exercice.*

Le mistral est le vent de la vallée du Rhône. - Le train reste un moyen de transport très utilisé. - Cet itinéraire semble le chemin le plus court. - Ce train est un omnibus. - Ce voyage fut une dure épreuve. - La Provence est devenue un lieu de villégiature.

3 *Reprends l'exercice ci-dessus et remplace les noms et GN attributs du sujet par des adjectifs qualificatifs ayant même fonction.*

4 *Complète chaque GNS par un nom ou un GN attribut du sujet.*

Charlemagne devint . . . en l'an 800. - Jean de la Fontaine fut . . . . - Mozart est . . . . - Le Pont du Gard est . . . . - Chambord était . . . .

5 *Écris le nom ou le GN qui peut convenir comme sujet à chacun des attributs suivants.*

. . . est l'auteur des *Misérables*. - . . . étaient les poètes du Moyen Age. - . . . devint la fête nationale des Français. - . . . est un département français. - . . . reste le plus visité des musées parisiens.

6 *Distingue les attributs du sujet en les soulignant.*

Son raisonnement paraît juste. - Chaque jour, le soleil paraît à l'est. - Cette histoire paraît surprenante. - Ces enfants paraissent fatigués. - Il paraît que tu me cherches ?

7 *Ne confonds pas l'attribut du sujet avec le complément d'objet. Écris, après chaque phrase, la fonction (A. ou C.O.D.) de chaque mot ou groupe de mots soulignés.*

Le Boeing 747 quitte la piste n° 2. (. . .) - Le pilote indique sa position. (. . .) - Les passagers sont attentifs aux recommandations de l'hôtesse. (. . .) - De nos jours, le transport aérien est devenu très important. (. . .) - La tour de contrôle donne l'autorisation d'atterrir. (. . .) - L'aéroport paraît une petite ville. (. . .)

8 *Donne la nature, le genre, le nombre et la fonction des mots soulignés.*
Ex. : Ce matin, la mer est calme. →
calme : adjectif qualificatif, féminin singulier, attribut du sujet la mer.

Le temps paraît beau. - Le pêcheur jette son filet. - Le poisson est abondant. - Des camions chargent le poisson. - Les acheteurs semblent satisfaits.

9 *Donne la fonction : épithète du nom... o attribut du sujet... de chacun des adjectif qualificatifs :*

Une jolie petite gare. (. . .) - Le train est direc (. . .) - Un compartiment glacial. (. . .) - Un coulo encombré. (. . .) - Cette place semble libre. (. . - Ce contrôleur a l'air sévère (. . .).

ÉCRIRE

10 *Invente quatre phrases dans lesquelles l'attri but du sujet sera, au moins une fois, un nom un GN, un adjectif qualificatif. Varie le verbes utilisés.*

11 *Invente quatre phrases avec attribut du suje qui pourraient servir de slogans publicitaires Ex. :* Avec le matelas OBONDODO, le rêves sont plus beaux !

12 *La classe part en excursion pour une semaine À l'aide des vignettes ci-dessous, raconte le départ. Essaie d'employer des phrases attri butives avec les verbes* être, sembler, paraî tre, avoir l'air... *(les préparatifs, l'embarque ment, le départ).*

Former un nom
à partir d'un verbe

L'ORGANISATION DU RAMASSAGE

- *Lis le texte.*
- *Relève des noms formés à partir des verbes : organiser - assainir - proliférer. Encadre les suffixes.*
- *Recherche d'autres noms formés de la même façon.*

Tout à coup le chien entendit la voix du Nasillard réciter, tout contre son oreille :

— Arrêté municipal du 1er juillet de cette année :

En vue de l'assainissement de notre ville et compte tenu de la prolifération des chiens errants qui nuisent au tourisme, il sera quotidiennement procédé au ramassage desdits chiens par les services compétents de la municipalité. Si aucune réclamation de propriétaire n'est intervenue dans un délai de trois jours… couic !

Le dernier mot est de moi, sussura le Nasillard avec un affreux sourire, c'est moins administratif, mais ça veut dire la même chose.

DANIEL PENNAC, *Cabot-Caboche*, Éd. Nathan.

- On peut dire : *organiser le ramassage* ou *l'organisation du ramassage*.
À partir d'un verbe, on forme un nom en utilisant le **suffixe** *-ation*.
De même, *assainir* (verbe) → *assainissement* (nom) ; *ramasser* (verbe) → *ramassage* (nom). On utilise les suffixes *-ement, -age*.

- Il y a souvent transformation du **radical** : *payer → le paiement, partir → le départ.*

---

1 *Trouve le nom à partir du verbe :*

améliorer le réseau routier	→ l'... du ...
proclamer les résultats	→ ...
aménager un carrefour	→ ...
lancer un satellite	→ ...
augmenter les salaires	→ ...
payer les dettes	→ ...
couper le courant	→ ...
ramoner les cheminées	→ ...
réserver les places	→ ...

2 *À partir d'un même verbe, forme deux noms différents :*

gonfler — le ... des pneus
— le ... de la rivière

arrêter — l'... des combats
— l'... du voleur

monter — la ... vers le sommet
— le ... de l'appareil

fondre — la ... des neiges
— du métal en ...

3 *Trouve les noms correspondant aux verbes suivants :*

jouer, plonger, marcher, perdre, poser, soigner, trier, gagner, éveiller, sauter.

4 *Retrouve le verbe :*

la fermeture, la poursuite, un prélèvement, la surprise, la traduction, la suppression, l'évasion, la correction, l'approbation, la nomination, la projection.

5 *Remplace le verbe par le nom correspondant :*

L'*(hiberner)* des marmottes se termine aux premiers beaux jours. - Ce tableau est une *(imiter)* d'une œuvre célèbre. - Notre chauffeur a une bonne *(connaître)* du réseau routier de la région. - Il n'y avait rien de bien vrai, c'était une aimable *(plaisanter)*. - Ce vêtement a rétréci au *(laver)*. - L'infirmière fait une *(injecter)* avec sa seringue. - L'*(incliner)* du toit est importante dans les pays de neige. - Le savant a été récompensé de sa *(persévérer)*. - Le candidat a inscrit le *(bloquer)* des prix dans son programme.

6 *Dans ces titres d'articles de journaux retrouve le verbe :*

Lancement de la campagne antitabac. - Véhicules utilitaires : *production* en hausse. - *Réaction* des usagers devant les nouvelles mesures. - *Mise en service* d'une voie de déviation. - *Jonction* de deux routes.

Éviter la répétition

1 *Emploie un pronom personnel pour éviter la répétition.*

Ex. : Paul se lave les mains. Puis Paul se met à table. → Paul se lave les mains, puis *il* se met à table.

— L'apiculteur installe les ruches. Plus tard, l'apiculteur récoltera le miel.
— Le pilote a freiné trop tard. Et le pilote a percuté le rail.
— Ma voisine attend un colis. Et ma voisine s'impatiente.
— La lionne joue avec ses petits. Mais la lionne ne veut pas que ses petits s'éloignent.

2 *Emploie un pronom possessif pour éviter la répétition.*

Ex. : Ma mère va à Paris. Où va ta mère ? → Où va *la tienne* ?

— Notre équipe joue à Rennes. Où joue votre équipe ?
— Ma montre indique cinq heures. Quelle heure indique ta montre ?
— Nos joueurs s'entraînent le jeudi. Quel jour s'entraînent vos joueurs ?
— Ma chambre est orientée au nord. Comment est orientée ta chambre ?

3 *Emploie un pronom démonstratif pour éviter la répétition.*

Ex. : Le déguisement de Luc et le déguisement de Marc sont les mieux réussis. → Le déguisement de Luc et *celui* de Marc sont les mieux réussis.

— Les gendarmes de Nantes et les gendarmes de Rennes ont assuré le service d'ordre.
— La forêt de Fontainebleau et la forêt d'Orléans sont renommées.
— Les cousines de Lucie et les cousines de Pierre jouent ensemble.
— Les joueurs de Lens et les joueurs de Nice sont arrivés au stade.

4 *Emploie un pronom relatif pour éviter la répétition.*

Ex. : Tu as un lave-vaisselle ; le lave-vaisselle t'est bien utile. → Tu as un lave-vaisselle *qui* t'est bien utile.

— Nous avons acheté un réveil ; le réveil nous sert beaucoup.
— Je vous offre ces roses. Vous aimez ces roses.
— Renaud a un vélo neuf. Il astique le vélo neuf tous les jours.
— Voici mon frère. Je vous ai parlé de mon frère.

Jeu poétique

5 *Ce jeu s'appelle le « logorallye ».*

● *On te donne un certain nombre de mots, et tu dois les employer dans un petit texte, dans l'ordre où on te les a donnés.*

Par exemple, avec *étui, cyclamen, incident, frayeur, publicité*, on peut écrire :

« Elle sortit ses lunettes de son *étui* pour admirer le *cyclamen*. C'est à ce moment que se produisit l'*incident* : le pot tomba, lui causant une grosse *frayeur*. Elle n'a pas fait de *publicité* au jardinier ! »

● *Tu te fabriqueras toi-même tes listes en prenant cinq ou six mots au hasard dans un dictionnaire. Puis tu écriras un logorallye avec ces mots.*

Reconstitution de texte

6 LE CHAT DE LA FORÊT

C'est à la même époque que mon père rapporta de la forêt un chat minuscule qu'il avait trouvé, disait-il, sous un chêne. Il était d'un noir intense, avec des yeux bleu pâle, et il tenait aisément dans la paume d'une main. Curieux, il nous regardait tour à tour, puis ses yeux se fixèrent sur moi et ne me quittèrent plus. Il ne miaula pas, mais but tout le lait que nous lui offrîmes et s'endormit en boule devant le feu. Et moi, délaissant le livre dont les mots soudain se brouillaient, je le voyais sur le plancher comme le fruit sombre d'un arbre magique ou l'œuf velu d'un dragon de légende.

JEAN JOUBERT, « Histoire de Simon », *Histoires de la forêt profonde*, Éd. L'École des Loisirs.

L'accord du participe passé (2)

- *Relève dans le texte trois exemples qui rappellent les règles déjà étudiées de l'accord du participe passé employé :*
— sans auxiliaire,
— avec l'auxiliaire être,
— avec l'auxiliaire avoir.
- *Observe :*
Elle nous a bordés.
Quelle est la fonction du pronom personnel nous *?*
Qu'est-ce qui peut expliquer l'accord du participe passé ?
- *Trouve un autre exemple dans le texte.*

ON CHAHUTE !

— Voulez-vous vous taire !

Maman crie à travers la cloison.

Comme chaque soir elle est venue vérifier nos dents, nos oreilles, nos ongles. Une tape sur l'oreiller, elle nous a bordés, embrassés et a quitté la pièce, et comme chaque soir, la porte n'est pas refermée que mon oreiller vole dans la chambre obscure et atteint Maurice qui jure en charretier.

Nous nous battons souvent. Le soir surtout, en essayant de faire le moins de bruit possible.

En général, c'est moi qui attaque. J'écoute, l'oreille tendue.

JOSEPH JOFFO, *Un sac de billes*, Éd. J.-C. Lattès.

> Le participe passé employé **avec l'auxiliaire** *avoir* s'accorde avec le complément d'objet direct (le C.O.D.) lorsque celui-ci est placé **avant le verbe :**
> *Julien a **gagné la partie.*** (pas d'accord)
> ***La partie** que Julien a gagnée.* (accord)
>
> S'il n'a a pas de C.O.D., le participe passé reste *invariable* :
> *Julien a gagné. Ce disque a plu à Valérie.*

---

1 *Souligne les* C.O.D.

Joseph a commencé la bataille. - Maurice l'a continuée. - Il a quitté son lit. - L'oreiller qu'il a lancé a atteint la lampe de chevet. - Les cris que Joseph a poussés ont attiré maman.

2 *Souligne le* C.O.D., *puis accorde le participe passé.*

Laure avait *(inviter)* son amie Sandra. - Elles avaient *(passer)* la journée ensemble. - Les disques que Laure avait *(passer)* avaient *(plaire)* à Sandra. - En fin d'après-midi, Laure avait *(raccompagner)* Sandra. Cette dernière l'avait beaucoup *(remercier)*.

3 *Récris chaque phrase en remplaçant le* C.O.D. *par le pronom qui convient, puis accorde le participe passé.*
Ex. : **J'ai** *reçu* **une lettre.** → **Je l'ai** *reçue.*

Nous avons appris nos leçons. - J'ai promené mon chien. - J'ai classé mes timbres de collection. - Nous avons regardé la télévision. - Tu as relu cette histoire. - Tu as éteint la lumière.

4 *Complète.*

Les spectateurs enthousiasm... ont longuement applaud... les acteurs. - La pièce était jou... pour la première fois. - Toutes les places étaient lou... . - La presse invit... avait trouv... le spectacle de qualité. - De nombreux journaux l'avaient recommand... .

5 *Dictées à préparer.*
- *Autodictée - Le texte d'étude : « Comme chaque soir... possible ».*

● LE POULAIN
« Je parie qu'elle a un petit, avait dit Gus. » Ils étaient montés vers elle. Rocket avait ronflé furieusement, secoué la tête et s'était sauvée. Quand ils eurent atteint l'endroit où ils l'avaient aperçue, ils y avaient trouvé un poulain rosâtre, tremblant, à peine capable de se tenir sur ses pattes ; il avait poussé un petit cri et s'était mis à la poursuite de sa mère, flageolant sur ses petites jambes tordues.

MARY O'HARA,
Mon amie Flicka, Éd. Calmann-Lévy.

Conjugaison

La transformation passive

- **Observe :**
① **Des chevilles de bois reliaient les peaux.**
② **Les peaux étaient reliées par des chevilles de bois.**
Ces phrases ont-elles le même sens ?
Quelles transformations sont intervenues pour passer de ① à ② ?
- **Cherche dans le texte deux exemples semblables à ②.**
Récris-les comme ①.

L'HABITATION DE TOO-WIT

L'habitation de Too-Wit était située au centre du village, et beaucoup plus grande et mieux construite que les autres de même espèce. La toiture comprenait quatre peaux qui étaient reliées entre elles par des chevilles de bois et elle était assujettie[1] au sol par de petits pieux. L'arbre qui la supportait n'avait été coupé qu'à une douzaine de pieds de sa racine. Le sol était jonché d'une énorme quantité de feuilles qui remplissaient l'office de tapis.

D'après EDGAR POE, *Les Aventures d'Arthur Gordon Pym.*

_____
1. Maintenue.

---

① *Too-Wit / habitait / la plus grande tente.*
  GNS   C.O.D.

② *La plus grande tente / était habitée / **par** Too-Wit.*
  GNS   GNP

- La **phrase active** ① peut être transformée en **phrase passive** ② si le verbe est suivi d'un c.o.d.
— **Le c.o.d.** de la phrase active **devient le sujet** de la phrase passive.
— **Le sujet** de la phrase active **devient le complément** de la phrase passive et prend le nom de **complément d'agent**. Il est le plus souvent introduit par la préposition *par* (parfois *de*).
— L'auxiliaire *être* est employé dans la phrase passive au même temps que le verbe de la phrase active. Il est suivi du participe passé du verbe.

---

1 *Classe en deux groupes :* ① *les phrases actives,* ② *les phrases passives.*

Le village était caché par un épais rideau d'arbres. - Les habitations étaient très misérables. - Les toits étaient recouverts de branchages. - Des cavernes étaient creusées dans le rocher. - Elles abritaient de grandes familles. - La plus grande hutte était habitée par le chef de la tribu.

2 *Transforme ces phrases actives en phrases passives. Attention à l'accord du participe passé.*

Des guerriers surveillent l'entrée du village. - Too-Wit rassemble ses hommes. - Le chef accueille les étrangers. - Guy offre des cadeaux. - Tous les hommes partagent le repas de Too-Wit. Le capitaine prononce un long discours.

3 *Récris chacune de ces phrases passives à la forme active.*

Cette région est explorée par une équipe de journalistes. - La marche est ralentie par de

nombreux obstacles. - Les marais sont envahis de nuées de moustiques. - L'expédition sera dirigée par cet explorateur. - Des comptes rendus seront publiés par la presse.

4 *Souligne chaque complément et indique sa nature : c.o.d. ou c.a. (complément d'agent).*

L'alpiniste a vaincu ce sommet. (. . .) - Nous avons été informés par la radio. (. . .) - Le froid a retardé son retour. (. . .) - Un hélicoptère a été envoyé par la gendarmerie. (. . .) - L'alpiniste a été aperçu par un gendarme. (. . .) - Il regagnait son camp de base. (. . .)

5 *Transforme ces phrases actives en phrases passives quand c'est possible.*

Julien a une jolie petite sœur. - La maîtresse félicite Sandrine. - Nicolas aime les romans policiers. - Les hirondelles attendent le retour du printemps. - La fusée a mis un satellite en orbite. - Les éléphants ont la peau très dure.

6 *Écris cinq phrases à la forme passive.*

L'adverbe

● *Observe :*
① **Je me suis endormie.**
② **Je me suis presque endormie.**
À quoi sert le mot ajouté en ② ?
Quelle est la nature du mot complété ?
● *Reprends les mêmes questions avec les phrases ci-dessous :*
① **L'assistante est gentille.**
② **L'assistante est très gentille.**
① **Il a consenti à nous faire traverser.**
② **Il a immédiatement consenti à nous faire traverser.**
● *Trouve d'autres exemples dans le texte.*

CHÈRE KITTY

Mercredi 24 juin 1942.

Quelle canicule ! On étouffe, tout le monde est essoufflé, recuit. Par cette chaleur, je couvre toutes les distances à pied. Je commence maintenant à comprendre combien un tramway est chose merveilleuse ; mais ce plaisir ne nous est plus accordé, à nous, juifs. Il faut nous contenter de nos jambes comme seul moyen de locomotion. Hier après-midi, j'ai dû aller chez le dentiste qui habite Jan Luyken Straat, c'est très loin de l'école. Revenue, je me suis presque endormie en classe. Heureusement que de nos jours les gens vous offrent tout naturellement à boire ; l'assistante du dentiste est vraiment gentille.

Nous avons encore accès au bac de passage. Quai Joseph Israëls il y a un petit bateau qui fait le service. Le passeur a consenti immédiatement à nous faire traverser. Ce n'est vraiment pas la faute des Hollandais si les juifs passent par tant de misère.

Le Journal d'Anne Frank, Éd. Calmann-Lévy.

● **L'adverbe** est généralement un **mot invariable** qui **complète** :
— un adjectif ou un participe passé :
   *Sandrine est **très** gentille. Anne est **presque** endormie.*
— un verbe :
   *Sophie attend **patiemment**.*
— un autre adverbe :
   *Frédéric était **bien moins** patient qu'elle.*

● Les adverbes expriment : **le temps** *(hier, demain, souvent...)* - **le lieu** *(ici, là, ailleurs...)* - **la manière** *(ainsi, joliment, autrement...)* - **la quantité** *(beaucoup, peu, très...)* - **la négation** *(ne... pas...)* - etc.

● Beaucoup d'adverbes de manière se forment à partir d'adjectifs :
grande → grandement - sage → sagement.

1 *Souligne les adverbes contenus dans les phrases suivantes.*

Le journal d'Anne Frank est très émouvant. Anne fut souvent malheureuse. Elle dut vivre continuellement cachée. Sa famille était assez pauvre. Certains passages de son journal sont pourtant optimistes. Jusqu'au bout, Anne ne fut jamais désespérée.

2 *Écris trois phrases contenant des adverbes qui complètent des adjectifs ou des participes passés.*

3 *Souligne les adverbes contenus dans les phrases suivantes.*

Je ne l'ai pas vu aujourd'hui. - Il arrive rarement à l'heure. - Je le rencontre quelquefois dans la rue. - Attendez-moi, je reviens tout de suite. - C'est ici qu'il habite. - Il nous recevra demain.

4 *Écris trois phrases contenant des adverbes complétant des verbes.*

5 *Complète chaque phrase à l'aide d'un adverbe différent.*

La guerre est un ... grand malheur. - Elle est la cause de ... de misères. - Elle est la cause de ... de souffrance. - Les hommes luttent ... pour des idées. - La dernière guerre mondiale fut ... meurtrière que celle de 14-18. - De nos jours, certains pays connaissent ... la guerre.

6 *Même exercice.*

La plaine est toute blanche ; il est tombé ... de neige cette nuit. - Cette route de montagne est ... dangereuse ; je n'aime pas ... l'emprunter. - Avec Caroline, nous allons ... à la piscine. - Il y a ... que Julien ne croit plus au Père Noël. - Je n'ai pas compris sa question, il n'a pas parlé ... .

7 *Mets chacun des adverbes suivants à la place qui convient :* **soudain - autrefois - davantage - ailleurs - pourtant - jamais - longtemps.**

C'est un être étrange ; on le dirait venu d' ... . - Je n'ai pas trouvé la solution et ... j'ai ... cherché. - Elle n'est ... contente ; elle en veut toujours ... . - ... il a pris peur et s'est enfui. - Grand-mère habitait ... dans cette maison.

8 *Souligne en bleu les adjectifs qualificatifs, en rouge les adverbes.*

Ne criez pas si fort. - Dans ce magasin, les vêtements sont chers. - Je vous le dis, c'est vrai. - Voilà un homme fort. - Avez-vous l'heure juste ? - Entrez, mon cher ami. - Elle a fait une vraie folie. - Il est arrivé juste à l'heure.

9 *Écris deux phrases avec chacun des mots* **fort** *et* **cher** *employés comme adverbes, puis comme adjectifs.*

10 *Complète l'adverbe de chaque phrase à l'aide d'un autre adverbe. N'emploie pas deux fois le même.*
Ex. : **Il s'est levé** *tôt* **ce matin. Il s'est levé** *très tôt* **ce matin.**

Emmanuel a mangé trop de chocolat. - Souvent notre chat attrape des souris. - Il y a longtemps que je t'attends. - Isabelle n'habite pas loin. - J'ai ramassé plus de champignons que toi. - Voilà un garçon peu timide.

11 *Écris les adverbes formés à partir des adjectifs qualificatifs suivants.*
Ex. : **sérieux → sérieusement - gentil → gentiment.**

calme - généreux - vif - faux - vilain - gras - précieux - secret - sec - aisé.

12 *Introduis un ou plusieurs adverbes différents dans chacune des phrases suivantes.*

Cet exercice était simple, il l'a réussi. - Nous avons lu ce beau roman qui nous a émus. - Au cours de ce match, Sylvain s'est blessé. - Estelle a travaillé et elle a réussi. - Attends-moi, j'arrive. - Si tu ne l'achètes pas, tu le regretteras.

13 *Souligne l'adverbe et indique ce qu'il exprime : le temps, le lieu, la manière ou la quantité.*

Il y a longtemps qu'il pleut. (...) - Delphine habite là-bas. (...) - Cela se passe ainsi. (...) - Qu'allons-nous faire maintenant ? (...) - Elle ne part pas demain. (...) - Nous lui avons demandé poliment. (...) - Je n'aime pas beaucoup cette région. (...) - C'est loin d'ici ? (...) - Cette route est peu fréquentée. (...) - Il arrivera tard. (...)

14 *Remplace chaque GNP par un adverbe.*

J'ai écouté son explication avec attention. - Les résistants luttèrent avec courage contre l'ennemi. - Maman berce bébé avec tendresse. - Olivier a répondu avec simplicité. - La nouvelle a été accueillie avec joie. - Nous avons lutté avec vigueur.

ÉCRIRE

15 *Écris quatre phrases dans lesquelles tu emploieras le plus d'adverbes possible.*

16 *Emploie les adverbes suivants dans de courtes phrases.*

immédiatement - subitement - obligatoirement - exceptionnellement.

17 *La guerre est une catastrophe pour un pays. Elle fait beaucoup de victimes et le ruine. Que faudrait-il faire pour qu'il n'y ait plus de guerre ? Écris tes propositions en un court paragraphe. (Utilise des adverbes.)*

Autour du mot *forêt*

LE LANGAGE DES ARBRES

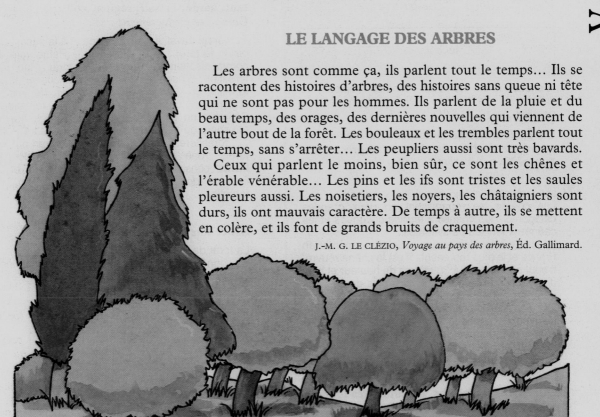

Les arbres sont comme ça, ils parlent tout le temps... Ils se racontent des histoires d'arbres, des histoires sans queue ni tête qui ne sont pas pour les hommes. Ils parlent de la pluie et du beau temps, des orages, des dernières nouvelles qui viennent de l'autre bout de la forêt. Les bouleaux et les trembles parlent tout le temps, sans s'arrêter... Les peupliers aussi sont très bavards.

Ceux qui parlent le moins, bien sûr, ce sont les chênes et l'érable vénérable... Les pins et les ifs sont tristes et les saules pleureurs aussi. Les noisetiers, les noyers, les châtaigniers sont durs, ils ont mauvais caractère. De temps à autre, ils se mettent en colère, et ils font de grands bruits de craquement.

J.-M. G. LE CLÉZIO, *Voyage au pays des arbres*, Éd. Gallimard.

---

1 *Ces cinq mots désignent des ensembles d'arbres. Range-les par ordre d'importance.*

bosquet, forêt, bouquet d'arbres, bois, boqueteau.

2 *Recherche dans ton dictionnaire la signification des mots :*

une pépinière, des essences, des billes, les grumes, les bois exotiques.

● *Relève les principales essences des forêts de ta région.*

3 *Rapproche ces noms de leur définition.*

Culture et entretien des forêts	les taillis
Petits arbres taillés souvent et formés par les repousses ou rejets	une clairière
Ensemble des arbres arrivés à une grande dimension, avec de beaux troncs ou fûts	la sylviculture
Végétation qui pousse sous les arbres d'une forêt	la futaie
Endroit dégarni d'arbres	le sous-bois

4 *Le mot* **forêt** *peut être employé au sens propre (s.p.) ou au sens figuré (s.f.). Indique-le.*

Le garde habitait une maison au beau milieu de la forêt. (. . .) - Marchons dans la forêt, observons les grands arbres et ne troublons pas la vie des animaux. (. . .) - D'ici, on domine les maisons de la ville, où l'on peut voir une forêt d'antennes de télévision. (. . .) - La forêt, par le bois qu'elle fournit, est une source de rapport. (. . .) - Dans le port, les bateaux de plaisance sont nombreux et leurs mâts forment une véritable forêt. (. . .) - Nous aimons la forêt pour sa beauté et son merveilleux silence. (. . .) - Au-dessus des toits, dans les vieux quartiers, s'élève une forêt de cheminées aux diverses formes. (. . .)

5 *Des mots de la famille de* **arbre** :

l' | a | r | b | r | e |

– culture des arbres :

l' | . | . | . | . | . | . | . | . | . | . | . |

– celui qui cultive les arbres fruitiers :

un | . | . | . | . | . | . | . | . | . | . | . |

– petit arbre :

un | . | . | . | . | . | . |

ou un | . | . | . | . | . | . | . | . |

– qui vit dans les arbres :

un | . | . | . | . | . | . | . | . | . |

6 *On classe les arbres de la forêt en* **résineux** *et* **feuillus.** *Que signifient ces deux mots ?*
Voici des arbres, classe-les :

résineux	feuillus

le chêne - le pin - le sapin - le hêtre - l'épicéa - le châtaignier - le bouleau - l'érable - le cyprès - le peuplier.

On parle aussi de **conifères.** *Ce mot est un synonyme de l'un des deux mots précédents. Lequel ?*

7 LES CHÊNES
Les chênes se répartissent en deux grandes catégories : les chênes à feuilles caduques et les chênes à feuilles persistantes.
Le chêne à feuilles caduques le plus répandu en France et le plus représentatif est le chêne rouvre. Il peut atteindre 25 à 30 mètres de hauteur et plus d'un mètre de diamètre et vivre plus de 300 ans dans de bonnes conditions. Son tronc est droit jusqu'en haut de l'arbre, très élancé.
Le type du chêne à feuilles persistantes est le chêne-vert, qui peut atteindre 18 à 20 mètres de haut et un mètre de diamètre ; mais, le plus souvent, il pousse en taillis et reste petit et buissonneux.

Que signifie : **arbres à feuilles caduques ;** **arbres à feuilles persistantes ?**
Classe correctement ces arbres :

à feuilles caduques	à feuilles persistantes

le chêne-vert - le chêne rouvre - le hêtre - le pin -le châtaignier - le sapin - l'épicéa - le peuplier - le mélèze - le bouleau - l'acacia - le houx.

8 *Des noms de bois ou de forêts.*
Complète en t'aidant du dictionnaire :

La ...   est une forêt de sapins.
La ...   →   de chênes.
La ...   →   de hêtres.
La ...
ou la ...   →   de pins.
La ...   →   de peupliers.

9 *L'adjectif* **forestier** *(ou* **forestière)** *s'emploie avec divers noms :* **maison, chemin, exploitant, garde, massif, région, code.**
Complète correctement :

Personne travaillant à l'entretien et à la surveillance de la forêt : le ... forestier. - Petite voie de communication qui traverse la forêt : un ... forestier. - Ensemble de montagnes couvertes de forêts : un ... forestier. - Recueil de lois et règlements concernant la forêt : le ... forestier. - Bâtiment en pleine forêt pour loger les agents forestiers ou les marcheurs et promeneurs : une ... forestière. - Espace important couvert par les forêts : une ... forestière. - Personne dont le travail consiste à pratiquer les coupes et la livraison des troncs d'arbres abattus : un ... forestier.

10 *Est-ce une forêt ou un bois ?*

La forêt de ... Le bois de ...
Boulogne - Rambouillet - Compiègne - Vincennes - Fontainebleau - Tronçais.

11 *Des noms de fruits des arbres de la forêt. Complète en t'aidant du dictionnaire :*

Les noisettes sont les fruits du ...
Les châtaignes   →   ...
Les marrons   →   ...
Les glands   →   ...
Les cornouilles   →   ...
Les prunelles   →   ...
Les merises   →   ...
Les faines   →   ...

12 *Essaie de caractériser ces types de forêts (consulte ton dictionnaire) :*

la forêt
méditerranéenne
équatoriale
vierge
vosgienne
canadienne
des Landes

13 *Qu'est-ce qu'une forêt domaniale ? Recherche des documents sur l'Administration des Eaux et Forêts, sur l'Office National des forêts (O.N.F.), sur les Parcs Naturels Régionaux et Nationaux.*

Les adverbes en *-amment* et *-emment*

REGRETS

● *Relève les adverbes de manière en* [mã] *du texte. Rappelle à partir de quels mots ces adverbes sont généralement formés.*
● *Quelle est la particularité des adverbes terminés par amment, -emment ?*
● *Comment résoudre la difficulté d'orthographe que présentent ces deux catégories d'adverbes ?*

J'aimerais encore, l'espace d'une soirée, quelques jours ou une semaine, être celle de jadis, gaie, apparemment insouciante...

Souvent je me sentais abandonnée. Mais remuer du matin au soir m'empêchait de trop y penser, et je m'amusais tant que je pouvais. Consciemment ou inconsciemment, je tentais d'ignorer le vide que je ressentais en m'amusant ainsi... Maintenant, je regarde les choses en face et je travaille. Cette période de ma vie est close, irrévocablement close, les années d'école, leur tranquillité et leur insouciance ne reviendront plus jamais.

Le Journal d'Anne Frank, Éd. Calmann-Lévy.

Les adverbes de manière terminés par [amã] s'écrivent :
-amment s'ils proviennent d'un adjectif terminé par *-ant*.
courant → couramment.
-emment s'ils proviennent d'un adjectif terminé par *-ent*.
conscient → consciemment.

---

1 *Recherche, puis écris, pour chacune des catégories, trois adverbes en* [amã].

2 *Complète, puis classe en deux groupes :* ① *terminés par* **-ant**, ② *terminés par* **-ent**, *les adjectifs qualificatifs suivants :*

néglig... - méch... - étonn... - différ... - viol... - abond... - pes... - prud....

3 *Reprends l'exercice n° 2 et écris les adverbes en* [amã] *formés à partir de ces adjectifs.*

4 *Complète les adverbes de manière en* [amã].

Je l'attends pati... depuis une heure. - Hélène est const... en retard. - L'avez-vous vu réc...? - Encore un automobiliste qui conduit bien imprud.... - Stéphane est toujours vêtu très élég.... - Aurez-vous suffis... de temps ?

5 *Remplace le GNP par l'adverbe de manière en* [amã] *qui convient.*

François a répondu *avec insolence*. - Ce travail a été accompli *avec précipitation. - Avec éloquence*, l'avocat a plaidé sa cause. - Il l'a défendu *avec ardeur* et il a réussi. - *À grand bruit*, les supporters encourageaient leur équipe. - Il avait neigé *en abondance* sur toute la région.

6 *Écris l'adjectif, puis l'adverbe, formés à partir de chacune des expressions suivantes :* **Ex. : avec plaisir → plaisant → plaisamment.**

avec fréquence - avec puissance - avec galanterie - avec intelligence - avec innocence - avec impatience.

7 *Même exercice.*

avec évidence - avec indépendance - avec impertinence - avec indifférence - avec nonchalance - avec vaillance.

8 *Dictées à préparer.*
● *Autodictée - Texte d'étude du début jusqu'à « ainsi ».*

● IL FAUT PARTIR...
Nous n'avons plus de nouvelles des V., il n'est pas question d'aller voir s'ils sont partis ou s'ils se trouvent toujours chez eux ; on dit que lorsqu'il y a une arrestation, les Allemands laissent une souricière pendant plusieurs jours.
Un pas double dans l'escalier, ce sont eux. Nous nous précipitons.
— Alors ?
Henri s'assoit pesamment tandis qu'Albert va à la cuisine se faire couler un grand verre d'eau. Nous l'entendons boire bruyamment.
— Alors c'est simple, dit Henri. Il faut partir, et en vitesse.

JOSEPH JOFFO, *Le sac de billes*, Éd. Jean-Claude Lattès.

La forme pronominale

• *Relève les verbes du texte conjugués avec un pronom. Écris-les à l'infinitif. Quelle est la fonction de ce pronom ?*

• *Parmi ces verbes, quels sont ceux qui peuvent se conjuguer sans ce pronom ? Quel est le verbe qui est toujours conjugué avec ce pronom ?*

• *Écris l'infinitif de quelques verbes toujours construits avec le pronom* se.

VENT D'AVRIL

Le vent chante, le vent babille,
Avec pinson, tarin, moineau,
Le vent siffle, brille et scintille
À la pointe des longs roseaux.
Le vent se noue et s'entrelace et se dénoue
Et puis soudain s'enfuit, jusqu'aux vergers luisants,
Là-bas, où les pommiers, pareils à des paons blancs
— Nacre et soleil — lui font la roue.

ÉMILE VERHAEREN, *Les Visages de la vie*, Éd. Mercure de France.

• Un verbe est à la **forme pronominale** lorsqu'il est construit avec un **pronom réfléchi** *(me, te, se, nous, vous, se)* placé entre le sujet et le verbe :

*Il **se** lève - On **se** sauve - Ils **s'**abritent.*

• Certains verbes sont **occasionnellement** pronominaux. On les rencontre avec ou sans pronom réfléchi :

Il lève le bras (lever) - Il se lève (se lever).

• D'autres verbes sont **essentiellement** pronominaux. Ils sont toujours écrits avec un pronom réfléchi :

Elle s'enfuit (s'enfuir) - Il s'évanouit (s'évanouir).

---

1 *Parmi les verbes suivants, relève ceux qui peuvent avoir la forme pronominale :*
Ex. : couvrir → se couvrir.

trouver - réunir - aller - sauver - naître - partir - perdre - faiblir - combattre - apporter.

2 *Parmi les verbes suivants, relève ceux qu'on ne trouve qu'à la forme pronominale.*

s'élancer - se salir - s'écrouler - s'envoler - s'approcher - se repentir - s'apercevoir - se peigner - se moquer - se poursuivre.

3 *Conjugue oralement à toutes les personnes du présent de l'indicatif, puis du passé composé :*

Se lever, se préparer et partir pour l'école.
S'asseoir, se détendre et s'assoupir.

4 *Écris les verbes aux temps demandés (temps simples).*

Chaque soir, le vent *(se calmer) (imparfait).* - Nous *(se retrouver) (imparfait)* chaque semaine à la piscine. - Tu *(se couvrir) (futur simple)* car il fait froid. - Je *(se souvenir) (futur simple)* de cette aventure. - Elles *(se rendre) (passé simple)* dans les bois. - On *(se perdre) (passé simple)* plusieurs fois.

5 *Même exercice.*

Romain et Nicolas *(s'entendre) (présent)* bien ; ils ne *(se quereller) (présent)* jamais. - Le retour du vaisseau spatial *(se passer) (passé simple)* comme prévu. - À l'approche de l'orage, les oiseaux *(se réfugier) (futur simple)* dans le bois. - Chaque soir, à la même heure, les lampes *(s'allumer) (imparfait).* - Nous *(s'instruire) (présent)* un peu plus chaque jour. - Dès les premiers tours de roue, la lutte *(s'engager) (passé simple)* entre les deux pilotes.

6 *Écris les verbes aux temps composés demandés. (À la forme pronominale, on emploie toujours l'auxiliaire* être.*)*

Philippe *(se lever) (p. composé)* très tôt ce matin. - Notre famille *(se réunir) (p.-que-parfait)* à l'occasion de son anniversaire. - Nous *(se retrouver) (p.-que-parfait masc.)* avec joie. - Elles *(se promener) (p. composé)* en l'attendant. - Vous *(se mettre) (p. composé masc.)* à l'abri lorsqu'il a plu. - Je *(se tromper) (p.-que-parfait fém.)* de chemin.

7 *Invente cinq phrases dans lesquelles tu emploieras des verbes pronominaux à des personnes et à des temps différents.*

Les compléments circonstanciels (1)

L'ATTAQUE

● *Rends minimale
la 1ʳᵉ phrase du texte.
Quel élément as-tu supprimé ?
Quel était le rôle de cet
élément ?*

● *Récris cette phrase en
donnant des places différentes
à ce complément.*

● *Relève d'autres phrases du
texte dans lesquelles des
compléments peuvent être
supprimés ou déplacés.*

À six heures, l'aube commença à poindre.

« La chose en question, par bâbord derrière ! » cria le harponneur.

Là, à un mille et demi de la frégate, un long corps noirâtre émergeait d'un mètre au-dessus des flots. L'équipage attendait impatiemment les ordres de son chef. Celui-ci, après avoir attentivement observé l'animal, fit appeler l'ingénieur.

« Monsieur, dit le commandant, vous avez de la pression ?

— Oui, monsieur, répondit l'ingénieur.

— Bien. Forcez vos feux, et à toute vapeur ! »

Trois hurrahs accueillirent cet ordre. L'heure de la lutte avait sonné. Quelques instants après, les deux cheminées de la frégate vomissaient des torrents de fumée noire, et le pont frémissait sous le tremblement des chaudières.

JULES VERNE, *Vingt Mille Lieues sous les mers.*

● Certains éléments de la phrase apportent des précisions de **temps**, de **lieu**, de **manière**... sur l'action ou le phénomène exprimé par le verbe.
À six heures, l'aube commença à poindre. (précision de temps)
L'équipage attendait impatiemment. (précision de manière)

● Ces éléments sont appelés **compléments circonstanciels**. Ils précisent en effet les **circonstances** de l'action.
On écrit alors : P = GNS + GV + CC.

● Les compléments circonstanciels ont généralement la caractéristique d'être à la fois **déplaçables** et **supprimables** :
À six heures, l'aube commença à poindre.
L'aube commença à poindre à six heures.
L'aube, à six heures, commença à poindre.
L'aube commença à poindre.

● Une même phrase peut avoir plusieurs compléments circonstanciels.

---

1 *Rends minimales les phrases suivantes.*

En quelques minutes, la frégate rejoignit le monstre. - Immédiatement, le capitaine fit stopper les machines. - La chose voguait en avant du bâti-ment. - Le fantastique animal, lentement, reprit de la vitesse. - La poursuite se prolongea durant quelques instants. - Tout à coup, la chose disparut de la surface de la mer.

2 *Même exercice.*

Un choc se produisit à l'arrière du bateau. - Une voie d'eau se déclara aussitôt. Pour éviter toute panique, le capitaine rassura les passagers. - Après trois jours de retard, le Scotia atteignit le port. - La coque du navire était perforée au-dessous de la ligne de flottaison.

(D'après J. VERNE.)

3 *Souligne les compléments circonstanciels.*

Autrefois, les animaux terrestres étaient gigantes-ques. - De nos jours, les plus gros animaux sont marins. - Le capitaine racontait ses pêches et ses combats avec une grande poésie naturelle. - On observait, jour et nuit, la surface de l'océan. - Une capricieuse baleine élevait son dos noirâtre au-dessus des flots. - À son arrivée dans le port, le bateau fut salué par des hurrahs.

(D'après J. VERNE.)

4 *Récris chaque phrase après avoir déplacé le ou les compléments circonstanciels.*

Pendant trois mois, la frégate sillonna les mers. - Peu à peu, le découragement s'empara des esprits. - Le commandant, comme autrefois Colomb, demanda trois jours de patience. - Passé ce délai, on ferait demi-tour. - Inlassablement, les officiers examinaient l'horizon. - Du fond de la mer, le monstre surgit soudain.

(D'après J. VERNE.)

5 *Même exercice.*

Cette année, nous passerons nos vacances en Bretagne. - En 1492, Christophe Colomb décou-vrit l'Amérique. - Depuis le départ, Nicolas tient la barre avec précision. - Yves a réussi la traversée de l'Atlantique en solitaire. - La navigation des gros bateaux est interdite près des côtes.

6 *Souligne le complément circonstanciel, puis indique entre parenthèses la circonstance de l'action exprimée : temps, lieu, manière.*

L'équipage attendait impatiemment les ordres de son chef (. . .) - Vers dix heures, le monstre réapparut. (. . .) - La frégate s'approcha sans bruit. (. . .) - Un silence profond régnait sur le pont. (. . .) - La masse noire disparut vers l'est. (. . .) - Bientôt la mer redevint calme. (. . .)

7 *Même exercice.*

Julien a trouvé rapidement la solution. (. . .) - Il y a trois nouveaux élèves dans notre classe. (. . .) - Chaque matin, Anna prend l'autocar. (. . .) - Un cirque s'installe sur la place du village. (. . .) - Ce soir, nous assisterons au spectacle. (. . .) - Les trapézistes font leur numéro sans filet. (. . .).

8 *Classe en trois groupes :* ① *C.C. lieu -* ② *C.C. temps -* ③ *C.C. manière.*

Depuis hier - sans difficulté - près de l'école - lentement - chez lui - tous les jours - chemin faisant - pendant ce temps - avec attention - sans cesse.

9 *Allonge les phrases à l'aide des compléments donnés.*

J'ai mal aux dents (continuellement, depuis hier). - Nous jouons au tennis (pendant l'été, quelque-fois). - Le bateau est rentré (avec la marée, à cinq heures, dans le port de plaisance). - Je fais du ski nautique (depuis quelques jours, avec un moni-teur). - Philippe s'entraîne (chaque soir, en vue du championnat pendant deux heures, à la pisine).

10 *Ajoute un ou plusieurs compléments répon-dant aux questions posées.*

Le petit chat dort. *(Où ? comment ?)*
Je choisis un livre. *(Où ? quand ?)*
Nous fêterons son anniversaire; *(Quand ? où ?)*
L'avion se pose. *(Où ? quand ? comment ?)*
J'ai appris la nouvelle. *(Quand ? où? comment ?)*

11 *Ajoute un ou plusieurs compléments de ton choix.*

Romain traverse le grand carrefour. - Les gen-darmes contrôlent la circulation. - La voiture quitte la route. - Sandra range sa bicyclette. - Des cen-taines de touristes visitent ce musée. - La nouvelle ligne du T.G.V. est mise en service.

12 *Indique, entre parenthèses, la nature du complément souligné :* C.O.D. - C.C. temps - C.C. lieu - C.C. manière.

Valérie écoute <u>un disque</u>. (. . .) - Gaël écoute le maître <u>avec attention</u>. (. . .) - Le maître lit <u>à haute voix</u>. (. . .) - Myriam lit <u>une bande dessinée</u>. (. . .) - Éric vient <u>chaque samedi</u>. (. . .) - Papa lave <u>sa voiture</u>. (. . .) - Il attend <u>son train</u>. (. . .) - Nous l'attendons <u>à la gare</u>. (. . .).

13 *Même exercice.*

Tu as réussi <u>ton examen</u>. (. . .) - Le vent souffle <u>depuis ce matin</u>. (. . .) - Il a mangé <u>au restaurant</u>. (. . .) - Cet artisan travaille <u>le fer</u>. (. . .) - Julien a soufflé <u>ses dix bougies</u>. (. . .) - Il a mangé <u>un gâteau au chocolat</u>. (. . .) - Tu as réussi <u>sans difficulté</u>. (. . .) - Ces ouvriers travaillent <u>durement</u>. (. . .).

ÉCRIRE

14 *Relis le texte d'étude, puis en un court para-graphe imagine une suite à cette histoire. Essaie d'employer quelques compléments circonstanciels dans ton récit.*

Les mots et les expressions imagés

UN NUAGE D'OISEAUX

● *Lis le texte.*
● *Certains noms d'oiseaux évoquent une caractéristique propre à l'animal. Lesquels ?*
● *Quelle image utilise l'auteur pour souligner le grand nombre d'oiseaux ?*

Ils approchent... Les voilà. La cigogne et les trois pigeons étaient suivis d'une nuée d'oiseaux... Il y avait des mésanges, des moineaux, des bergeronnettes, des bouvreuils, des rouges-gorges, des martinets, des hirondelles, des pinsons, des linottes, des fauvettes, un rossignol, des sansonnets, un roitelet et même un martin-pêcheur. Tout ce monde bavardait, pépiait, sifflotait, jacassait...

CLAUDE ROY, *La Maison qui s'envole*, Éd. Gallimard.

● Certains mots permettent de nommer des personnes, des animaux, des objets de façon pittoresque, imagée :
un grippe-sou (un avare) - *un rouge-gorge* - *une queue de rat* (une petite lime).

● Certaines expressions courantes peuvent être également imagées :
piquer une colère - **éclater** en sanglots - avoir la **chair de poule**.

1 *Que désignent ces mots imagés ?*

un mille-patte - un mille-feuille - un oiseau-mouche - un colvert - un échassier - une descente de lit - un pince-sans-rire.

2 *Recherche dans ton dictionnaire deux noms imagés commençant par* **perce-**.

3 *Voici des noms imagés. Donne leur sens en expliquant ces « images ». Vérifie avec ton dictionnaire.*

le verdier *(oiseau)* - une patte d'oie *(carrefour)* - une queue-de-pie *(veste)* - un tire-fesses *(remonte-pente)*.

4 **Fais les liaisons qui conviennent.**

Un pied-de-biche ●   ● une petite fenêtre
Un œil-de-bœuf ●   ● un levier de métal
Un pied-à-terre ●   ● un geste moqueur
Un pied-de-nez ●   ● un logement

5 *Relie chacune des expressions à ce qu'elle exprime.*

obéir au doigt et à l'œil ●   ● très bien con-
                                      naître
s'arracher les cheveux ●   ● exécuter sans
                                      discussion
avoir le souffle coupé   ● se désespérer
savoir sur le bout des doigts ●   ● être stupéfait

6 *Retrouve les noms imagés qui correspondent aux définitions ci-dessous. Ils sont composés et commencent tous par le même mot.*

Qui n'a pas de logement.   → un . . . - . . .
Qui ne s'en fait pas.   → un . . . - . . .
Qui n'aime personne.   → un . . . - . . .
Un révolutionnaire de 1792.   → un . . . - . . .
Qui ne fait pas attention aux autres. → un . . . - . . .

7 *Retrouve les expressions imagées à l'aide des définitions suivantes. Elles comportent toutes le nom œil.*

Grossir très rapidement. → grossir à . . .
Réussir très vite.   → réussir en un . . .
Être en forme.   → avoir bon pied . . .
Surveiller attentivement. → avoir . . .

Corriger des phrases

1 *Dans ces phrases d'élèves, il manque quelquefois le verbe. Trouve un verbe qui convienne et écris les phrases correctement.*

Nous avons un chien, Rip. C'est un bâtard. Et le chat que ma petite sœur a trouvé.

En marchant dans la rue, les mains dans ses poches. L'homme ne savait pas où aller. Et son grand sac qui pendait de ses épaules.

En automne, j'aime croquer les pommes rouges et les passages des premiers oiseaux migrateurs.

Le festival de musique commence aujourd'hui. Après-demain, un concert sera donné avec l'orchestre de Montpellier. Tous les jours, sur les principales places de la ville, les petits groupes musicaux.

Employer le style direct

2 L'inspecteur demande si quelqu'un a entendu quelque chose.
On peut dire la même chose en écrivant au style direct :
L'inspecteur demande : « Quelqu'un a-t-il entendu quelque chose ? »

• *Récris les phrases suivantes au style direct. Fais bien attention à la ponctuation.*

— Le journaliste annonce qu'un suspect a été interrogé.
— Le juge interroge le suspect pour savoir où il était pendant la nuit du 5 au 6.
— Le détective voudrait savoir qui dormait dans la chambre du deuxième étage.
— L'avocat proteste parce que son client n'a pas été remis en liberté.
— Le procureur demande que l'accusé soit condamné à une peine de travaux d'intérêt général plutôt qu'à une peine de prison.

Ponctuer le dialogue

3 *Mets la ponctuation correcte pour ce dialogue. N'oublie pas les majuscules.*

pardon monsieur, vous n'avez pas vu mon chien
votre chien il est comment noir
oui il est noir avec un collier vert
il est grand
non, pas très
j'ai bien vu un chien noir, mais il était tout petit
demandez à la dame là-bas
s'il vous plaît madame, vous n'auriez pas vu un chien noir avec un collier vert
non je n'ai rien vu

Jeux poétiques

4 *Tous les vers de ce poème ont été écrits à la suite. Retrouve la disposition de départ. Fais bien attention aux rimes.*

Odeur des pluies de mon enfance, derniers soleils de la saison ! À sept ans, comme il faisait bon, après d'ennuyeuses vacances, se retrouver dans sa maison !

La vieille classe de mon père, pleine de guêpes écrasées, sentait l'encre, le bois, la craie, et ces merveilleuses poussières amassées par tout un été.

Ô temps charmant des brumes douces, des gibiers, des longs vols d'oiseaux ! Le vent souffle dans le préau, mais je tiens entre paume et pouce une rouge pomme à couteau.

RENÉ-GUY CADOU, *Les Amis d'enfance, Œuvres poétiques*, Éd. Seghers.

5 *Voici le début d'un poème qui utilise une seule rime.*

LE PÉLICAN

Le capitaine Jonath**an**.
Étant âgé de dix-huit **ans**,
Capture un jour un péli**can**
Dans une île d'Extrême-Ori**ent**.

ROBERT DESNOS, *Chantefables et Chantefleurs*, Éd. Gründ.

• *Essaie à ton tour d'écrire un poème sur une rime.*

Reconstitution de texte

6 LE VIEUX MOULIN

Des passereaux dans leurs nids pépiaient, sous le toit du moulin. L'un d'eux, les ailes ronflantes, voltigeait à travers la charpente. Il trouva soudain la lucarne, s'échappa d'un trait au-dehors. Il n'y eut plus alors d'autre bruit que ces pépiements légers qui sortaient des nids invisibles. Entre les ais disjoints du vieux moulin, les lames de soleil passaient, minces et droites, qui s'entrecoupaient dans l'ombre. Des araignées pansues, d'une blondeur presque translucide, demeuraient immobiles au centre de leur toile ; mais parfois elles avaient un menu soubresaut, comme un dormeur qui tressaille dans un rêve.

MAURICE GENEVOIX, *Le Jardin dans l'île*, Éd. Presses de la Cité.

Participe présent et adjectif verbal

● Observe la 1re phrase.
*À partir de quels mots sont formés : **trébuchant**,*
***tremblants** ?*
Lequel de ces mots est un adjectif dans le texte ?
Pourquoi ?
Comment nomme-t-on l'autre mot ?
*● Comment s'écriraient ces deux mots si la phrase commençait par « **Toutes les trois...** » ?*
Quelle règle peut-on en déduire ?

EN FÂCHEUSE POSTURE

Tous les trois s'éloignèrent de cet horrible trou bleu en trébuchant et, tremblants, traversèrent ce qui restait de la langue du glacier... Ils avançaient en traînant le pas, le vieil homme se tenant au harnais de Kojo. Akavak essayait, lui, de ne pas penser à ce qu'ils allaient devenir. Sans nourriture, sans chiens et sans traîneau, il n'était pas plus question de rebrousser chemin que de s'échapper de ces lieux terrifiants.

JAMES HOUSTON, *Akavak*, Éd. Flammarion, Castor-Poche.

● Le **participe présent** a la terminaison **-ant**. C'est une forme **invariable** du verbe.
*Le vieil homme, **se tenant** au harnais, avançait péniblement.*

● L'**adjectif verbal** a la même terminaison, mais il **s'accorde** en genre et en nombre avec le nom qu'il accompagne. Il peut être remplacé par un autre adjectif.
*Tous les trois **tremblants**... Toutes les trois **tremblantes**... Tous les trois **épuisés**...*

— Participe présent et adjectif verbal se différencient parfois par l'orthographe.
p. présent : *communi**qu**ant - fati**gu**ant - diffé**r**ant - précé**d**ant.*
adj. verbal : *communi**c**ant - fati**g**ant - diffé**r**ent - précé**d**ent.*

— Lorsque le participe présent est précédé de **en**, on l'appelle le **gérondif** :
*Ils avançaient **en traînant** le pas.*

---

1 *Écris le participe présent des verbes suivants.*

avoir - être - aller - voir - faire - prendre - savoir - croire - boire - craindre - résoudre - fuir.

2 *Souligne en bleu les participes présents, en rouge les adjectifs verbaux.*

En tombant, il avait réussi à répartir son poids sur la glace mince. - Ils avançaient tous les deux, poussant, criant après les chiens. - C'étaient ses yeux qui étaient les plus frappants dans sa personne. - J'ai rêvé que je montais le long du chemin brillant de la Lune. - Le vent soufflait depuis le haut des pics environnants.

(D'après J. HOUSTON.)

3 *Écris le participe présent ou l'adjectif verbal comme il convient.*

Les récits (amuser) plaisent aux enfants. - Hervé fait des plaisanteries (amuser) tout le monde. -

L'avalanche s'est déclenchée, (entraîner) tout sur son passage. - Cette chanson (entraîner) aide à marcher. - Ce cirque présente une succession de numéros (étonner) les spectateurs. - J'ai vu des jongleurs (étonner) dans ce spectacle.

4 *Dictées à préparer.*
● *Autodictée : le texte d'étude.*

● SCÈNE DE CHASSE

À midi, Akavak et son grand-père marchaient tous les deux, poussant, criant après les chiens et les encourageant à avancer. Un gros lièvre de l'Arctique bondit devant eux, mais avant qu'Akavak n'ait pu détacher son arc du traîneau, une énorme oie des neiges glissa sur ses ailes silencieuses en virant au-dessus de l'équipage des chiens et, plongeant, se saisit du lièvre. Après une bagarre stridente, le chasseur à plumes et sa proie disparurent.

JAMES HOUSTON, *Akavak*,
Éd. Flammarion, Castor-Poche.

Le présent de l'impératif (1)

Conjugaison

• *Observe :*
N'ayez pas peur ! Arrêtez et parlez-moi.
À quel type appartiennent ces phrases ?
Quand l'emploie-t-on ?
• *Quel élément important de la phrase n'est pas exprimé ? Quelle est la personne conjuguée ici ?*
• *Écris ces phrases aux autres personnes de l'impératif.*

— Tibert, quel bon vent vous guide ?
À peine Tibert entend-il Renart qu'il prend la fuite.
— Eh bien, Tibert, lui crie Renart, ne fuyez pas, n'ayez pas peur ! Arrêtez et parlez-moi. Que croyez-vous que je veuille vous faire ? Ne croyez, à Dieu ne plaise, que je vous manque jamais de foi !
Tibert se retourne et s'arrête. Il tourne la tête vers Renart. Il aiguise fort ses ongles...

Le Roman de Renart.

• On emploie généralement l'impératif pour exprimer des **ordres**, des **conseils**, des **interdictions**.

Arrêtez-vous. - Ne fuyez pas.

• **L'impératif présent** n'a que trois personnes : la 2ᵉ du singulier, la 1ʳᵉ et la 2ᵉ du pluriel. Le sujet n'est pas exprimé.

	Avoir	*Être*	*Arrêter*	*Obéir*	*Aller*
2ᵉ pers. sing.	*Aie*	*Sois*	*Arrête*	*Obéis*	*Va*
1ʳᵉ pers. plur.	*Ayons*	*Soyons*	*Arrêtons*	*Obéissons*	*Allons*
2ᵉ pers. plur.	*Ayez*	*Soyez*	*Arrêtez*	*Obéissez*	*Allez*

• La 2ᵉ personne du singulier des verbes du *1ᵉʳ groupe*, ainsi que celle du verbe *aller*, ne prend pas de *s* final, sauf devant les pronoms *en* et *y* :

Parles-en - Restes-y - Vas-y.

---

1 *Écris à la 2ᵉ personne du singulier du présent de l'impératif.*

avoir du courage - être patiente - avoir du goût - être attentive - avoir de l'ambition - être sérieuse.

2 *Distingue en les classant en deux groupes :* ① *les verbes au présent de l'indicatif,* ② *les verbes au présent de l'impératif.*

Tu travailles beaucoup. - Nous arrêtons bientôt. - Soyez les bienvenus. - Écoute bien. - Quittons cette route. - Vous n'avez pas peur. - Ayez confiance. - Soyons amis.

3 *Écris la personne correspondante de l'impératif présent.*

Tu termines ton travail. - Tu essuies la vaisselle. - Tu choisis un livre. - Tu épelles ce mot. - Tu avoues ton erreur. - Nous excusons son geste.

4 *Même exercice.*

Tu avertis ton amie. - Vous fleurissez votre maison. - Nous saisissons l'occasion. - Tu agis rapidement. - Tu pétris la pâte.

5 *Écris à la 2ᵉ personne du singulier du présent de l'impératif en mettant le premier verbe à la forme négative.*
Ex. : **pleurer, être courageuse → Ne pleure pas, sois courageuse.**

s'énerver, rester calme - tricher, être honnête - crier, parler distinctement - se blesser, être prudent - se presser, aller lentement.

6 *Écris à la 2ᵉ personne du singulier du présent de l'impératif.*
Ex. : **y aller → vas-y.**

En goûter - y passer - en manger - en chercher - y rester - y penser - en discuter - y retourner.

7 *Accorde les verbes comme il convient au présent de l'impératif.*

(Écouter) le maître si tu veux comprendre. - *(Ne pas être)* inquiet, vous le retrouverez. - *(Avoir)* confiance, tu vas réussir. - *(Essayer)* de mieux écrire, tu seras mieux compris. - *(Se dépêcher)* si tu ne veux pas manquer ton train. - *(S'appliquer)* si vous voulez réussir.

Écrire un texte poétique

- *Trouve les quatre rimes de ce poème.*
- *Quand on entend plusieurs fois les mêmes consonnes, on parle d'allitération. Trouve les allitérations de ce poème.*
- *Compte les syllabes des vers. Quelle est la particularité du dernier vers ?*

LE CHAMOIS

Le vieux chamois
de Chamonix
rêve parfois
de sable chaud :
il est chameau.
Il est l'ami
d'un vieux chacal,
dans un hameau
du cœur de la Mauritanie.

H. PHILIBERT, *Safarimes*, Éd. du Petit Véhicule.

Pour écrire un poème, on peut jouer :

- avec les **sonorités** des mots, en utilisant :
— des **rimes** : *Le vieux cham**ois**
rêve parf**ois**...*
— des **allitérations** (répétition du même son consonne) : *ami...
chameau...*

- avec les **rythmes,** en variant le nombre de syllabes dans les vers.

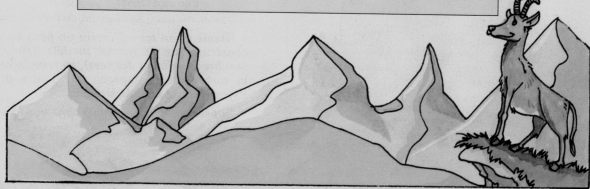

[1] *Tu vas écrire un texte intitulé* Le babouin. *Tu chercheras à conserver dans chaque vers le même nombre de syllabes que dans le texte.*

- *Les quatre premiers vers :*
— *remplace* chamois *par* babouin *dans le premier vers ;*
— *remplace* Chamonix *par un mot qui commence comme* babouin ;
— *cherche à quoi peut rêver le babouin, et dis-le dans le vers 4.*

- *Les trois vers suivants :*
— *remplace* chameau *et* chacal *par des mots qui commencent comme* babouin ;
— *essaie de faire rimer le vers 5 avec le vers 4.*

- *Les deux derniers vers :*
— *remplace* la Mauritanie *par un autre pays (tu peux inventer un nom de pays pour faire rimer avec le vers 6).*

157

Complète cette strophe du poème Le chamois, *en choisissant les mots dans la liste qui t'est donnée. Attention ! Les trois premiers vers doivent compter 4 syllabes, et les trois derniers, 8 syllabes.*

manie - péripétie - amont - chameliers - désertion - moucheron - chardonnerets - limon.

Le vieux chamois
de Chamonix
(c'est sa . . .)
lorsque descent le vent d'. . .
rêve d'argile et de . . .
où les . . . se chamaillent.

HENRI PHILIBERT, *Safarimes,* Éd. du Petit Véhicule.

3 **Lis ce poème et trouve les allitérations.**

Dans les coquelicots,
qui va là ?
Un koala de cinq kilos.
C'est rigolo,
quoique coquin.
Un koala de cinq kilos ?
C'est très taquin,
mais, quel culot !
Un koala de cinq kilos ?
Mais, quoi ?
Ça vaudrait bien quatre câlins !
— Tu crois ?

HENRI PHILIBERT, *Écholégrammes,* Éd. du Petit Véhicule.

● *Essaie à ton tour d'écrire un petit texte construit sur le même modèle en remplaçant* un koala de cinq kilos *par* un cochon à la queue en tire-bouchon *ou* un perroquet aux plumes platinées.

● *Tu peux aussi trouver toi-même une idée*

4 **Lis cette strophe et trouve les rimes.**

LA TORTUE DES GALAPAGOS

Dans les orties,
bride abattue,
un vieux colosse
se tortille.
Carrosse pattu,
loin des laitues,
la tortue des Galapagos
s'en va d'Orthez à Saragosse.

HENRI PHILIBERT, *Safarimes,* Éd. du Petit Véhicule.

● *Essaie à ton tour d'écrire un petit texte construit sur le même modèle (rimes, nombre de syllabes des vers), en remplaçant* la tortue des Galapagos *par* l'ours des Pyrénées *ou* le tigre du Bengale.

● *Tu peux aussi trouver toi-même une idée !*

Les compléments circonstanciels (2)*

OÙ EST PASSÉ LE POISSON ROUGE ?

• *Relève les compléments circonstanciels de la 1re phrase. Pour chacun d'eux indique :*
— la circonstance de l'action,
— la nature du complément (GN, GNP...).
• *Récris la phrase en insistant sur le complément de manière.*
• *Observe :*
Ils descendirent <u>pour inspecter chaque flaque.</u> Indique la circonstance exprimée par ce complément.
• *Relève les autres compléments circonstanciels du texte. Classe-les selon les circonstances qu'ils expriment.*

Le lendemain matin, quelques minutes avant l'heure du petit déjeuner, Bennett et Mortimer se glissaient furtivement dans le bâtiment de la piscine.

« Tu vas voir ! dit Bennett en ouvrant la porte. Ce sera facile de l'attraper. L'appât aura fait son effet pendant la nuit, nous n'aurons qu'à nous pencher et... Oh ! zut ! catastrophe !... Regarde, Morty ! »

Mortimer avait déjà vu. Tous deux s'immobilisèrent sur le bord, contemplant avec désespoir la piscine vide. Il n'y avait plus que quelques petites flaques d'eau, dans le fond, et là-bas, près du trou d'écoulement, on apercevait le pot de fleurs qui avait contenu les asticots. Mais aucune trace de César.

Ils descendirent dans la piscine pour inspecter minutieusement chaque flaque d'eau et les alentours de la grille. Rien.

« Quelle déveine ! gémit Mortimer. Il doit avoir filé à travers la grille dans le tuyau d'écoulement. Que va dire Bromo ? »

ANTHONY BUCKERIDGE, *Bennett et sa cabane*, Hachette-Poche.

• Beaucoup de compléments circonstanciels sont des **GNP** introduits par une préposition ou une locution prépositive : *à, de, pour, sur, avec... à cause de, auprès de, à côté de...*
Ils s'immobilisèrent **sur le bord**. - *Ils le cherchèrent* **près de la grille**.

• Certains compléments circonstanciels sont des **adverbes**.
Ils examinèrent la piscine **minutieusement** *(adverbe de manière).*

• Lorsqu'on veut insister sur une circonstance de l'action, on place généralement le complément en début de phrase.
Pour inspecter chaque flaque, *ils descendirent dans la piscine.* *(On insiste sur le but.)*
Avec son épuisette, *il repêcha le poisson rouge.* *(On insiste sur le moyen.)*

---

1 *Souligne le GNP complément circonstanciel ; entoure la préposition ou la locution prépositive.*

Le poisson était immobile au fond de son aquarium. - Mortimer le nourrissait avec des asticots. -

L'opération Poisson rouge se déroula selon le plan prévu. - Les enfants décidèrent de le faire nager enfermé dans un filet à papillons. - Le poisson rouge fut lâché dans la piscine. - Il s'échappa du filet percé.

D'après A. BUCKERIDGE.

2 *Complète avec la préposition ou la locution prépositive qui convient :*

Bennett vit un reflet rougeâtre . . . la surface. Il se pencha ; Mortimer le maintenait . . . les chevilles. Le poisson disparut . . . les profondeurs. - Les enfants avançaient lentement . . . la piscine. Ils essayaient d'attirer le poisson . . . un appât. Ils cueillirent des herbes aquatiques . . . l'étang.

D'après A. BUCKERIDGE.

3 *Complète avec un GNP complément circonstanciel.*

Mes parents m'ont offert un aquarium . . . . - J'ai acheté deux poissons rouges . . . . - Le chat les regarde nager . . . . - Je les nourris . . . . - Mes grands-parents les garderont . . . .

4 *Souligne le GN complément circonstanciel.*

Ce matin, Pascal a pris un bain. - L'eau de la piscine est renouvelée chaque mois. - Toute la journée, ils ont fouillé le bassin. - Le soir, ils abandonnèrent leur recherche. - Ils quittent Paris le mois prochain. - J'ai un rendez-vous demain matin.

5 *Complète avec un GN complément circonstanciel différent pour chacune des phrases :*

Isabelle achète ce journal . . . . - Julien aura onze ans . . . . - Nous verrons nos correspondants . . . . - . . . il a plu. - . . . ils vont au même endroit en vacances. - Il ne regarde pas la télévision . . . .

6 *Construis deux phrases avec des GNP et deux phrases avec des GN compléments circonstanciels.*

7 *Complète avec un adverbe complément circonstanciel qui convient.*

Le poisson saute . . . et disparaît . . . dans les profondeurs du bassin. - Le pêcheur attend . . . de longues heures sans bouger. - Nous ne mangeons pas . . . du poisson. - Pour ne pas effrayer le poisson, les enfants approchent . . . du bord. - Philippe écoute . . . les conseils que lui donne son père.

8 *Invente deux phrases avec des adverbes compléments circonstanciels.*

9 *Souligne chaque complément circonstanciel, puis indique entre parenthèses la circonstance de l'action : manière, cause ou but.*

Il a travaillé avec ardeur. (. . .) - J'ai pris cette route par erreur. (. . .) - Elle m'a téléphoné pour me demander conseil. (. . .) - Nous avons été retardés par une panne de voiture. (. . .) - Elle progresse sans cesse. (. . .) - Je passerai ce concours pour devenir instituteur. (. . .)

10 *Même exercice avec les circonstances moyen, cause ou but.*

Sandra enregistre un film avec son magnéto scope. - Il est nécessaire de travailler pour réussir. - Ce tableau est fixé par un simple clou. - Il a trouvé son chemin par hasard. - Jean-Paul prend l'autoroute pour aller plus vite. - Dany prend son parapluie à cause du mauvais temps.

11 *Complète par un complément circonstanciel répondant à l'idée demandée.*

Les barques rentraient. *(idée de lieu)* - Le poisson était déchargé. *(idée de manière).* - On le prépa rait. *(idée de but)* - Il était expédié. *(idée de moyen)* - Il était vendu. *(idée de temps)*

12 *Construis trois phrases : l'une avec un complément de cause* (en raison de...) *- l'autre avec un complément de moyen* (avec...) *- la dernière avec un complément de but* (pour...).

13 *Récris les phrases en mettant en relief le complément souligné.*

Marc s'entraîne à la piscine de son quartier pendant une heure chaque soir. - Tous ensemble, les athlètes ont pris le départ de la course au coup de sifflet. - Près du barrage, au pied d'un grand chêne, le vieux pêcheur s'installe dès le matin. - Le voilier s'est couché au milieu du lac, brusquement à la suite d'un violent coup de vent. - Les naufragés, malgré leur fatigue, ont pu regagner la côte à la nage.

14 *Complète à l'aide des questions posées, puis récris chaque phrase en mettant en relief le complément de ton choix.*

L'incendie s'est déclaré... *(où ? quand ? comment ?)* - Les pompiers ont éteint le feu... *(comment ? avec quoi ?)* - L'hirondelle bâtit son nid... *(où ? quand ? comment ? pour quoi ?)* - La fusée Ariane a décollé... *(quand ? d'où ? comment ? pourquoi ?)* - L'ordinateur a effectué les calculs... *(comment ? pourquoi ?)*

15 *Indique la circonstance exprimée par chacun des compléments circonstanciels de cette phrase :*

Du haut de son perchoir, pour réveiller la basse cour, le coq, *d'une voix aiguë,* lance *régulièrement, chaque matin,* son puissant cocorico.

ÉCRIRE

16 *Qu'a pu devenir César, le poisson rouge de l'histoire ? Il sera retrouvé. Essaie d'imaginer son aventure.*

Le vocabulaire des sciences et des techniques

LA SALLE DE SCIENCES

Le texte donne deux noms de sciences. Lesquels ?
Quel est le nom de la science qui étudie les plantes ? les champignons ?
● *Quel mot du texte signifie : se nourrit d'herbe ?*
● *Relève un mot de la famille de rose. Que signifie-t-il ?*
Qu'est-ce qu'un bovidé ?

J'ai toujours adoré la salle de sciences de notre école, avec ses odeurs de plantes séchées, de champignons, ses bocaux de produits chimiques, ses petits animaux conservés dans l'alcool et ses appareils de mesure dominés par un thermomètre géant.

On y apprend qu'il y a des animaux herbivores et des plantes rosacées, que la géologie est la science qui étudie le sous-sol, et que l'écologie est l'étude scientifique des rapports des êtres vivants avec leur milieu naturel. On y observe un gros crâne orné de cornes immenses et sous lequel on peut lire : bovidé.

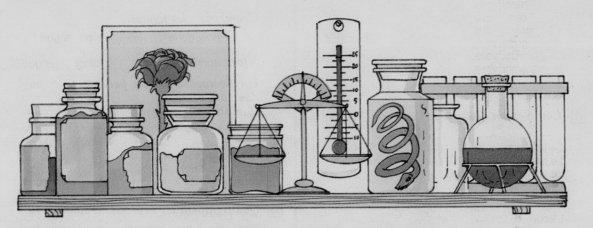

1 *Des noms de sciences et leur signification :*

	science qui étudie		
la volcanologie	→ les volcans		
la géologie	→ ...	la climatologie	→ ...
la cancérologie	→ ...	la minéralogie	→ ...
l'archéologie	→ ...	la mycologie	→ ...

Quel suffixe a-t-on utilisé ?

2 *Les appareils de mesure :*

thermo | mètre
↙ [la chaleur]   ↘ [pour mesurer]

Que mesure-t-on avec ces appareils ?

		pour mesurer ↓
thermo	mètre	...
pluvio	mètre	...
baro	mètre	...
chrono	mètre	...
applaudi	mètre	...
pyro	mètre	...
hygro	mètre	...
anémo	mètre	...

3 *Trouve le mot dérivé :*

Le savant qui étudie la géologie est un géologue.

Complète pour les autres sciences de l'exercice 1.
Quel suffixe a-t-on utilisé ?

4 *Voici des familles de plantes :* **renonculacées, rosacées, composées, labiacées, liliacées, papilionacées.**
Complète en t'aidant du dictionnaire :

	sont des
Le rosier et le prunier	→ ...
Le lis et la tulipe	→ ...
La pivoine et la renoncule	→ ...
La glycine et le haricot	→ ...
La marguerite et le souci	→ ...
La menthe et le thym	→ ...

5 *Pour les curieux !*
D'où viennent les noms de plantes suivants ?
(Recherche dans ton dictionnaire.)

le bégonia, le fuchsia, le magnolia, le dahlia, le zinnia, le gardénia, le forsythia.

6 *Classe les animaux :* **renard, truite, mouton, antilope, bœuf, chèvre.**

		sont des animaux de la famille
les bovidés	→	du ...
les ovidés	→	du ...
les capridés	→	de ...
les canidés	→	du ...
les antilopidés	→	de ...
les salmonidés	→	de ...

7 *Classe les animaux en fonction de leur nourriture :*

herbi |vore = *qui se nourrit d'herbe*
[herbe] [qui se nourrit de]

		qui se nourrit de
herbi	vore	...
carni	vore	...
insecti	vore	...
grani	vore	...
frugi	vore	...
omni	vore	...
api	vore	...

8 *Complète en t'aidant de l'exercice 7.*

		sont des
Le lion et le loup	→	...
Le mouton et le lapin	→	...
Le hérisson et la taupe	→	...
Le sanglier et le porc	→	...

		est
L'écureuil	→	... et ...
Le moineau	→	... et ...

9 *Que signifient les adjectifs* **diurne** *et* **nocturne** *?*
Classe en oiseaux diurnes ou nocturnes :

merle, chouette, pie, hulotte, hibou, mouette, grand-duc, moineau, buse, rouge-gorge, hirondelle, faisan.

10 *Des préfixes utilisés pour la mesure des longueurs, des masses et des capacités.*
Complète :

(avec les mètres) kilo ..., hecto ..., déca ...
(avec les grammes) ......, ..., ...
(avec les litres) ......, ..., ...

11 *La* **viticulture** *est la culture de la* **vigne.**
Complète :

La riziculture	*est la culture*	du ...
L'horticulture	→	...
L'arboriculture	→	...
La sylviculture	→	...
La trufficulture	→	...
L'agriculture	→	...

L'apiculture	*est l'élevage*	des ...
L'aviculture	→	...
L'ostréiculture	→	...
La sériciculture	→	...

12 *Trouve le mot dérivé :*
Celui qui pratique l'apiculture **est un apiculteur.**
Complète pour les autres cultures de l'exercice 11.

13 *Trouve le nom du produit qui détruit :*

herbi|cide = *qui détruit l'herbe*
[l'herbe] [qui détruit]

Pour détruire
l'herbe : un ...
les insectes : un ...
les rats : un ...
les acariens : un ...
les ... : un fongicide

14 *Géométrie : les figures.*

poly|gone
[plusieurs] [angle]

penta|gone
[cinq] [angle]

Un pentagone est un polygone à 5 angles, donc à 5 côtés.
Complète.

Un pentagone	*est un polygone*	à ... côtés
Un octogone	→	à ... côtés
Un décagone	→	à ... côtés
Un heptagone	→	à ... côtés
Un hexagone	→	à ... côtés

15 *Que signifient les expressions suivantes ?*

avoir une bonne technique, des termes techniques, l'Enseignement technique, les techniques de pointe, entrer à Polytechnique.

16 *Donne la signification des mots suivants :*

un technicien, la technologie, les technocrates.

Participe passé en -*é* ou infinitif en -*er* ?

● *Relève les participes passés en -é du texte.*
Essaie de les remplacer par des participes passés en -i ou en -u. Est-ce possible ?
● *Relève les verbes du 1er groupe à l'infinitif dans le texte.*
Essaie de les remplacer par des verbes du 2e ou du 3e groupe. Est-ce possible ?
● *Rappelle la règle qui permet de distinguer un participe passé en -é d'un infinitif en -er.*

MON MAÎTRE...

Mon maître se révéla être une maîtresse.
Il faut dire que tous les hommes étaient partis à la guerre, se trouvaient pour la plupart être prisonniers et il ne restait plus que des institutrices ou des retraités que l'on avait rembauchés pour éduquer les jeunes Français des années d'occupation. Maurice avait hérité d'un très vieux monsieur à barbiche qui s'était retiré depuis un grand nombre d'années et qui tentait trois cents fois par jour d'imposer le silence à une meute déchaînée de trente-cinq élèves au milieu d'une atmosphère obscurcie par les boulettes.

JOSEPH JOFFO, *Un sac de billes*, Éd. J.-C. Lattès.

● Le participe passé en **-é** peut se remplacer par un participe passé en **-i** ou en **-u**, mais jamais par un infinitif.
On l'avait **nommé**. → On l'avait **choisi**.
Il est impossible d'écrire : *On l'avait nommer.*
Après les auxiliaires *avoir* et *être*, on écrit toujours le participe passé.

● L'infinitif en *er* peut se remplacer par un infinitif du 2e ou du 3e groupe *(finir, faire, prendre, mettre...)*.
Il tentait **d'imposer** le silence → Il tentait **d'obtenir** le silence.
Après les prépositions *à, de, pour...*, on écrit toujours l'infinitif.

---

1 *Remplace le verbe employé par un infinitif du 1er groupe.*

Dans quelques jours, nous allons *voir* nos correspondants. Nous allons *vivre* une semaine avec eux. Sur la carte, nous avons repéré la route à *suivre*. Nous commençons à *réunir* tout ce que nous allons *prendre*. Il nous faudra une grande malle pour *mettre* ce que nous avons prévu.

2 *Remplace le participe passé employé par un participe passé en -é.*

Maman a *fait* un gâteau pour mon anniversaire. - Nous avons *fini* de dîner à huit heures. - Comme ils ont été *surpris* de me voir ! - Julien a *mis* un poster sur le mur de sa chambre. - Avez-vous *appris* vos leçons ? - La chasse n'est pas *permise* dans ce bois.

3 *Complète comme il convient. (Attention aux accords !)*

Des documents bien class.... - des enfants intéress.... - organis... un voyage. - repér... le trajet. - une route accident.... - des soirées anim....- un maire enchant.... - prononc... un discours. - des récompenses mérit.... - célébr... l'amitié.

4 *Mets la terminaison qui convient.*

Le spectacle termin..., les acteurs ont regagn... leur loge pour se chang.... - Le champion encourag... par la foule va réalis... un exploit. - J'aime me promen... dans les bois parfum.... - Les terres labour..., ensemenc..., fertilis... vont donn... de belles récoltes. - Ce film a présent... des scènes difficiles à regard....

5 *Dictées à préparer.*
● *Autodictée : Depuis « Maurice »... jusqu'à la fin du texte.*

● AVEC MON COPAIN ALCESTE
Maman est arrivée en courant et elle n'était pas contente. Elle nous a séparés, elle nous a grondés et puis, elle a dit à Alceste de partir. Moi, ça m'embêtait que parte Alceste, on s'amusait bien, tous les deux, mais j'ai compris qu'il valait mieux ne pas discuter avec maman, elle n'avait vraiment pas l'air de rigoler. Alceste m'a serré la main, il m'a dit à bientôt et il est parti. Je l'aime bien, Alceste, c'est un copain.
Maman, quand elle a regardé mon lit, elle s'est mise à crier. Il faut dire qu'en nous battant, Alceste et moi, on a écrasé quelques chocolats sur les draps...

SEMPÉ ET GOSCINNY, *Le Petit Nicolas*, Éd. Denoël.

Conjugaison

Le présent de l'impératif (2)

CAMION EN FEU

• *Relève les verbes du texte écrits à l'impératif. Donne leur infinitif, puis conjugue-les à ce mode.*
• *Rappelle ce qu'exprime généralement l'impératif.*

Arrête ! Arrête ! Le feu, il y a le feu !
D'un seul coup le citernier comprend...
— Décroche l'extincteur, ordonne la Callas en sautant à terre. Vite, Bon Dieu, vite !
— Donne !
— J'y vais !
— Non, reste là. Prends le volant et « fous-moi » le camion en travers de la route, un peu plus loin. Il faut bloquer la circulation... Fais ce que je te dis !
Des véhicules s'arrêtent. Des curieux descendent.
— Mais filez donc... Planquez-vous quelque part. Tout risque de sauter !

RENÉ ANTONA, *Les Champions du gaz-oil*, Éd. Magnard.

Quelques verbes irréguliers à l'impératif :

Faire	Venir	Prendre	Savoir	Dire
Fais	Viens	Prends	Sache	Dis
Faisons	Venons	Prenons	Sachons	Disons
Faites	Venez	Prenez	Sachez	Dites

Voir	Boire	Vouloir	Coudre	Craindre
Vois	Bois	Veuille	Couds	Crains
Voyons	Buvons	Veuillons	Cousons	Craignons
Voyez	Buvez	Veuillez	Cousez	Craignez

Voir tableaux, pp. 209 à 213.

---

1 *Transforme en phrases impératives.*

Tu agis sans attendre. - Tu appelles à l'aide. - Tu arrêtes la circulation. - Tu fais disperser les badauds. - Tu utilises ton extincteur. - Tu attaques le feu à la base. - Tu ne t'exposes pas trop.

2 *Écris à la 2ᵉ personne du singulier.*

Prenez tout droit. Après le carrefour, tournez à gauche, parcourez environ cent mètres, descendez la rue pavée. Sur la place, renseignez-vous   ; ce que vous cherchez n'est pas loin.

3 *Écris à la 2ᵉ personne du pluriel de l'impératif.*

Tu fais attention. Tu ne dis pas n'importe quoi. - Tu sais qu'il est fragile. - Tu prends soin de lui. - Tu veux le remercier. - Tu attends qu'il revienne.

4 *Écris à la 2ᵉ personne du singulier de l'impératif négatif.*
Ex. : **croire ce qu'il dit → Ne crois pas ce qu'il dit.**

suivre ses conseils - prendre des risques - faire des bêtises - être stupide - avoir honte - attendre tout de lui - agir à la légère.

5 *Écris à l'impératif à la personne demandée. N'oublie pas le trait d'union.*

M'attendre *(2ᵉ pers. sing.)* - me faire une place *(2ᵉ pers. sing.)* - me dire son nom *(2ᵉ pers. plur.)*. - m'écrire souvent *(2ᵉ pers. sing.)* - me rendre mon livre *(2ᵉ pers. plur.)* - me croire sur parole *(2ᵉ pers. plur.)* - me prévenir de ta visite *(2ᵉ pers. sing.)* - me conduire chez lui *(2ᵉ pers. plur.)*.
Y aller dans la semaine *(2ᵉ pers. sing.)* - en prendre chaque jour *(2ᵉ pers. plur.)*.

La phrase complexe

● Repère dans le texte les phrases simples, c'est-à-dire les phrases qui ne contiennent qu'un seul verbe conjugué. Combien en comptes-tu ?
● Repère maintenant les phrases complexes, c'est-à-dire celles qui contiennent plusieurs verbes conjugués. Combien en comptes-tu ?
● Montre, à l'aide d'exemples du texte, que les phrases complexes sont la réunion de phrases simples.
● Dans une phrase complexe, quels mots servent à unir les propositions ? Donne des exemples.

LE TRAVAIL DE LA LAINE

Le travail de la laine est un travail de fourmi, mais il ne demande pas trop de place. Le métier à tisser est tendu verticalement sur deux perches, à faible distance du mur. Il peut rester là aussi longtemps que l'on veut. Mes tantes y passent en quelque sorte leurs moments perdus. Elles s'assoient, alors, le dos appuyé au mur, introduisent les brins de la trame entre les fils de la chaîne et tassent avec un peigne de fer. C'est une occupation qui n'empêche pas les bavardages. Lorsque le métier n'est pas encore dressé, mes tantes sont occupées soit au cardage de la laine lavée, soit au filage de la chaîne à l'aide de la quenouille et du fuseau.

MOULOUD FERAOUN, *Le Fils du pauvre*, Éd. du Seuil.

● Une **phrase simple** est constituée d'**un seul verbe conjugué.** Elle a un sens complet par elle-même. On l'appelle aussi **proposition indépendante :**
*Le métier à tisser **est tendu** verticalement sur deux perches.*

● Une **phrase complexe** est la réunion de plusieurs phrases simples ou propositions. Elle comprend donc **plusieurs verbes conjugués.**
Le tissage de la laine est une occupation. Le tissage de la laine n'empêche pas les bavardages.
*→ Le tissage de la laine **est** une occupation qui n'**empêche** pas les bavardages.*

● Les propositions de la phrase complexe peuvent être **juxtaposées :**
Elles s'assoient, introduisent les brins de laine ;

ou **coordonnées**, c'est-à-dire réunies par **une conjonction de coordination :**
C'est un travail de fourmi, (mais) il ne demande pas trop de place.

● La phrase complexe peut aussi être constituée d'une **proposition principale** et d'une **proposition subordonnée,** dépendant de la proposition principale.
La proposition subordonnée est généralement réunie à la principale soit par **un pronom relatif,** soit par **une conjonction de subordination :**
*C'est une occupation / **qui** n'empêche pas les bavardages.*
*Mes tantes sont occupées au cardage / **lorsque** le métier n'est pas [encore dressé.*

principales   subordonnées

1 *Écris des phrases simples à partir des groupes nominaux suivants.*

Ex. : **Le scintillement des étoiles. → Les étoiles scintillent.**

l'atterrissage de l'avion - l'arrivée des beaux jours - le retour des hirondelles - le passage des coureurs - la fermeture des magasins - le débordement des rivières.

2 *Écris des phrases complexes à partir des phrases simples suivantes.*

Ex. : **Je souhaite *sa venue*. → Je souhaite *qu'il vienne*.**

Je souhaite sa réussite. - J'attends son retour. - Je ne doute pas de sa sincérité. - J'espère sa guérison. - Nous attendons l'ouverture du magasin. - Elles attendent leur départ.

3 *Repère les verbes conjugués de chaque phrase, puis classe en deux groupes : phrases simples - phrases complexes.*

Nana est très adroite. - Ses fils de chaîne sont aussi durs et aussi fins que des cheveux. - Elle s'arrête quand le fil de chaîne est rompu. - Khalti sait reproduire sur le tissu tout ce qu'elle sait dessiner sur les cruches. - Les coups de peigne font un bruit sourd et précipité. - Souvent Nana veille et avance ainsi son ouvrage.

D'après M. FERAOUN.

4 *Même exercice.*

Sophie taille une jupe dans le coupon de tissu. - Le travail est terminé, mais il a demandé beaucoup de temps. - La commande a été livrée à l'adresse indiquée. - La pluie qui tombe sans arrêt gêne la circulation. Prudents, les automobilistes ralentissent leur allure. - Les hirondelles reviendront quand l'hiver sera terminé.

5 *Écris en une seule phrase, en juxtaposant les propositions.*

— Le vent se lève. La pluie commence à tomber.
— L'automobiliste stoppe. Il fait le plein d'essence. Il repart.
— L'athlète s'élance. Il bondit. Il bat le record du monde.
— Les oiseaux bavardaient. Ils pépiaient. Ils jacassaient sans cesse.

6 *Réunis chaque couple de phrases simples en une phrase complexe. Emploie les petits mots :* **et - quand - qui - mais - lorsque - car.**

Nana file la laine. Nana discute avec Khalti. - J'ai acheté un tapis. Ce tapis me plaît beaucoup. - Nana ne viendra pas travailler. Nana est souf-frante. - Le tapis est vendu. Le tapis est terminé. - Nana a préparé le thé. Nana n'en a pas bu. - Les poteries sont enfournées. Le four est chaud.

7 *Même exercice. Emploie les petits mots :* **et - car - parce que - donc - que - où - dont.**

La pluie tombe. La pluie rend les choses tristes. - Pierre n'est pas malade. Pierre ira à l'école. - C'est un grand pays. Vous m'avez beaucoup parlé de ce pays. - Je n'ai pu le rencontrer. Il n'était pas là. - J'ai terminé le livre. Tu m'avais prêté ce livre. - Le ciel se dégagea. Le soleil revint. - J'aime la compagnie de Sylvie. C'est une fille gaie. - Je te montre le collège. J'irai dans ce collège.

8 *Même exercice. Emploie un petit mot qui convient. Change pour chaque phrase.*

Le vent souffle. Le vent déracine le chêne. - Le chat est à l'affût. Le chat a vu une souris. - Antoine a entendu frapper. Antoine n'a pas ouvert. - Audrey ouvre sa fenêtre. Audrey respire le bon air pur. - Il n'est pas venu. Il est malade.

9 *Ajoute des éléments pour transformer ces phrases simples en phrases complexes.*

Ex. : **Les pompiers sont intervenus. → Les pompiers sont intervenus *dès que l'incendie s'est déclaré*.**

La neige a fondu. - Les moutons sont rentrés à la bergerie. - Les spectateurs applaudissent. - On enfourne le gâteau. - Le chalutier a fait naufrage.

10 *Même exercice.*

Les rues sont encombrées. - Alexandre a vu Aurélie. - Le client discute longuement. - Le sapin sera décoré. - Nous ne pouvons venir. - Thomas a pris la tête de la course.

11 *Souligne les verbes conjugués, puis sépare d'un trait les deux propositions de chaque phrase.*

Nana travaille et nous raconte des histoires. - Je lis un peu quand le sommeil ne vient pas. - La terre glaise s'étire, s'évase sous les mains du potier. - La maison est encombrée de pots qui sèchent sur les étagères. - Lorsque la poterie est sèche, il faut la décorer. - Mes pots sont irréguliers car je ne suis pas habile.

12 *Même exercice.*

L'avalanche s'est déclenchée quand le skieur est passé. - Dès que le départ a été donné, les Ferrari ont pris la tête de la course. - Je n'ai pas encore reçu le cadeau que j'ai gagné. - Elle a acheté le roman dont je lui ai parlé. - Élodie ne viendra pas ce soir car elle est souffrante.

Des mots de sens voisin : les synonymes

Vocabulaire

- *Relève dans le texte :*
— *deux synonymes de* peur,
— *un synonyme de* odeur,
— *un synonyme de* cri.
Quelle nuance de sens apportent-ils ?
- *Trouve trois synonymes de* parler *appartenant à des niveaux de langue différents.*

L'ARRIVÉE DE L'ORAGE

Des nuages violets passaient sur nos têtes, et la lumière bleuâtre baissait de minute en minute, comme celle d'une lampe qui meurt.

Je n'avais pas peur, mais je sentais une inquiétude étrange, une angoisse profonde, animale.

Les parfums de la colline — et surtout celui des lavandes — étaient devenus des odeurs, et montaient du sol, presque visibles...

C'était un murmure lointain, une rumeur trop faible pour inquiéter les échos, mais frissonnante, continue, magique.

Nous ne bougions pas, nous ne parlions pas. Du côté de Baume Sourne, un épervier cria sur les barres, un cri aigu, saccadé, puis prolongé comme un appel ; devant moi, sur le rocher gris, les premières gouttes tombèrent.

MARCEL PAGNOL, *Le Château de ma mère*, Éd. Pastorelly.

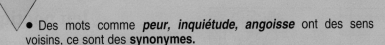

- Des mots comme *peur, inquiétude, angoisse* ont des sens voisins, ce sont des **synonymes.**

- Les synonymes se différencient par des nuances de sens : *un cri* et *un appel.*

- Ils appartiennent souvent à des niveaux de langue différents : *peur* et *frousse ; un bout, un morceau* et *un fragment.*

---

1 *Recopie le texte en remplaçant les mots en italique par les mots synonymes suivants :*
abri, marcher, dormir, las, transparente, âgé.

Il s'arrêta près du ruisseau et toucha l'eau *claire* et fraîche. À force de *cheminer* sur les routes, ses pieds devenaient douloureux. L'homme, *vieux* et *fatigué*, cherchait un *refuge* pour *se reposer* cette nuit-là.

2 *Trouve un synonyme pour les mots du texte en italique :*

La lumière *baissait* - une lampe qui *meurt* - une inquiétude *étrange* - une angoisse *profonde* - Les parfums montaient du *sol* - *inquiéter* - une rumeur *continue* - *Du côté de* - un cri *aigu*.

3 *Regroupe les mots synonymes (trois groupes) :*

difficile - dévoiler - divulguer - agrandir - étendre - épineux - laborieux - accroître - délicat - amplifier - révéler - scabreux - augmenter - ébruiter - ardu - intensifier - publier.

4 *Voici des mots synonymes de* odeur. *Emploie-les correctement dans les phrases :*
parfum - bouquet - fumet - arôme.

En entrant dans la maison, on pouvait sentir le ... du civet de lièvre. - Les violettes répandent leur agréable ... - Le thym, le romarin, la cannelle sont recherchées pour leur ... - Ce vin vieux a du ...

5 *Le mot* **sombre** *a ici quatre sens. Trouve des mots synonymes, un pour chaque sens :*

une pièce sombre   SYN. : ...
un costume sombre   SYN. : ...
il a l'air sombre   SYN. : ...
l'avenir est sombre   SYN. : ...

6 *Le mot* **mince** *a ici cinq sens. Trouve des mots synonymes, un pour chaque sens :*

une tranche mince   SYN. : ...
une lame mince   SYN. : ...
une taille mince   SYN. : ...
des connaissances
bien minces   SYN. : ...
un rôle mince   SYN. : ...

Raconter un fait

1.
- *Observe les trois images et raconte l'histoire.*
- *Écris cette histoire.*
- *Trouve un titre pour ton texte.*

Repérer des indices

2. *Dans ces dessins, on te propose une situation où quelque chose a été volé. Quelles sont les traces qui pourraient permettre de retrouver le voleur et l'objet volé ?*

- *Écris deux ou trois phrases pour dire ce qui a été volé et comment on peut retrouver la trace du voleur.*

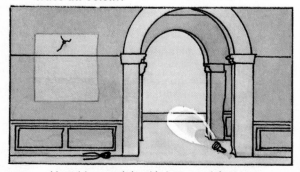

Un tableau a été volé dans ce château.

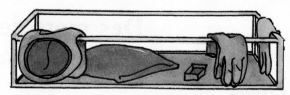

Un diamant a été volé dans cette vitrine.

Une voiture a disparu du parking.

Trouver les mobiles

3. *À partir des situations qui te sont proposées dans l'exercice 2, imagine les raisons (ou mobiles) pour lesquelles chaque objet a été volé.*

Jeu poétique

4. *Lis ce petit texte. Regarde comment sont disposées les deux rimes [aʒ] et [ku]. On les appelle des rimes* **plates.**

> Soleil, je t'adore comme les sauv**ages,**
> à plat ventre sur le riv**age.** (. . .)
> Soleil, je supporte tes **coups ;**
> tes gros coups de poings sur mon **cou.**
>
> JEAN COCTEAU, « Batterie », *Poésies*, D.R.

- *Écris un ou deux petits poèmes en gardant la même forme (. . . je t'adore . . . ; . . . je supporte . . .) et avec des rimes plates, mais en remplaçant* soleil *par* lune, neige, mer, *etc.*

Reconstitution de texte

5. L'AUTOMOBILE

Quelquefois, en plein milieu de l'après-midi, alors que tous les élèves étaient penchés en silence sur un laborieux exercice de grammaire, on entendait au loin le bruit d'un moteur. Toutes les têtes se redressaient et mon père écoutait aussi. Si par hasard l'automobile s'engageait dans la rue de l'école, nous nous précipitions tous aux fenêtres pour la voir passer. Auparavant, c'eût été un grave manquement à la discipline de la classe, mais désormais, mon père le tolérait, trop curieux lui aussi d'aller regarder l'automobile. Finalement, au bout de quelques jours, tout le monde se lassa de cet exercice. Nous voyions passer presque toujours la même voiture, la vieille Citroën du médecin qui habitait un peu plus loin dans la rue.

JEAN L'HÔTE, *La Communale*, Éd. du Seuil.

La consonne finale muette

● *Lis le texte.*
● *Observe :* le début -
le gant - lourd - grand - gros
- petit - intelligent.
— *Que peux-tu dire
de la consonne finale
de chacun de ces mots ?*
— *Mets les adjectifs
au féminin.*
— *Trouve un verbe de
la même famille
que les noms.
Entends-tu maintenant
les consonnes finales
de ces mots ?*
● *Comment ferais-tu pour
trouver la consonne finale
du mot* forêt *?*

PORTRAIT

Ils m'ont appelé Adalbert. Un nouveau-né ne peut pas contester son prénom. Mais j'ai quand même hurlé du début à la fin de
la cérémonie du baptême… Un nom pareil est déjà lourd à porter quand on n'est pas plus gros qu'un demi-gant de toilette et
qu'on a une peau couleur carotte. Mais si on ne devient pas rapidement un grand et gros garçon, alors là, c'est Adalbert la
galère… Toutefois mon grand-père dit qu'il vaut mieux être petit
et intelligent que grand et bête.

ANGELA NANETTI CASARI, *Les Mémoires d'Adalbert*, Éd. Nathan.

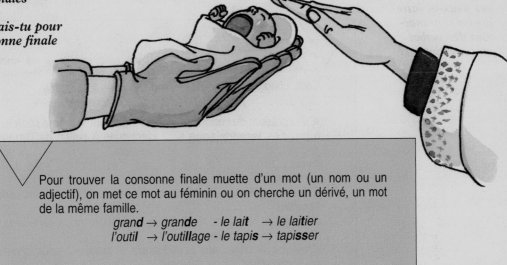

Pour trouver la consonne finale muette d'un mot (un nom ou un
adjectif), on met ce mot au féminin ou on cherche un dérivé, un mot
de la même famille.

grand → *grande* - *le lait* → *le laitier*
l'outil → *l'outillage* - *le tapis* → *tapisser*

---

1 *Écris les noms suivants au masculin.*

la cliente - la marchande - l'Anglaise - la marquise
- la cuisinière - la poulette - la gourmande - la
vagabonde - la première - la baronne.

2 *Écris l'adjectif masculin correspondant.*

épaisse - salissante - ronde - exquise - plate -
longue - prête - sourde - haute - soumise.

3 *Écris le nom correspondant à chacun des
verbes.*

Ex. : camper → le camp.

reposer - dessiner - goûter - partir - ranger - éclater - bondir - entasser - dépoter - abuser.

4 *Écris le nom correspondant à chacun des
mots.*

Ex. : l'accrochage → l'accroc.

la fusillade - matelasser - la clownerie - le paysage
- empaqueter - sanguin - la persillade - essaimer -
le démâtage - l'escroquerie.

5 *Complète comme il convient.*

— Au tirage de la tombola, Antoine a gagné le
gros l. . .
— On a transporté le blessé sur un brancar. . .
— Il faut une petite clé pour ouvrir ce caden. . .
— Chaque semaine, il change les dra. . . de son
li. . .
— Avec ce petit boi. . . nous ferons des fago. . .

6 *Teste tes connaissances. Écris ces mots invariables qui comportent tous une consonne
finale muette. L'un d'eux a même deux
consonnes finales muettes.*

aussitô. . . - beaucou. . . - d'abor. . . - dehor. . . -
jamai. . . - partou. . . - mieu. . . - asse. . . - moin. . .
- cependan. . . - tro. . . - longtem. . .

7 *Dictée à préparer.*
● *Autodictée : le texte d'étude.*

Le présent du conditionnel (1)

Conjugaison

LE TEMPS DES CONTES

• *Les faits exprimés dans le texte se sont-ils déjà déroulés ou vont-ils se dérouler ?*
• *À quoi sont soumis ces faits ?*
• *À quel temps est exprimée la condition ?*
• *Quelle remarque peux-tu faire sur les terminaisons des verbes au conditionnel ?*

S'il était encore une fois
Nous partirions à l'aventure,
Moi, je serais Robin des Bois,
Et toi tu mettrais ton armure.

Nous irions sur nos alezans
Animaux de belle prestance,
Nous serions armés jusqu'aux dents
Parcourant les forêts immenses.

S'il était encore une fois
Vers le château des Contes bleus
Je serais le beau fils du Roi,
Et toi tu cracherais le feu.

Nous irions trouver Blanche-Neige
Dormant dans son cercueil de verre,
Nous pourrions croiser le cortège
De Malbrough revenant de guerre.

D'après GEORGES JEAN, *Les Mots d'Apijo*, Éd. St-Germain-des-Prés.

• Au **présent du conditionnel,** les faits exprimés **ne sont pas certains.** Ils sont souvent soumis à une condition, à des réserves. Cette condition est généralement exprimée à l'imparfait.
*Si j'étais moins étourdi, **je réussirais** mieux.*

• Au présent du conditionnel, les verbes ont le même **radical** qu'au **futur.** Les **terminaisons** sont identiques à celles de l'**imparfait :**
Je rêve-r-ais.
Avoir : *J'aurais, tu aurais, il aurait, nous aurions, vous auriez, ils auraient.*
Être : *Je serais, tu serais, il serait, nous serions, vous seriez, ils seraient.*
Rêver : *Je rêverais, tu rêverais, il rêverait, nous rêverions, vous rêveriez, ils rêveraient.*
Choisir : *Je choisirais, tu choisirais, il choisirait, nous choisirions, vous choisiriez, ils choisiraient.*

---

1 *Écris au présent du conditionnel.*

Tu *(être)* attentif. - Nous *(avoir)* chaud. - Je *(travailler)* mieux. - Elle *(réussir)* facilement. - Ils *(avoir)* peur. - Vous *(être)* les premiers.

2 *Même exercice.*

Je *(essuyer)* la vaisselle. - Elles *(copier)* ce texte. - Tu *(distribuer)* les cahiers. - Nous *(louer)* une voiture. - Il *(payer)* la facture. - Vous *(échouer)* le bateau.

3 *Écris les phrases suivantes* ① *au futur simple,* ② *au conditionnel présent.*

Grand-mère raconte une histoire à Julien. - Le Grand méchant loup bondissait sur le Petit Chaperon Rouge. - Les Sept Nains furent les amis de Blanche-Neige.

4 *Même exercice.*

Nous écoutions ce conte avec attention. - J'ai eu peur de Barbe-Bleue. - Vous frémissiez au seul nom de l'Ogre.

5 *Fais concorder les temps en écrivant correctement les verbes entre parenthèses.*

S'il se dépêche, il *(arriver)* à l'heure. - Si tu ne réfléchis pas assez, tu te *(tromper)*. - S'il se dépêchait, il *(arriver)* à l'heure. - Si tu ne réfléchissais pas assez, tu te *(tromper)*. - S'ils étaient fatigués, ils se *(reposer)*. - Si elles cherchent bien, elles *(trouver)*.

6 *Écris la condition au temps qui convient.*

Tu me téléphoneras si tu *(recevoir)* de ses nouvelles. - Elle serait au courant si elle *(écouter)* la radio. - Ils uniraient leurs efforts si c'*(être)* nécessaire. - Je tenterai l'ascension si ce guide m'*(accompagner)*.

7 *Fais les liaisons possibles.*

Si je t'explique • • tu seras satisfait.
Si elles s'inquiétaient • • tu comprendras.
Si tu étais moins bavard • • je les rassurerais.
Si tu choisis ce livre • • tu serais moins puni.

Coordination et subordination

- *Lis le texte.*
- *Combien de propositions compte la 1re phrase ? Quel petit mot sert à unir les deux principales ? Quels mots introduisent la subordonnée ?*
- *2e phrase. Quels mots introduisent les subordonnées ?*
- *3e et 5e phrases. À quoi sert le petit mot mais ?*
- *6e phrase. À quoi sert le petit mot et ?*

LA MAISON QUI VOLE

Dès que les enfants furent montés à bord de la maison, Hermine reprit le commandement et on mit le cap vers la France. La descente de lit, qui avait repris goût à son état de tapis volant, suivit en gambadant malicieusement, comme un petit chien qui suit une automobile.

Éric voulait absolument revenir par l'Amérique mais Hermine objecta que les parents devaient être inquiets. On fit juste un petit crochet par New York. Les Américains ne furent pas contents du tout... Ils protestèrent mais ils admirèrent l'audace des enfants. Des avions et des dirigeables vinrent leur rendre visite, on leur apporta des jouets, des bonbons, des gâteaux.

CLAUDE ROY, *La Maison qui s'envole*, Éd. Gallimard.

- **Coordonner,** c'est **unir** des éléments de même nature : des noms, des verbes, des adjectifs... des propositions.
  *Avion **et** dirigeable - décoller **et** atterrir - audacieux **et** contents.*
  *Ils protestèrent **mais** admirèrent.*

Les principales conjonctions de coordination sont :
et, ou (sans accent), *ni, mais, car, or, donc.*

- **Subordonner,** c'est **faire dépendre** un élément d'un autre élément. La proposition subordonnée dépend de la principale.
  *Je vois une descente de lit **qui ressemble à un tapis volant.***
  *Elle reprit le commandement **dès qu'ils furent à bord.***

Les mots subordonnants sont :
— **les pronoms relatifs :** *qui, que, qu', dont, où, lequel, auquel, duquel* (et leurs dérivés).
— **les conjonctions et les locutions conjonctives de subordination :** *comme, si, que, quand, lorsque* (conjonctions) ; *afin que, pour que, pendant que, parce que...* (locutions conjonctives).

1 *Écris les conjonctions de coordination, les pronoms relatifs, quelques conjonctions et locutions conjonctives.*

2 *Complète par la conjonction de coordination qui convient.*

Il a voulu sortir . . . la porte était fermée à clé. - Il fait trop froid . . . je ne sortirai pas. - Je fais confiance à Antoine, . . . il a montré son honnêteté. - Le vent a déraciné le pommier . . . a emporté la toiture. - Aurore prendra le train . . . viendra en voiture. - L'enfant ne pleurera . . . ne boudera pendant l'absence de sa mère.

3 *Même exercice.*

Les petits marchaient à pied . . . étaient portés par leurs parents. - Thomas a bien réussi . . . il a fait beaucoup d'efforts. - Il ne s'est pas présenté . . . il a été éliminé. - Elles ont essayé de nager . . . le courant était trop fort. - Alexandra a joué . . . a gagné la partie. - Nous l'attendions avec impatience . . . elle n'est pas venue.

4 *Termine correctement à l'aide d'une proposition.*

— Guillaume a pris froid car . . .
— Les pêcheurs voulaient rentrer au port mais . . .
— La maîtresse se fâcha et . . .
— Nous ferons un détour ou . . .

5 *Même exercice.*

— Tu es arrivé en retard donc . . .
— Les hirondelles nous ont quittés car . . .
— Marie monte sur la scène et . . .
— Pour les vacances, nous louerons un chalet ou . . .

6 *Coordonne comme il convient deux phrases simples prises dans chacune des colonnes. N'emploie qu'une fois la même conjonction.*

- Sandra est déjà couchée
- Les acteurs ont salué le public
- Je passerai te voir
- Pierre devrait être rentré
- Le baromètre a baissé

- il a raté son train
- demain elle se lève tôt
- le temps va changer
- je te téléphonerai
- les spectateurs ont applaudi

7 *Complète par le pronom relatif qui convient. Souligne la proposition subordonnée.*

On m'a offert un livre . . . me plaît beaucoup. - Écoutez le bruit . . . fait la pluie. - Je ne sais pas . . . j'ai posé mes lunettes. - Je te présente l'amie . . . je t'ai parlé. - C'est un souvenir . . . je tiens.

8 *Même exercice.*

La route . . . nous avons prise est la plus courte. - Il est revenu vivre dans la ville . . . il est né. - Où as-tu mis le disque . . . je t'ai prêté ? - Nous écoutons les cerfs . . . brament dans la forêt. - J'ai perdu la montre . . . l'on m'avait offerte. - L'affaire . . . il s'occupe est délicate.

9 *Complète avec les pronoms relatifs :* **lequel, auquel, duquel...**

C'est une histoire . . . je ne crois pas. - Je te prête un livre . . . je tiens beaucoup. - C'est la raison pour . . . il n'est pas venu. - C'est un ami avec . . . j'aime sortir. - Ce sont des questions sur . . . ils ne reviendront pas.

10 *Complète par la conjonction de subordination ou la locution conjonctive qui peut convenir. Souligne la proposition subordonnée.*

J'étais en train de bavarder . . . le maître m'a puni. - Nous n'irons pas pique-niquer . . . il pleut. - Son chien lui fait la fête . . . il arrive. - Maman n'aime pas . . . je traîne après la classe. - Viens me voir . . . tu veux.

11 *Même exercice en n'utilisant que des locutions conjonctives.*

La sirène a retenti . . . l'incendie s'est déclaré. - Les portes ont été ouvertes . . . la foule puisse entrer. - Ne le dérange pas . . . il travaille. - Le départ a été retardé . . . la panne puisse être réparée. - Ne descendez jamais du train . . . il ne soit arrêté.

12 *Indique la nature (indépendante, principale, subordonnée) des propositions de chacune des phrases.*
Ex. : **Je connais un artisan** *(principale)* **qui fabrique des tapis** *(subordonnée).*

Les voiliers rentrent au port car le vent s'est levé. - J'ai retrouvé le stylo que j'avais perdu. - On reprendra les recherches quand il fera jour. - L'orage approche, monte du sud. - On voit les premiers éclairs qui zèbrent le ciel.

Les sens d'un mot

● *D'après l'article du dictionnaire, le mot* côte *a quatre sens. Trouve un synonyme correspondant à chaque sens :*

la **côte**
1. . . .
2. partie allongée et renflée d'un tissu, d'un fruit
3. . . .
4. . . .

● *Voici quatre mots de la famille de* côte. *Indique par le n° à quel sens ils appartiennent :*

côtelette ◯ intercostale ◯
côtelé ◯ côtier ◯
Pourquoi l'accent circonflexe ne figure-t-il pas sur le o *de* intercostale *?*

1. côte n. f. **1.** Chacun des os allongés et courbes qui forment la cage thoracique : *Il a eu plusieurs côtes cassées dans l'accident de voiture.* — **2.** *Côte de bœuf, de veau, de porc, de mouton,* morceau de boucherie de cet animal, découpé dans la région des côtes. — **3.** Fam. *Caresser les côtes à qqn,* le battre, le rosser. ‖ *Côte à côte,* l'un à côté de l'autre : *Marcher côte à côte. Des livres placés côte à côte dans une bibliothèque.* ‖ Fam. *Se tenir les côtes,* rire très fort. ◆ **côtelette** n. f. Côte de petits animaux de boucherie (mouton, veau, porc), détaillée pour la consommation. ◆ **intercostal, e, aux** adj. Qui se situe entre les côtes (sens 1 du n.) : *Douleur intercostale.*

2. côte n. f. **1.** Partie allongée, en relief à la surface d'un tissu ou d'un tricot : *Du velours à côtes. Un pull à grosses côtes.* — **2.** Saillie à la surface de certains fruits : *Les côtes d'un melon.* ◆ **côtelé, e** adj. Se dit d'un tissu à côtes : *Un pantalon en velours côtelé.*

3. côte n. f. Partie en pente d'un chemin, d'une route : *Le cycliste peinait pour grimper la côte. Ils s'arrêtèrent en haut de la côte* (syn. MONTÉE). *Dévaler une côte à toute allure* (syn. DESCENTE).

4. côte n. f. Zone continentale au contact ou au voisinage de la mer : *Une côte rocheuse, sablonneuse, rectiligne, découpée, basse* (syn. LITTORAL). *Dès le mois de juin, les estivants affluent sur la côte* (= le bord de mer). ◆ **côtier, ère** adj. *La navigation côtière* (= près des côtes). *Un fleuve côtier est un cours d'eau qui prend sa source non loin de la côte et se jette dans la mer.*

Dictionnaire du français contemporain,
Éd. Larousse.

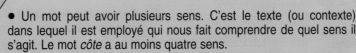

● Un mot peut avoir plusieurs sens. C'est le texte (ou contexte) dans lequel il est employé qui nous fait comprendre de quel sens il s'agit. Le mot *côte* a au moins quatre sens.

● **Le dictionnaire** nous indique **les différents sens** d'un mot et ses **emplois.**

---

1 *À la fin de chaque phrase indique de quel sens il s'agit.*

En tombant, un joueur s'est cassé une côte. ◯ - En haut de la côte, les cyclistes s'arrêteront pour se reposer. ◯ - Entre Sète et La Grande-Motte, la côte est sablonneuse. ◯ - Notre moniteur portait un tricot à grosses côtes. ◯ - Le poids lourd montait la côte si lentement que l'on aurait pu le suivre en marchant. ◯ - Le blessé a été relevé avec plusieurs côtes cassées. ◯ - L'homme portait un pantalon de velours à côtes. ◯ - Dès les premiers beaux jours, les estivants arrivent sur les côtes de la Méditerranée. ◯

2 *Les sens du mot* carte. *Complète les phrases suivantes.*

Document officiel prouvant qui vous êtes : la carte d'. . . . - L'as de trèfle, le dix de carreau en font partie : les cartes à . . . . - Carton illustré sur une face (on écrit sur l'autre face) : une carte . . . . - Elle représente le paysage d'un pays ou d'une région : une carte de . . . . - Petit carton portant le nom, l'adresse et permettant de se faire connaître : la carte de . . . . - Elle indique le nom du propriétaire d'une voiture : la carte . . . .

Recopie chaque texte sur ton cahier. Trouve le sens du mot souligné. Donne l'explication de ce mot en recopiant son sens.

bille n. f.
1. Petite boule de terre cuite, de marbre, de verre ou d'agate qui sert pour les jeux des enfants.
2. Grand tronçon de tronc d'arbre.

Le poids lourd transporte des <u>billes</u> de bois vers la scierie installée dans la vallée.

juste adj.
1. Exact, sans erreur.
2. Serré, étroit.
3. Impartial, qui ne favorise personne.

Pauline est amusante. Avec ses souliers neufs mais qui sont un peu <u>justes</u>, elle n'arrive pas à marcher.

réserve n. f.
1. Chose que l'on garde, provision que l'on fait pour plus tard.
2. Faire des restrictions, ne pas approuver totalement.
3. Modération, retenue dans l'attitude.
4. Endroit où certains animaux sont protégés.

Les habitants ont fait de si nombreuses <u>réserves</u> sur le projet d'autoroute que celui-ci a été abandonné.

cadre n. m.
1. Bordure rigide placée autour d'un tableau, d'une photographie.
2. Les limites d'un travail, d'un projet.
3. Membre du personnel exerçant des fonctions de direction.

Après vingt ans de service, Monsieur Durand est passé *cadre* dans son entreprise et tous les employés ont fêté cette promotion.

4 *Voici les deux ou trois sens de quelques mots. Trouve ces mots :*

1. Espace situé sous le pont d'un navire et dans lequel on range des marchandises.
2. Objet en bois que l'on place contre un pneu pour empêcher la voiture d'avancer ou de reculer.

une

1. Le Sud de la France.
2. C'est douze heures.

1. À l'intérieur de la bouche.
2. Bâtiment grand et luxueux.

le [. | . | . | . | . | .]

1. Légume vert dont les feuilles sont mangées crues.
2. Légumes ou viandes en morceaux assaisonnés avec huile, vinaigre, etc.
3. Fruits mélangés et accommodés avec du sucre.

une [. | . | . | . | . | .]

Emploie chaque mot trouvé dans des phrases, une pour chacun des sens.

5 *Trouve le mot qui a ces quatre sens, puis rédige un article comme dans le dictionnaire :*

De nombreuses plantes portent des … comestibles. - Cette découverte est le … de plusieurs années de travail. - Cet enseignement commence à porter ses … . - Dans tous les restaurants du bord de la côte, on peut consommer des … de mer.

6 *Sur ton cahier, classe les phrases en deux groupes suivant les deux sens du mot* **régler** *:*

régler v.
1. Mettre au point le fonctionnement d'une machine, d'un appareil, etc.
2. Payer le montant de ce que l'on doit, acquitter des droits.

Le mécanicien règle le ralenti du moteur. - À la fin de notre séjour, nous réglerons la note d'hôtel. - Un spécialiste règle le balancier de l'horloge de grand-mère. - L'image du récepteur de télévision n'est pas nette, l'appareil a besoin d'être réglé. - La facture a été réglée au plombier par chèque bancaire. - Nous avons donné un acompte et le reste de la somme sera réglé dans trois mois. - Réglons nos montres pour ne pas arriver en retard au rendez-vous.

7 *Trouve les deux sens du mot* **tabac** *dans le titre de cet article de journal :*

La campagne anti-tabac
LA JOURNÉE
SANS FUMER
A FAIT UN TABAC

Participe passé en *-is* ou verbe en *-it* ?
Participe passé en *-u* ou verbe en *-ut* ?

POMPÉI

● *Observe les mots en italique dans le texte et distingue :*
— *les participes passés,*
— *les verbes conjugués au passé simple.*
● *Est-il possible de mettre chaque mot en italique à l'imparfait ?*
Que constates-tu ?
● *Peux-tu en tirer une règle d'orthographe ?*

En l'an 79, Pompéi, cité pourtant *promise* à un bel avenir, *disparut* du paysage italien. Le Vésuve, par sa violence, *surprit* tout un peuple qui n'eut pas le temps de comprendre ce qui lui arrivait. *Pris* sous une pluie de cendres incandescentes et asphyxiés par des gaz brûlants, les habitants moururent sur place, figés dans les gestes de leur vie quotidienne.

Ce n'est qu'au XVIIIe siècle que des fouilles ont *mis* à jour cette ancienne cité et ont *transmis* de ce monde *disparu* de fantastiques images. Le déblaiement *permit* de reconstituer avec précision la vie et les mœurs de nos ancêtres. Pompéi est une des plus saisissantes évocations de l'Antiquité.

Pour distinguer, **à l'écrit**, le participe passé en *-is* ou en *-u*, du verbe en *-it* ou en *-ut*, on essaie **le passage à l'imparfait**.
— Si l'emploi de l'imparfait est possible, il s'agit du **verbe** et l'on écrit **-it** ou **-ut**.
— S'il ne l'est pas, il s'agit du **participe passé** et l'on écrit **-is** ou **-u**.

Julien **admit** / admettait *son erreur.*	*Le candidat* **admis** *est heureux.*	
	La candidate **admise** *est heureuse.*	
Sandrine **secourut** / secourait *le blessé.*	*Le blessé* **secouru** *va mieux.*	
	La victime **secourue** *va mieux.*	

---

1 *Indique entre parenthèses s'il s'agit du participe passé (p. p.) ou du verbe au passé simple (V).*

C'est un travail entrepris (. . .) depuis longtemps. - Cette découverte nous apprit (. . .) beaucoup sur la vie passée. - Je n'ai rien compris (. . .) à ce discours. - Surpris (. . .) par cette nouvelle, il demanda des explications. - Le chemin qu'il prit (. . .) n'était pas le bon.

2 *Même exercice.*

Le traité conclu (. . .) fut signé le jour même. - L'arbitre exclut (. . .) un joueur du terrain. - Le roi Louis IX mourut (. . .) de la peste devant Tunis. - Moulu (. . .) fin, ce café est très bon. - Elle lut (. . .) rapidement son courrier.

3 *Écris comme il convient : le participe passé en* -is *ou le verbe en* -it.

Où as-tu *(prendre)* ce livre ? - Je n'ai pas *(comprendre)* la question. - Laure *(admettre)* qu'elle s'était trompée. - Mon rendez-vous est *(remettre)* à demain. - *(Asseoir)* près de lui, il l'écoute. - Nicolas *(apprendre)* rapidement à compter.

4 *Même exercice. Participe passé en* u *ou verbe en* ut.

Son journal *(parcourir)*, il s'endormit. - Bien que déguisé, il fut rapidement *(reconnaître)*. - Dès qu'il *(savoir)* qu'il était *(recevoir)*, il bondit de joie. - Elle *(vouloir)* partir, mais on la retint. - *(Exclure)* du groupe, il *(connaître)* bien des ennuis. - Ce discours a été *(lire et relire)*.

5 *Dictées à préparer.*
● *Autodictée : le texte d'étude jusqu'à « images ».*

● LE RÉVEIL DU VOLCAN
Vers la mi-avril 1902, on s'aperçut, sans trop s'étonner, que la crête de la montagne se remettait à fumer. Le panache s'épaissit et devint assez sombre. Par instants, des nuages plus violents s'élevaient, et la jeunesse qui, attirée par la curiosité du spectacle, s'était mise de plus belle à aller là-haut, rapportait avoir entendu de sourds grondements souterrains. Puis, ces parties de campagne durent cesser à cause de certaines pluies de cendre fine qui rendaient vraiment incommode le séjour au bord du cratère.

HAROUN TAZIEFF, *Cratères en feu*, Éd. Arthaud.

Le présent du conditionnel (2)

EN CAS DE NAUFRAGE

• *Relève les verbes du texte écrits au présent du conditionnel. Conjugue-les à toutes les personnes.*
• *Rappelle comment est formé ce temps, ce qu'il exprime.*
• *Écris la 1re personne du présent du conditionnel des verbes :* **aller - venir - savoir - devoir.**

— Et si un bateau faisait naufrage ici, maintenant, comment pourriez-vous le savoir ?
— Je le verrais bien, mon gars. C'est pour ça que je suis ici, non ?
— Mais, s'il pleut et que vous ne pouviez rien voir ? Ou si c'est la nuit ?
— Il enverrait des fusées de détresse. Un feu, une fusée quoi, pour signaler qu'il demande de l'aide, tu peux en être sûr.
— Et alors, qu'est-ce que vous feriez ?
— Alors, je téléphonerais au village et je dirais au vieux Burc, le patron du café, de m'envoyer tous les gars d'ici aussi vite que possible.

CATHERINE STORR, *Robin*, D.R.

• Au **présent du conditionnel,** les verbes du 3e groupe ont les mêmes irrégularités de radical qu'au futur simple.

• Leurs terminaisons sont identiques à celles des verbes du 1er et du 2e groupe : ***-rais, -rais, -rait, -rions, -riez, -raient.***

Aller : *J'irais, tu irais...* ***Venir :*** *Je viendrais, tu viendrais...*
Voir : *Je verrais, tu verrais...* ***Savoir :*** *Je saurais, tu saurais...*
Faire : *Je ferais, tu ferais...* ***Courir :*** *Je courrais, tu courrais...*

1 ***Écris la 1re et la 2e personne du singulier du présent du conditionnel des verbes suivants :***

partir - recevoir - devoir - vouloir - cueillir.

2 ***Écris au présent du conditionnel.***

La tempête menace. Le vent se lève. Les vagues deviennent énormes. Le gardien du phare reçoit un appel de détresse. Il prévient les secours. Le bateau de sauvetage prend la mer. Il doit lutter contre les éléments déchaînés. Il recueille les naufragés.

3 ***Après chaque verbe, indique s'il s'agit du conditionnel (C), du futur (F) ou de l'imparfait (I).***

Vous pouviez (. . .) - vous seriez (. . .) - ils arrivaient (. . .) - tu ferais (. . .) - elles avaient (. . .) - je serai (. . .) - vous diriez (. . .) - il aurait (. . .) - vous lirez (. . .) - tu écrirais (. . .).

4 ***Écris au temps qui convient.***

S'il le faut, nous *(mettre)* le canot de sauvetage à la mer. - Si je pouvais l'aider, je le *(faire)*. - On dit que sans doute, il *(pouvoir)* s'en sortir. - S'il le fallait, nous *(aller)* tous à son secours. - Si vous en aviez le temps, vous *(prévenir)* les garde-côtes. - Dès qu'il arrivera, il *(envoyer)* un message radio.

5 ***Écris deux phrases commençant par :*** **Si je peux...**
Récris-les ensuite en les commençant par : **Si je pouvais...**

6 ***Écris au conditionnel présent.***

Avez-vous l'heure ? - Prendrez-vous une tasse de café ? - Êtes-vous d'accord avec lui ? - Où vous réunirez-vous ? - Viendront-ils directement ? - Doit-il faire un discours ?

Le récit policier (1)

ÉMILE ET LE VOLEUR

(Émile est un jeune garçon qui va à Berlin par le train. Sa mère lui a confié une enveloppe avec de l'argent...)

Un long moment il resta appuyé contre la portière sans oser bouger. Là-bas, cet homme, ce Grundeis, tout à l'heure assis dans un coin, et qui ronflait en dormant... maintenant il n'était plus là. (...) Lentement, Émile glissa une main dans sa poche intérieure droite. La poche était vide ! L'argent avait disparu !

(Émile rencontre des amis qui l'aident à poursuivre son voleur...)

L'homme au chapeau melon replia son journal, examina les passants, puis, rapide comme l'éclair, fit signe à un taxi libre qui passait devant lui. Celui-ci s'arrêta, l'homme monta dedans et la voiture démarra. Déjà les gamins avaient sauté dans un autre taxi, et Gustave dit au chauffeur : « Vous voyez cette voiture, là-bas ? (...) Oui ? Suivez-la. »

(Le voleur est arrêté dans une banque, mais il nie. Émile dit qu'il avait attaché les billets avec des épingles...)

« Le gamin a raison ! s'écria le caissier, tout pâle d'émotion. Les billets portent en effet des trous d'épingle.
— Et voici l'épingle qui les a faits, dit Émile. »

D'après E. KÄSTNER, *Émile et les détectives*, Éd. Hachette.

• **Un crime est une faute grave punie par la loi.**
De quelle sorte de crime Émile est-il victime ?
• **Qui est le coupable ?**
• **Comment Émile file-t-il son voleur ?**
• **Quels sont les indices (les traces) qui permettent de faire la preuve du crime ?**

• Pour écrire un récit policier, il faut inventer une **intrigue** (un enchaînement de faits, une histoire). Il faut mettre en place :
— le **crime** (vol, assassinat, etc.) et la raison de ce crime, appelée **mobile** ;
— le **coupable** (il y aura souvent plusieurs **suspects** qui seront soupçonnés d'avoir commis le crime) ;
— la **victime.**

• Pour résoudre le cas, il faut prévoir une **enquête** et un **enquêteur** (policier, détective privé, etc.) qui va la mener.
— On peut se servir des traces (objets, empreintes digitales, etc.), appelées **indices,** trouvées sur les lieux du crime.
— On peut surveiller ou suivre (on dit : *filer, faire une filature*) le **suspect.**

1 *Tu vas mettre en place une intrigue policière à partir des éléments proposés.*

— Le crime et son mobile : un tableau ancien, qui vaut très cher, a été volé.
— L'auteur du crime : un marchand de tableaux qui a fait de mauvaises affaires.
— La victime : le propriétaire d'un château.
— Les indices que le coupable laisse : des traces, des objets.
— L'enquêteur : un policier ou un détective privé.
— Les différents suspects (le marchand de tableaux, bien sûr, mais aussi deux ou trois autres personnes qui pourraient avoir de bonnes raisons de voler le tableau : un voisin envieux, un ennemi personnel du châtelain…).
— La preuve qui permettra de trouver le coupable : empreintes digitales, objet avec des initiales ; morceau de tissu…

• *Écris en dix ou douze lignes l'intrigue de ton récit policier.*

2 *À partir de cet article, invente plusieurs mobiles possibles. Pour cela, trouve plusieurs suspects possibles.*

Saint-Martin. - Un incendie a détruit hier soir l'usine H. où l'on fabriquait des récepteurs radios ultra-perfectionnés pour les fusées spatiales. Les enquêteurs se sont rendus sur place. Ils pensent que l'incendie est d'origine criminelle. Ils s'interrogent sur les mobiles.

3 *Le détective G. Bienvu prend en filature D. Leste, un spécialiste du vol de sacs à mains.*

• *Raconte la filature en quelques lignes.*

4 *À partir de cet article, imagine quels indices les voleurs ont pu laisser.*

Pierretaillée. - La bijouterie de M. F… a été cambriolée dans la nuit de mardi à mercredi. Les voleurs ont réussi à mettre hors d'usage le système d'alarme. Les enquêteurs ont bon espoir de mettre la main sur les cambrioleurs qui ont laissé sur place un certain nombre d'indices.

5 *À partir de ces dessins, imagine une histoire avec deux fins possibles : l'une dans laquelle le voleur échoue, et l'autre dans laquelle il réussit.*

6 *Invente une intrigue policière complète à partir de chacune de ces illustrations. Écris-la en dix lignes.*

Subordonnées : relative et complétive

● *Observe la 1ᵉ phrase du texte.*
Combien de propositions contient-elle ?
Quelle est la nature de chacune d'elles ?
Quel rôle jouent les deux propositions subordonnées ?
● *Trouve d'autres exemples dans le texte.*
● Je dois confesser <u>que</u> j'étais effrayé.
Quelle est la nature de la proposition soulignée ?
Est-elle essentielle dans la phrase ?
Le GN 2 ma frayeur peut-il la remplacer ?
Quel rôle joue-t-elle ?

LES MORLOCKS

Je sentis des doigts essayer de s'emparer doucement de la boîte d'allumettes que j'avais à la main et d'autres derrière moi qui tiraient mes habits. Il m'était indiciblement désagréable de deviner ces créatures que je ne voyais pas et qui m'examinaient… Leurs attouchements devinrent plus hardis et ils se murmurèrent les uns aux autres des sons bizarres. Je frissonnai violemment et me remis à pousser des cris d'une façon plutôt discordante. Cette fois, ils furent moins sérieusement alarmés et ils se rapprochèrent avec un singulier petit rire. Je dois confesser que j'étais horriblement effrayé. Je me décidai à craquer une autre allumette et à m'échapper, protégé par sa lueur ; je fis durer la lumière en enflammant une feuille de papier que je trouvai dans ma poche et j'opérai ma retraite vers l'étroit tunnel.

H.G. WELLS, *La Machine à explorer le temps*, Mercure de France.

● **La proposition subordonnée relative** est une expansion du groupe nominal auquel elle appartient.
Le nom qu'elle complète est appelé **antécédent**.
Elle est reliée à la proposition principale par un **pronom relatif**, qui évite la répétition du nom complété :

Je devinais ces <u>créatures</u> *que je ne voyais pas.*
antécédent

Le pronom relatif a une fonction dans la proposition relative. Cette fonction détermine son choix : *qui* pour le sujet, *que, qu'* pour le C.O.D., *dont* pour le complément du nom ou le C.O.I., *où* pour les C.C. de lieu et de temps.

● **La proposition subordonnée conjonctive**, introduite par la conjonction *que,* est appelée **proposition complétive**.
Cette proposition, qui appartient au groupe verbal de la principale, est généralement complément d'objet direct du verbe de la principale.
Elle est essentielle à la phrase. Elle peut souvent commuter avec un groupe nominal C.O.D :

Je découvris *que ma provision d'allumettes s'épuisait.*
subordonnée complétive C.O.D.

l'épuisement de ma provision d'allumettes.
GN C.O.D.

1 Subordonne la 2ᵉ phrase à la 1ʳᵉ à l'aide d'un pronom relatif. N'emploie qu'une fois chaque pronom.

J'ai rencontré des êtres étranges. Ces êtres étranges vivaient dans l'obscurité.
J'ai visité le monde souterrain. Ils habitaient ce monde souterrain.
Je m'éclairais avec des allumettes. Les Morlocks essayaient de me prendre mes allumettes.
C'était un monde inquiétant. Je dus faire face à ce monde.
J'ai vécu une grande frayeur. Je me souviendrai longtemps de cette grande frayeur.

2 Entoure le pronom relatif et souligne son antécédent.

Quand me montreras-tu les photos que tu as prises ? - J'ai lu le roman dont elle m'a parlé. - Ces falaises qui dominent la mer sont impressionnantes. - L'usine où il travaille est en grève. - C'est un livre auquel je tiens.

3 Complète le GN souligné à l'aide d'une proposition subordonnée relative. À l'aide de couleurs, distingue la principale de la subordonnée.
Ex. : Le train arrivera à six heures.
Le train que je prendrai arrivera à six heures.

Les nouvelles étaient bonnes. - Les ouvriers avaient repris le travail. - J'ai acheté ce livre. - Le collège se trouve dans ma rue. - On a retrouvé les alpinistes.

4 Place chacune de ces propositions dans une phrase afin qu'elle devienne proposition subordonnée relative.

que j'ai visité - qui était caché - dont j'ai rêvé - où je passe mes vacances.

5 Remplace l'infinitif de chaque phrase par une proposition subordonnée relative.

On voit les vagues bondir à l'assaut des falaises. - J'entends mon petit frère pleurer dans sa chambre. - Je regarde l'hirondelle bâtir son nid sous le toit.- Nous écoutons le maître expliquer le problème.

6 À l'aide des exemples ci-dessous, trouve la fonction du pronom relatif de chaque phrase.
Je lis un roman qui me passionne. → le roman me passionne. qui = sujet.
Il lit le poème qu'il a écrit. → il a écrit le poème. qu' = c.o.d.

J'ai perdu le stylo que tu m'avais offert.
Nous entendons l'orage qui gronde au loin.
J'ai acheté le disque dont tu m'avais parlé.

7 Remplace le GN c.o.d. de chaque phrase par une proposition subordonnée complétive.

Je souhaite sa participation. - Nous attendons sa réponse. - Le président a annoncé sa démission. - On a craint un tremblement de terre. - On le croit coupable. - Je n'ai pas remarqué leur ressemblance.

8 Même exercice.

Nous constatons son absence aujourd'hui. - Nous lui demandons des explications. - Les pompiers redoutent la reprise de l'incendie. - Ils craignent le retour du vent. On attend l'arrivée de renforts.

9 Remplace la subordonnée complétive par un GN c.o.d.

Ce chien attend que son maître revienne. - Nous ne souhaitons pas qu'il vienne. - J'ai constaté qu'il avait disparu. - Nous avons appris qu'il partait. - La météo annonce qu'il pleuvra demain.

10 Souligne la proposition subordonnée de chaque phrase ; indique entre parenthèses sa nature : relative ou complétive.

La classe que je fréquente est un CM2. (. . .) - Je sais que tu travailles bien. (. . .) - Nous sommes sûrs que tu réussiras. (. . .) - Julien est satisfait des notes qu'il a obtenues. (. . .) - Il nous annonce qu'il passera en sixième l'an prochain. (. . .)

11 Souligne la proposition subordonnée de chaque phrase. Indique entre parenthèses sa fonction : complément de l'antécédent, ou c.o.d. du verbe.

L'histoire fantastique que j'ai lue m'a beaucoup impressionné. (. . .) - J'espère qu'elle va te plaire. (. . .) - Le héros qui vit cette aventure est un savant. (. . .) - La machine dont il est l'inventeur lui permet de voyager dans le futur. (. . .) - Un jour on apprend qu'il n'est pas revenu. (. . .)

ÉCRIRE

12 Sur le modèle ci-dessous, construis deux phrases comportant des subordonnées relatives coordonnées.
Ex. : L'aventure qu'il a vécue (et) qu'il raconte est fantastique.

13 Même exercice avec des subordonnées complétives coordonnées.
Ex. : Nous attendons qu'il revienne (et) qu'il nous explique cela.

14 Construis quatre phrases sur le modèle ci-dessous en enchâssant la subordonnée relative dans la principale. Souligne la principale.
Ex. : Le sommet qu'il a escaladé dépasse 4 000 mètres.

15 Fais concorder les temps en plaçant comme il convient les formes verbales suivantes : viens - viennes - viendras.

Je veux que tu . . . me voir. - Je pense que tu . . . me voir. - Je remarque que tu . . . le voir souvent. - Je suppose que tu . . . me voir. - Je souhaite que tu . . . me voir.

Les bruits

L'IMITATEUR

- *Relève les mots qui désignent des bruits.*
- *Les oiseaux produisent plutôt des sons. Relève les mots qui l'indiquent.*
- *Est-ce un bruit ou un son : le grincement des portes, la gamme du piano ?*
- *Connais-tu d'autres manifestations sonores ?*

Il ne se préoccupa jamais d'attirer les hirondelles. Parfois, certaines d'entre elles vinrent se poser et gazouiller sur des fils électriques à trente pas de là...

Il réussit ainsi, au cours des heures passées dans cette cour, à reproduire en d'excellentes modulations le sifflet des locomotives avec toutes les nuances de leur éloignement nostalgique. Puis ce furent le miaulement des chats, l'aboiement du roquet, la tirade du pinson, la chanson-scie de la mésange, les variations mélodiques du merle. Bientôt, il eut la parfaite maîtrise d'une vingtaine ou d'une trentaine de manifestations sonores, y compris le grincement des portes et la gamme du piano.

ANDRÉ DHÔTEL, *Pays natal*, Éd. Gallimard.

1 *L'onomatopée est un mot qui reproduit le bruit en l'imitant. À partir de l'onomatopée, on a souvent formé des verbes et des noms ; retrouve-les :*

Le chat fait « ron ron » → ronronner
                              → le ronronnement

La porte fait « clac »   → . . . → . . .
La branche fait « crac »   → . . . → . . .
La colombe fait « rourou » → . . . → . . .
Minet fait « miaou »   → . . . → . . .
La brebis fait « bê bê »   → . . . → . . .

2 *Signale les noms de bruit venant d'une onomatopée :*

le grondement du tonnerre, le tic-tac de la pendule, le glouglou de la bouteille, le hurlement du vent, le cocorico du coq, le murmure du ruisseau, un tapage nocturne.

3 *Classe en bruits légers et en bruits forts :*

le gazouillement, le tintamarre, le brouhaha, le fracas, le tapage, le murmure, une clameur, le bruissement, le grondement, le chuchotement, le vacarme.

4 *Recopie les mots familiers :*

tintement, boucan, vacarme, roulement, pétard, raffut, clameur, sifflement, mugissement, potin, grésillement.

5 *Quelle différence fais-tu entre un bruit et un son ? Complète et indique s'il s'agit d'un bruit ou d'un son.*

Le . . . de la pluie, le . . . du clairon, le . . . du tonnerre, le . . . de sa voix, les . . . de la rue, le . . . du cor, le . . . du vent dans la cheminée, le . . . d'un verre de cristal.

6 *Pour les curieux.*
Recherche le verbe correspondant au cri de chacun de ces animaux :

L'hirondelle	gazouille	La pie	. . .
La tourterelle	. . .	Le corbeau	. . .
La grenouille	. . .	Le renard	. . .
La chouette	. . .	Le cerf	. . .

7 *Recherche l'animal auteur de ces cris :*

. . . trompette	. . . carcaille
. . . cancane	. . . graille
. . . chuinte	. . . flûte

Rechercher le verbe précis

1 *Remplace le verbe* **donner** *par un verbe plus précis.*

Le facteur m'a donné une lettre recommandée. - C'est au tour de Sandra de donner les cartes pour la nouvelle partie. - L'examinateur m'a donné dix minutes pour préparer ma réponse. - Pour son anniversaire, j'ai donné un bouquet de roses à ma chère maman. - Voulez-vous me donner l'heure exacte ? - Vous devrez donner tous les renseignements nécessaires à la constitution de votre dossier. - Les vergers de pêchers n'ont rien donné cette année. - La troupe théâtrale donnera *Le Bourgeois Gentilhomme* de Molière.

La chronologie

2 *Complète, avec les éléments de la liste, l'emploi du temps de cette journée.*

toute la matinée - à neuf heures - pour vingt heures - à midi et demie - à vingt heures - après déjeuner - jusqu'en fin d'après-midi.

Le départ aura lieu . . . . - L'arrivée au parc de loisirs est prévue . . . . - On pourra profiter des attractions . . . . - Tout le monde déjeunera . . . . - . . ., on pourra à nouveau profiter des attractions . . . . - Le retour est prévu. . . .

3 *Remets dans l'ordre chronologique ces phrases en désordre.*

— Un peu plus tard dans la matinée, nous nous sommes arrêtés pour manger.
— Puis nous sommes redescendus tranquillement.
— Nous sommes partis avec nos sacs à dos au lever du jour.
— Une fois restaurés, nous n'avons pas eu de mal à aller jusqu'au sommet.
— Nous sommes restés un bon moment à admirer le paysage.

La simultanéité

4 *Regroupe les deux phrases en une seule en utilisant* **en même temps que, pendant que.**

— Je préparerai les affaires. Tu iras acheter les provisions.
— Elle regarde la télévision. Il fait des mots croisés.
— On fait chauffer l'huile. On épluche les pommes de terre.
— Il ne parle jamais. Il conduit.
— On frappe à la porte. Le téléphone sonne.

Le retour en arrière

5 *Quelquefois, au lieu de raconter l'histoire dans l'ordre chronologique, on commence par la fin, puis on raconte tout ce qui s'est passé pour en arriver là. Voici un exemple de ces deux façons de raconter.*

Dimanche dernier, mon père a oublié d'aller chercher la tarte chez le pâtissier. Quand il y est allé, le pâtissier l'avait vendue. Mon père est revenu avec une glace. Tout s'est bien terminé, car la glace était délicieuse. → Dimanche dernier, nous avons eu au dessert une glace délicieuse. En fait, mon père avait oublié d'aller chercher la tarte qui était prévue. Quand il est allé chez le pâtissier, elle était vendue. Il a donc acheté une glace.

● *Récris le texte proposé en commençant par la fin.*

Pendant les vacances, nous sommes partis en excursion. Nous sommes allés au château de Tournoël, mais c'était le jour de fermeture. Nous avons alors décidé de visiter le musée de Viscomtat, mais il était fermé pour travaux. Alors, nous sommes allés à la piscine des Trois-Chênes et nous avons passé une après-midi fort agréable.

Jeu poétique

6 *Lis ce petit texte. Regarde comment sont disposées les rimes. On les appelle des rimes croisées.*

Moi, j'irai dans la l**une**
Avec des petits p**ois**,
Quelques mots de fort**une**
Et Blanquette, mon **oie**.

RENÉ DE OBALDIA, *Innocentines*, Éd. Grasset.

● *Écris un ou deux petits poèmes en gardant la même forme (Moi j'irai... Avec... Et ...) et avec des rimes croisées, mais en remplaçant* **dans la lune** *par d'autres lieux, par exemple des villes ou des pays.*

Reconstitution de texte

7 LES CHAMPIGNONS

Quoi de plus capricieux qu'un champignon comestible ? Les champignons vénéneux n'y vont pas par quatre chemins : ils naissent bien en vue, et bleus, rouges, jaunes, se font une tapageuse et souriante réclame d'enseignes lumineuses, quitte à verdir de rage sous le coup de bâton qui les fait voler en éclats. Mais les champignons comestibles, rares et modestes, se cachent sous les fougères, s'aplatissent dans les ajoncs, recherchent l'ombre du sous-bois, semblent pressentir la poêle et la conserve...

LÉONCE BOURLIAGUET, *4 du cours moyen*, Éd. Magnard.

Le sujet *qui*

● *Observe :*
— *C'est l'heure* qui *tombe.*
— *Les longues feuilles* qui *frissonnent.*
Rappelle le rôle du pronom relatif.
Quelle est la fonction du pronom qui ?
● *Quel est l'antécédent de chacun des pronoms de ces phrases ?*
Explique l'accord des verbes tomber *et* frissonner.
● *Trouve d'autres exemples dans le texte.*

L'AFFÛT

L'affût, pour moi, c'est l'heure qui tombe, la lumière diminuée, réfugiée dans l'eau, les étangs qui luisent, polissant jusqu'au ton de l'argent fin la teinte grise du ciel assombri. J'aime cette odeur d'eau, ce frôlement mystérieux des insectes dans les roseaux, ce petit murmure des longues feuilles qui frissonnent. De temps en temps, une note triste passe et roule dans le ciel comme un ronflement de conque[1] marine. C'est le butor qui plonge au fond de l'eau son bec immense d'oiseau-pêcheur et souffle... rrrououou !...

_____
1. Grande coquille.

ALPHONSE DAUDET, *Lettres de mon moulin.*

> Le pronom relatif **qui** est toujours sujet du verbe de la proposition subordonnée relative. Pour accorder ce verbe, on remplace *qui* par son antécédent.
> *Des feuilles* **qui** *frissonnent* → **Des feuilles** *frissonnent.*
> *C'est toi* **qui** *guettes* → **Tu** *guettes.*

1 *Sur le modèle ci-dessous, remplace le pronom relatif par le pronom personnel qui convient.*
Ex. : Je vois les hirondelles qui **partent →** elles **partent.**

J'entends les hiboux qui ululent dans le bois. (. . .) - Le lapereau craintif regagne le terrier qui le protège. (. . .) - J'observe les fins nuages qui courent devant la lune. (. . .) - Je suis bercé par la douce musique des feuilles des peupliers qui frissonnent. (. . .)

2 *Même exercice.*

C'est moi qui écoute. (. . .) - C'était toi qui gagnais. (. . .) - Ce sont eux qui perdaient. (. . .) - C'est elle qui réussira. (. . .) - C'est nous qui arrivons. (. . .) - C'est vous qui partez. (. . .)

3 *Écris le verbe comme il convient au présent.*

Les enfants qui *(déjeuner)* à la cantine ne sont pas nombreux. - C'est notre classe qui *(présenter)* ce spectacle. Vous qui *(être)* nos invités, arrivez à l'heure. C'est toi Sandra qui *(placer)* les spectateurs. Les parents qui l'*(accepter)* nous aident.

4 *Même exercice au temps imparfait.*

C'est toi qui me le *(dire)*. - Est-ce vous qui le *(recevoir)* ? - Ce sont elles qui les *(prendre)*. - C'est moi qui lui *(demander)* de venir. - Est-ce toi qui te *(proposer)* de le faire ? - C'est nous qui le *(vouloir)*.

5 *Dictées à préparer*
● *Autodictée : le texte d'étude jusqu'à « frissonnent ».*

● LE CHEVAL
Kiki-la-Doucette : J'en ai étudié un de très près... Le cheval du fermier qui pâturait dans le pré. Cette mouvante montagne, un mois durant, a empoisonné mes jours. Caché sous la haie, j'ai vu ses pieds pesants qui déforment le sol, j'ai respiré son odeur vulgaire, écouté son cri grinçant qui secoue l'air... Une fois qu'il mangeait les brindilles basses de la haie, un de ses yeux m'a miré tout entier, et j'ai fui !... De ce jour, ma haine fut si forte que j'espérai follement anéantir le monstre. « Je m'approcherai de lui, pensais-je, je me camperai fermement, et le désir de sa mort sera si fort dans mes yeux qu'il mourra peut-être, ayant rencontré mon regard... »
COLETTE, *Dialogues de bêtes,* Éd. Mercure de France.

Le présent du subjonctif (1)

LE VOLCANOLOGUE

• *Relève les verbes du texte exprimant une exigence, une nécessité : il faut que...*
Quel est l'infinitif de chacun de ces verbes ?
À quelle personne est écrit chacun d'eux ?
• *Oralement, retrouve les autres personnes.*

S'approcher d'un volcan en activité comporte de grands risques ; aussi faut-il que le volcanologue réunisse de grandes qualités physiques et que son équipement lui apporte toutes les garanties de sécurité. Ainsi, s'il est essentiel que sa combinaison soit hermétique et résistante aux hautes températures, il faut qu'elle ait également la souplesse nécessaire au mouvement.

De la même façon, il est important que tout le matériel utilisé ait cette même résistance au feu. En effet, les températures auxquelles il est soumis dépassent souvent les mille degrés.

• On emploie **le mode subjonctif** pour exprimer :
— un souhait, un désir : *Je souhaite...* ***qu'il gagne.***
— une exigence : *Il faut...* ***que tu sois sage.***
— une éventualité : *Il est possible...* ***qu'elle ait un prix.***
— un doute : *Il n'est pas sûr...* ***qu'il soit là.***
Le fait exprimé n'est pas certain, il est envisagé.

• Dans la phrase, le verbe au subjonctif est le plus souvent introduit par la conjonction de subordination ***que*** ou ***qu'***. C'est pourquoi les temps du subjonctif, dans la conjugaison, sont toujours précédés de *que.*

Avoir	*Être*	*Apporter*	*Réunir*
Que j'aie	*Que je sois*	*Que j'apporte*	*Que je réunisse*
Que tu aies	*Que tu sois*	*Que tu apportes*	*Que tu réunisses*
Qu'il ait	*Qu'il soit*	*Qu'il apporte*	*Qu'il réunisse*
Que nous ayons	*Que nous soyons*	*Que nous apportions*	*Que nous réunissions*
Que vous ayez	*Que vous soyez*	*Que vous apportiez*	*Que vous réunissiez*
Qu'ils aient	*Qu'ils soient*	*Qu'ils apportent*	*Qu'ils réunissent*

---

1 *Écris au présent du subjonctif.*

Il faut que tu *(être prudent)*. - Je souhaite que vous *(avoir du beau temps)*. - Il est nécessaire qu'ils *(être bien équipés)*. - Je ne pense pas que nous *(avoir des difficultés)*. - Pourvu qu'elle *(être à l'heure)*. - Il est possible que tu *(avoir peur)*.

2 *Même exercice.*

Il est possible que nous *(approcher)* du cratère. - Nous attendons que le sol *(finir)* de gronder. - Il faut que la fumée *(se dissiper)*. - Pourvu que vous *(réussir)* à faire vos relevés. - Il n'est pas sûr qu'elles *(franchir)* cet obstacle. - Nous souhaitons qu'ils *(trouver)* un autre chemin.

3 *Construis des phrases composées d'une proposition principale et d'une proposition subordonnée complétive.*

Ex. : **Je souhaite... tu écoutes mes conseils**
→ Je souhaite que tu écoutes mes conseils.

tu es moins bavard - tu as plus de volonté - tu obéis mieux - tu choisis cette voie.

4 *Même exercice.*

J'attends...
vous êtes plus calmes - il a du temps - vous avez des nouvelles - ils n'ont plus peur - elles sont en vacances - elle est chez elle.

5 *Mets les verbes au présent de l'indicatif ou au présent du subjonctif.*

Bien que je *(être)* patient, je n'aime pas attendre. - Depuis que nous *(avoir)* un petit chien, c'est la joie. - Je souhaite que cette partie *(finir)* bientôt. - Il demande que nous *(essuyer)* nos pieds. - C'est au début de chaque mois que vous *(payer)* votre loyer.

Les subordonnées circonstancielles de temps*

L'INCENDIAIRE DE LA FORÊT DE L'HERM

● *Observe :*
Lorsque j'arrivai à mon
endroit, j'étais essoufflé et
tout en sueur.
Quelle est la nature du groupe
souligné ?
Est-il déplaçable,
supprimable ?
Quelle est sa fonction ?
Peut-on lui substituer un
GNP ?
● *Cherche dans le texte*
d'autres propositions
subordonnées compléments
circonstanciels de temps.

Toute la journée, je trépignai, impatient, et, la nuit venue, j'emplis un vieux sabot de braises et de cendres, et, le cachant sous ma veste, je me précipitai à travers les bois.

Lorsque j'arrivai à mon endroit, j'étais essoufflé et tout en sueur. Il pouvait être sur les dix heures : je retrouvai mon petit four en tâtonnant, et aussitôt, vidant mon sabot dedans, je le bourrai d'herbes sèches et me mis à souffler sur les braises. L'herbe flamba rapidement : j'y ajoutai quelques brindilles, et, à mesure que le feu prenait, des petits morceaux de branches mortes. Après qu'il fut bien allumé, j'y jetai une brassée des broussailles sèches que j'avais amassées. La flamme monta, gagnant le bois. Bientôt, sous l'action du vent, le taillis fut en feu, et je me sauvai comme j'étais venu, par les fourrés, emportant le sabot qui m'aurait dénoncé.

EUGÈNE LE ROY, *Jacquou le Croquant.*

● La place du complément circonstanciel peut être tenue dans la phrase par **une proposition subordonnée circonstancielle**, qui joue le rôle de complément circonstanciel. Cette proposition, à la fois déplaçable et supprimable, complète le verbe de la proposition principale.

● La proposition subordonnée circonstancielle peut souvent commuter avec un groupe nominal prépositionnel :
*J'étais tout essoufflé **lorsque j'arrivai**.*
*J'étais tout essoufflé **à mon arrivée**.*

● **La proposition circonstancielle de temps** est rattachée à la proposition principale par une **conjonction de subordination** : *quand, lorsque, comme,* ou une **locution conjonctive** : *alors que, dès que, tandis que, depuis que, avant que, après que, pendant que, sitôt que, tant que, aussitôt que, au fur et à mesure que, au moment où...*

Le fait exprimé se produit avant, en même temps ou après le fait principal.
Après que le feu fut allumé, *j'y jetai des broussailles sèches.*

1 *Souligne les GNP compléments circonstanciels de temps.*

Le feu se déclara vers quatre heures du matin. On n'avait pas fait le nécessaire au début de l'incendie. Lors du premier passage, le canadair éteignit le foyer principal. On mesura l'étendue des dégâts, après l'extinction du feu. Maintenant, on n'y pouvait plus rien.

2 *Souligne les subordonnées circonstancielles de temps.*

Il n'y avait personne quand l'incendie éclata. Au moment où le feu débuta, le vent se leva. Dès que les pompiers intervinrent, le feu fut rapidement circonscrit. Tant que l'incendie dura, une épaisse fumée obscurcit le ciel. Il persista longtemps une forte odeur de brûlé après que le feu fut éteint.

3 **Remplace chaque GNP circonstanciel par une proposition subordonnée.**

Les poules regagnent leur poulailler à la tombée du jour. - Les spectateurs quittent la salle dès la fin du spectacle. - À mon retour, nous ferons la fête. - Nous sommes arrivés à la fermeture des magasins. - Elle ne veut pas être dérangée pendant sa lecture.

4 **Même exercice.**

Ils partirent en excursion avant le lever du jour. - Il ne souhaite pas de visite pendant son installation. - J'ai acheté cet appareil avant son augmentation. - Nous recevons ce catalogue dès sa parution. - Vous serez bien seule après son départ.

5 **Après chaque phrase, indique si le fait exprimé par la subordonnée circonstancielle de temps est situé avant, pendant ou après le fait principal.**

Pendant que je lis, Sylvain regarde la télévision. (. . .) - Quand la pluie aura cessé, nous sortirons. (. . .) - Dès qu'il voit son maître, ce chien aboie. (. . .) - Lorsque j'aurai réfléchi, je me déciderai. (. . .) - Comme la fusée va partir, on procède aux derniers contrôles. (. . .) - Lorsque Concorde doit atterrir, on libère la piste principale. (. . .)

6 **Même exercice.**

Sitôt qu'il appuya sur le bouton, le flash se déclencha. (. . .) - Lorsqu'il arriva, tout était terminé. (. . .) - En attendant que ses amis arrivent, il écoutait un disque. (. . .) - Depuis qu'il fait froid, on ne sort plus. (. . .) - Dès que les vacances seront terminées, j'entrerai au collège. (. . .) - Le vent s'était levé alors qu'il revenait au port. (. . .)

7 **Construis une phrase avec chacune des locutions conjonctives suivantes : avant que - pendant que - après que.**

8 **Réunis une phrase du groupe 1 avec une phrase du groupe 2 à l'aide d'une conjonction ou· d'une locution conjonctive de temps.**

Groupe 1 - Tout le stade applaudit. - Ré n'est plus une île. - La sirène a retenti. - Ils nous téléphonèrent. - Aucun bateau ne sortira du port.
Groupe 2 - L'incendie s'est déclaré. - L'équipe de France marqua un but. - La tempête durera. - Ils furent arrivés. - On a construit un pont sur la mer.

9 **Remplace chaque subordonnée circonstancielle par un GNP exprimant le même sens.**

Il lit son journal en attendant que le train parte. - Dès que le jour se lève, ils partent à la pêche. - Depuis que les beaux jours sont revenus, nous pique-niquons souvent. - Sitôt que les travaux seront terminés, nous habiterons la maison. - Nous nous baignons chaque semaine depuis que la piscine est ouverte. - Dès qu'on arrêta le coupable, tout le monde fut soulagé.

10 **Complète par une subordonnée circonstancielle de temps. N'emploie qu'une seule fois la même conjonction ou locution conjonctive.**

Les hirondelles arriveront . . . - Les employés ont repris le travail . . . - Les alpinistes entreprirent l'ascension . . . - Le premier concurrent s'élança sur la piste . . . .

11 **Reprends l'exercice ci-dessus en complétant chaque phrase par un GNP circonstanciel de temps.**

12 **Transforme chacune des phrases suivantes à l'aide d'une conjonction ou d'une locution conjonctive de façon à obtenir à chaque fois une proposition principale et une subordonnée circonstancielle de temps.**

Je lui racontais mon histoire, il me regardait d'un air de compassion. Je mangeais avidement, debout au bout de la table ; le curé me regardait faire avec plaisir. Le curé m'examinait, je voyais dans ses yeux surgir une grande pitié.

D'après EUGÈNE LE ROY.

ÉCRIRE

13 **Construis une phrase avec chacune des locutions conjonctives suivantes : depuis que - aussitôt que - au fur et à mesure que - au moment où.**

14 **En quelques phrases et en employant le plus possible de subordonnées circonstancielles raconte l'histoire des vignettes ci-dessous.**

Le Temple du Soleil, © HERGÉ.

Le champ sémantique du mot *vert*

LE PAYS « VERT »

• *Relève dans les textes* ①
et ② *les deux expressions
contenant le mot* vert.
*Qu'indique ce mot ?
Quelle est sa nature dans
chacune des expressions ?*

• *Quel est le sens de* vert
dans le texte ③ *?*

① C'était un bel étang...
Sur le faîte de la digue, près de la bonde, il y avait une cabane en planches qui brillait de peinture verte.

MAURICE GENEVOIX, *Le Jardin dans l'île*, Presses de la Cité.

② La campagne formait une immense palette où, du vert tendre au brun foncé, se mêlaient le jaune d'or, le gris bleuté, l'argent, l'ocre ardent et cent autres nuances.

ROBERT SABATIER, *Les Noisettes sauvages*, Éd. Albin Michel.

③ À ce moment de l'année, les pêches étaient encore vertes mais nous les croquions quand même, sans attendre qu'elles soient mûres. Le jardinier fort en colère nous surveillait, caché derrière la haie.

JEAN-MICHEL

> L'ensemble des sens différents d'un même mot (tel que le mot *vert*) constitue ce que l'on appelle son **champ sémantique.**

1 *Le mot* vert *indique d'abord la couleur. Il peut être adjectif ou nom : classe les phrases en deux groupes.*

Vincent habite une maison aux volets verts. - La pelouse est bien verte, ne l'abîmons pas en y marchant. - Le vert domine dans ce tableau. - Les fines tiges vertes des asperges se dressent à travers les buissons. - Sur les pentes du mont, on distinguait le vert foncé des chênes et le rose du thym en fleur. - Au printemps, les bords des chemins sont couverts d'herbes tendres et vertes. - Les portes sont repeintes avec un vert pastel. - Le vert est la couleur de l'espérance.

2 *Le mot* vert *employé comme adjectif : il indique la couleur seule, ou la couleur et l'état de ce qui n'est pas encore mûr (la non-maturité).*
Classe les phrases en deux groupes :

Ces prunes sont vertes, elles ont été ramassées trop tôt. - Quand j'étais enfant, nous étions tellement pressés, ou peut-être avions-nous faim, que nous mangions les pommes encore vertes. - Comme Claire était radieuse dans sa belle robe verte ! - Si tu as mal au ventre disait grand-mère, c'est que tu as consommé des raisins verts. - Toutes les façades de cette maison sont vertes parce que recouvertes de lierre. - Attention aux orties, grasses et vertes, elles piquent !

3 *Retrouve et indique ce qui peut être consommé avant d'être mûr :*

des abricots verts, des haricots verts, des tomates vertes, des raisins verts, des petits pois verts, des groseilles vertes, l'eau verte, des poivrons verts, des olives vertes, les yeux verts.

4 *Les nuances du vert : le mot vert suivi d'un adjectif ou d'un nom.*
Essaie de retrouver sur ta palette :

un vert clair, un vert foncé, un vert d'eau, un vert pastel, un vert olive, un vert pomme, un vert bouteille, un vert émeraude, un vert Véronèse, un vert Céladon.

D'où viennent les termes **Véronèse** *et* **Céladon** *?*

5 *La famille du mot* **vert** *:*

v e r t

Couleur tirant sur le vert	adj.	. . . .
Devenir vert	v.	. . . . .
Redevenir vert	v.	. . . .
Herbe, feuilles, végétation	n. f.	. . . . . .
On le dit d'un pays plein de verdure	adj.	. . . .
Dépôt verdâtre sur le cuivre	n. m.	. . . . - . . - . . . .
Vigueur physique chez un homme âgé	n. f.	. . . .

6 *Explique les expressions en italique :*

Après l'avoir goûté, j'ai trouvé ce *vin un peu vert*.
Au fond de la grotte, le petit Marcel distingua le gros hibou ! L'enfant devint *vert de peur*.
Les fermes du Rouergue s'ouvrent pour vous offrir *des vacances vertes*.
10 m² d'*espaces verts* par habitant sont-ils obligatoires dans une agglomération ?
Le conducteur est satisfait ; on ne lui a pas enlevé son permis, mais il a reçu *une verte semonce*.
Le clown a donné une *volée de bois vert* à son compagnon, mais c'était pour rire.
Ce jardinier est réputé pour *avoir la main verte*.

7 *Des expressions récentes. Que signifie l'adjectif* **vert** *dans les expressions suivantes :*

les stations vertes de vacances, les classes vertes, la moto verte, le tourisme vert, l'hôtellerie verte.

8 *La presse parle parfois de l'Europe verte, certaines manifestations sont appelées la Colère verte. De quoi s'agit-il ?*

9 LES FRANÇAIS SE METTENT AU VERT

Dans de nombreux départements il apparaît que les gîtes ruraux accueillent de plus en plus de familles de la ville…

Que signifie : **se mettre au vert ?**

10 *Qu'est-ce que* le tapis vert ? l'habit vert ? *On dit aujourd'hui :* se retrouver autour du tapis vert, briguer l'habit vert. *Que veut-on dire ?*

11 *Voici une locution figurée courante :*
avoir (*ou* donner) le feu vert.
D'où vient cette locution ? Quel est son sens au figuré ?

12 *Des expressions figurées.*
Quel sens donner à chacune des expressions suivantes ?

un vieillard encore vert, la langue verte, en entendre des vertes et des pas mûres.

13 *Un nouveau sens récent.*
Depuis quelques années, on parle de radios vertes, *de* candidats verts (*au moment des élections*). Et on dit : les Verts. Mais il ne s'agit plus des joueurs de St-Étienne.
Quel est le sens de vert *dans ces expressions ? Quel est son synonyme ?*

Distinguer le verbe du nom

FANTAISIES

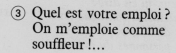

• *Fais des remarques sur les quatre textes.*
• *Quel moyen te permet de distinguer le nom du verbe ?*

① Moi, je me réveille
Sans réveil !

② Je vous signale
Que le signal était rouge !

③ Quel est votre emploi ?
On m'emploie comme
souffleur !...

④ Je te salue, noble chef.
Salut à toi, Renard-Flatteur !

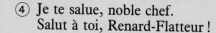

• Généralement, **le sens** permet de distinguer le verbe du nom lorsqu'ils sont **homonymes**. En cas de doute, on repère le verbe en changeant son temps ou sa personne.
Salue (saluons) le maître ! Salut à toi !

• **L'orthographe** du nom et du verbe est souvent différente, sauf pour quelques noms et verbes homographes (orthographe identique) : *la copie - il copie.*

---

1 *À côté de chaque verbe, écris le nom homonyme.*

elle travaille - il sommeille - on oublie - il appelle - il balaie - on accueille - elle vole - il crie.

2 *À côté de chaque nom, écris le verbe homonyme, avec un pronom personnel de la 3ᵉ personne du singulier.*

un envoi - un désir - le choc - un soutien - un voile - le parcours - un pli - un ennui.

3 *Complète, quand c'est nécessaire.*

Le tri. . . terminé, le facteur distribue le courrier. - Un tuteur maintien. . . la lourde branche. - L'abeille ne pi. . . que si elle est dérangée. - Voilà un exercice de maintien. . . bon pour la santé. - Cette machine tri. . . les lettres automatiquement. - Pour passer, il nous faut contourner ce pi. . . .

4 *Même exercice.*

Le condui. . . de cette cheminée est bouché. - Cet excellent joueur vient de marquer un essai. . . . - Avec ce camarade, Marc entretien. . . de bons rapports. - Ce chemin condui. . . tout droit à la rivière - Mon frère a demandé un entretien. . . à son patron. - N'essai. . . pas de le tromper, il se méfie.

5 *Sur le modèle ci-dessous, à partir des infinitifs donnés, écris les cinq verbes et les cinq noms homographes (même orthographe).*
Ex. : afficher → il affiche, l'affiche.

agrafer - soupirer - capturer - triompher - secourir - balancer - cacheter - interpréter.

6 *Écris de courtes phrases permettant de distinguer les verbes et noms suivants :*

le cours, il court - un envoi, elle envoie - le gel, il gèle - le recul, il recule - l'éclair, il éclaire.

7 *Dictée à préparer*

• LA SOURIS
Comme, à la clarté d'une lampe, je fais ma quotidienne page d'écriture, j'entends un léger bruit. Si je m'arrête, il cesse. Il recommence dès que je gratte le papier.
C'est une souris qui s'éveille...
Elle saute par terre et trotte sur les carreaux de la cuisine. Elle passe près de la cheminée, sous l'évier, se perd dans la vaisselle, et par une série de reconnaissances qu'elle pousse de plus en plus loin, elle se rapproche de moi.

JULES RENARD, *Histoires naturelles.*

Le présent du subjonctif (2)

• *Relève les verbes du texte écrits au présent du subjonctif. Indique leur infinitif et leur groupe.*
• *Compare les terminaisons des verbes du 3e groupe avec celles des verbes déjà connus. Que peux-tu en dire ?*
• *Oralement, conjugue les verbes du 3e groupe aux autres personnes du présent du subjonctif.*

LES PIGEONS

Qu'ils fassent sur la maison un bruit de tambour voilé ;

Qu'ils sortent de l'ombre, culbutent, éclatent au soleil et rentrent dans l'ombre ;

Que leur col fugitif vive et meure comme l'opale au doigt ;

Qu'ils s'endorment, le soir, dans la forêt, si pressés que la plus haute branche du chêne menace de rompre sous cette charge de fruits peints ;...

Que ces deux-là échangent des saluts frénétiques... Que celui-ci revienne d'exil...

Tous ces pigeons, qui d'abord amusent, finissent par ennuyer.

JULES RENARD, *Histoires naturelles.*

Au **présent du subjonctif,** les verbes du 3e groupe ont les mêmes terminaisons que les verbes des 1er et 2e groupes : *-e, -es, -e, -ions, -iez, -ent*. Mais leur *radical* subit d'importantes modifications.

Aller : Que j'aille
Faire : Que je fasse
Voir : Que je voie
Pouvoir : Que je puisse
Vouloir : Que je veuille

Venir : Que je vienne
Recevoir : Que je reçoive
Savoir : Que je sache
Dire : Que je dise
Mourir : Que je meure

(voir tableaux, pp. 208 à 213)

---

1 *Indique entre parenthèses l'infinitif du verbe conjugué au présent du subjonctif.*

Qu'ils aillent (...) - que tu saches (...) - qu'il veuille (...) - que tu puisses (...) - que nous fassions (...) - que vous ayez (...) - que tu voies (...) - qu'elles soient (...).

2 *Écris au présent du subjonctif.*

Il faut que tu (*prendre*) cette route. - Je souhaite que vous (*faire*) des progrès. - Je doute qu'il (*pouvoir*) réussir. - Je ne pense pas qu'elle (*venir*). - Il est possible qu'ils (*savoir*) où elle habite. - Qu'ils n'(*aller*) pas la déranger.

3 *Écris à la même personne au présent du subjonctif.*

Il dit la vérité. - On attend sa réponse. - Tu reçois un cadeau. - J'écris à ma tante. - Ils font une partie d'échecs. - Elle voit le médecin aujourd'hui.

4 *Fais concorder les temps en utilisant soit le présent de l'indicatif, soit le présent du subjonctif.*

Bien qu'il (*faire*) encore beau, on craint qu'il (*pleuvoir*) bientôt. - Le roman que je (*lire*) ne me plaît pas beaucoup. - Nous souhaiterions que vous (*venir*) nous voir cet été. - Je pense qu'il ne (*vouloir*) pas nous accompagner. - Elle me (*dire*) qu'elle (*connaître*) la route qu'elle (*devoir*) prendre.

5 *Même exercice.*

Pour qu'il (*croire*) de telles sottises, il faut qu'il (*être*) naïf. - Il apprend ce qu'il (*vouloir*) quand il (*vouloir*). - Nous souhaitons que tu te (*rétablir*) vite et que tu (*revenir*) parmi nous. - S'il (*aller*) chez l'un, il faut aussi qu'il (*aller*) chez l'autre. - Qu'elle le (*vouloir*) ou non, il faut qu'elle le (*faire*).

6 *Indique le mode et le temps des verbes suivants :*

Nous verrons - que tu puisses - vous seriez - qu'ils aient - elles viennent - je saurais - tais-toi ! - vous payiez.

7 *Même exercice.*

J'ai su - que tu ailles - j'étais arrivé - ils auraient - vous lisiez - qu'elles puissent - nous prendrions - que je moule.

Récapitulation. Propositions : indépendante, principale, subordonnée

- *Lis le texte.*
- *Repère les propositions suivantes :*
— *une indépendante ;*
— *deux indépendantes juxtaposées ;*
— *deux indépendantes coordonnées ;*
— *une principale et une subordonnée relative ;*
— *une principale et une subordonnée complétive ;*
— *une principale et une subordonnée circonstancielle ;*
— *une principale et une subordonnée circonstancielle de temps.*

INVITATION

Moutiers, le 17 mai.

Chers amis,

À mon tour, je suis chargée de vous écrire. Je suis très contente de le faire parce que j'ai une bonne nouvelle à vous annoncer. Notre classe, qui a tout organisé pour vous accueillir une semaine dans notre village, se réjouit de votre prochaine visite. Si vous êtes d'accord, nous vous recevrons du 7 au 12 juin prochain. Nous sommes vraiment contents, notre projet va enfin se réaliser.

Quand le temps le permettra, nous ferons des excursions et des pique-niques. La mairie met un car à notre disposition et nous invite à une soirée d'accueil. S'il ne faisait pas beau, nous mettrions au point plusieurs animations surprises. Nous espérons que ce programme vous plaira.

Je vous transmets le salut de tous.

Nous vous attendons.

Lucie.

On distingue :

- **La proposition indépendante.**
Elle a un sens complet par elle-même :
> *Je suis chargée de vous écrire.*
— **Indépendantes juxtaposées** : *Nous viendrons, nous sommes contents.*
— **Indépendantes coordonnées** : *Nous vous attendons **et** nous sommes impatients de vous voir.*

- **La proposition principale.**
Toujours accompagnée d'une subordonnée à laquelle elle est reliée par un pronom relatif ou une conjonction de subordination :
> ***Le village** qui vous attend **est en fête.***
> ***Nous souhaitons** que tout se passe bien.*

- **La proposition subordonnée.**
Elle dépend de la proposition principale.
Subordonnée relative : *Le village **qui nous attend** est en fête.*
Subordonnée complétive : *Nous souhaitons **que tout se passe bien.***
Subordonnée circonstancielle : ***Quand il fera beau**, nous irons en promenade.*

1 *Récris chaque phrase et indique la nature de la ou des propositions qu'elle contient.*

Julien se précipite mais Thomas attrape la balle le premier. - Au fond des bois, les cerfs brament dans la nuit. - Les parents de Nicolas ont acheté un vieux château, on le dit hanté, c'est peut-être vrai. - Il ne m'a pas téléphoné, donc il m'écrira. - Le menuisier scie, rabote, cloue les planches.

2 *Même exercice.*

Le chien aboie et tire sur sa chaîne. - Tu regardes la télévision mais tu ne fais pas tes devoirs. - Après la fête, chacun rentra chez soi. - Ma grand-mère fait des crêpes, j'adore ça. - J'ai ramassé des pommes et des poires. - Sur le mur, au-dessus de son lit, Antoine a placé la carte du monde.

3 *Coordonne comme il convient deux phrases simples prises dans chacune des colonnes. N'emploie qu'une fois la même conjonction.*

- Le lièvre détale
- Je l'ai attendu longtemps
- Nous prendrons le train
- La rivière a débordé
- Il y aura des travaux

- nous viendrons en avion.
- la route sera coupée.
- le chasseur approche.
- il n'est pas venu.
- les champs ont été inondés.

4 *Même exercice.*

- Le comédien salue
- Cet homme se cache
- Le soleil est très chaud
- Je lui téléphonerai
- Anne suit tes conseils

- la police le recherche.
- je lui écrirai.
- les spectateurs applaudissent.
- elle ne fera pas d'erreur.
- le vent rafraîchit l'atmosphère.

5 *Récris chaque phrase et indique la nature des propositions qu'elle contient.*

Aurélie enfila la robe que sa mère avait achetée. - Je regarde les feuilles qui tourbillonnent dans le ciel gris. - Je te présente l'amie dont je t'avais parlé. - Nous arrivons dans le village où il habite. - Antoine a reçu la lettre qu'il attendait.

6 *Même exercice.*

La petite fille qui pleurait tant venait de tomber dans la cour. - Tous les enfants dont le nom commence par la lettre C, iront se placer sur la gauche. - Le vélo que j'avais reçu pour mon anniversaire était trop grand pour moi. - La région où il passait ses vacances était montagneuse. - Le livre qu'il m'avait prêté ne me plaisait pas.

7 *Réunis les deux phrases à l'aide d'un pronom relatif.*

— Mathieu a des chaussures neuves. Ses chaussures neuves plaisent beaucoup à Marc.
— L'alpiniste a emprunté un chemin. Ce chemin était dangereux.
— La voiture était un modèle récent. J'avais acheté cette voiture.
— J'ai reçu le catalogue. J'avais commandé ce catalogue.
— Je n'ai jamais vu le film. Tu me parles de ce film.

8 *Complète par le pronom relatif qui convient.*

Le camarade . . . je t'ai parlé viendra nous voir dimanche. - Le commissaire enquête sur le vol . . . lui a été signalé. - Le serveur apporte le café . . . le client a commandé. C'est la gare . . . je prends le train. Je ne sais pas . . . j'ai mis ce livre.

9 *Indique la nature des propositions subordonnées dans les phrases suivantes.*

Elle a pris la carte que je lui tendais. - Je pense que tu connais bien cet itinéraire. - Le chat que tu as caressé m'a griffé. - La maîtresse veut que nous apprenions mieux nos leçons. - J'aime qu'on me raconte des aventures extraordinaires.

10 *Même exercice.*

Quand il va en ville, Tom rend visite à son ami. - Julien souhaite que nous soyons présents à son anniversaire. - La musique que j'entends me rappelle de bons souvenirs. - Les automobilistes ralentissent lorsqu'ils aperçoivent des enfants. - Si tu oublies ton maillot de bain, tu ne pourras pas te baigner.

11 *Même exercice.*

Dès que la nuit tombe, le hibou parcourt la campagne. - Nous faisons de longues promenades depuis que tu as ce nouveau vélo. - Je pense que nous verrons des daims et des biches dans ce parc. - En attendant que ses amis arrivent, il écoutait un disque. - Le cadeau qu'il avait reçu lui plaisait beaucoup.

12 *Complète à l'aide des locutions suivantes : avant que, pour que, dès que, pendant que, depuis que.*

Le renard regagne son terrier . . . le jour se lève.
Lucie regarde la télévision . . . Marie dessine.
On renforça la digue . . . cessent les inondations.
. . . les hirondelles sont de retour, les portes de la grange restent ouvertes.
Les joueurs s'échauffent . . . le match ne débute.

Les emprunts
aux langues étrangères

SELF-SERVICE

● *Relève les mots qui te paraissent venir des langues étrangères.*
Ton dictionnaire t'indique l'origine de ces mots.
● *Recherche l'origine des mots :* **yaourt, robe, gilet.**

Rose gare sa voiture sur le parking du magasin où elle vient faire ses achats.

Au rayon des vêtements, elle s'intéresse aux pull-overs, robes et gilets. Elle essaie un tee-shirt, mesure un blue-jean et retient un short à la mode pour le jogging du samedi matin.

Mais c'est le rayon de l'alimentation qui remplira son caddie.

Il est midi, Rose se dirige vers la cafétéria. Une pizza, une assiette de spaghettis et un yaourt composeront son repas, aujourd'hui plus complet que le simple sandwich qu'elle avale en vitesse.

● Les mots *pull-over, tee-shirt, blue-jean* sont des mots étrangers arrivés avec les choses (vêtements, appareils...). Ce sont des **emprunts.**

● Des mots qui nous semblent aujourd'hui bien français sont d'anciens emprunts : *gilet, robe, tomate...*

---

1 *Tous ces mots désignant des fruits ou des légumes ont été empruntés à des langues étrangères. En cherchant dans ton dictionnaire, indique ces langues :*

ananas - kaki - mangue - pastèque - kumquat - litchi - aubergine - épinard - patate - soja - salsifis.

2 *L'habillement. À quelles régions du monde les mots suivants ont-ils été empruntés ?*

des brodequins - un châle - des mocassins - un pyjama - des babouches - un poncho - un blue-jean - un bermuda - un parka.

3
```
        MENU
   Tomates farcies
   Riz au curry
  Rumsteck grillé
 Crème au chocolat
      Café
```

D'où viennent les mots :
tomate, riz, curry, rumsteck, chocolat, café ?

4 *À quelles langues étrangères ces mots désignant des animaux sont-ils empruntés ?*

le chinchilla - le cobaye - le lama - le toucan - la gazelle - le chimpanzé.

5 *Certains mots ont une allure française mais sont d'origine étrangère. Trouve-les et indique le pays d'origine :*

une boussole - un bahut - un gilet - une carafe - le coq - un requin - le mille-pattes - une tasse - un chalutier - la vitesse - le tabac.

6 *Certains mots empruntés à la langue anglaise ont un synonyme en français. Indique ce synonyme :*

speakerine ; living-room ; week-end ; shoot ; star ; sunlight ; interview ; walkman ; container ; kitchenette.

● *Il est recommandé de ne plus dire* **camping-car** *et* **kit,** *mais* **auto-caravane** *et* **prêt à monter.** *Qu'en penses-tu ?*

Créer une ambiance

1 *Classe les expressions suivantes en deux ensembles : 1) celles que tu emploierais pour décrire un personnage inquiétant ; 2) celles que tu emploierais pour décrire un personnage rassurant.*

un visage souriant - un regard fuyant - un sourire faux - une voix méprisante - un regard franc - un air ouvert - des lèvres pincées - un teint jaunâtre.

● *Écris des phrases, ou un petit texte, dans lesquelles tu les utiliseras.*

2 *Classe les adjectifs suivants en deux ensembles : 1) ceux que tu emploierais pour décrire un lieu inquiétant ; 2) ceux que tu emploierais pour décrire un lieu rassurant.*

humide - douillet - froid - lumineux - confortable - sombre.

● *Écris des phrases dans lesquelles tu les utiliseras.*

3 *Classe les phrases suivantes en deux ensembles : 1) celles qui créent une ambiance inquiétante ; 2) celles qui créent une ambiance rassurante.*

— Au loin des éclairs et des grondements de tonnerre annonçaient l'orage.
— Ils étaient assis tranquillement devant la cheminée.
— Jérôme était bien au chaud au fond de son lit.
— Le brouillard empêchait de voir à plus de trente centimètres.
— Son visage se tordait dans une grimace.
— Le chat ronronnait paisiblement dans son panier.
— Elle lui fit un très beau sourire.
— Dans la nuit noire, il entendait des pas résonner derrière lui.

● *Écris d'autres phrases pour créer des ambiances différentes.*

Raconter un fait

4 ● *Observe les trois images et raconte l'histoire.*
● *Rédige cette histoire.*
● *Trouve un titre pour ton texte.*

Jeu poétique

5 *Lis ce petit texte. Regarde comment sont disposées les rimes. On les appelle des rimes embrassées.*

> Je n'ai qu'un très humble jard**in**
> Et qui presque entier se refl**ète**
> Dans l'eau somnolente et mu**ette**
> de l'étroit et calme bass**in**.

HENRI DE RÉGNIER,
Vestigia Flammae.

● *Écris des petits poèmes, en gardant le même début (Je n'ai qu'un...) et avec des rimes embrassées.*

Reconstitution de texte

6 LA CONSTRUCTION DU PETIT CHEMIN DE FER DES CORBIÈRES

Dès que les rails se rapprochèrent de Villeneuve, on alla chaque jour à leur rencontre mesurer la distance à équiper. C'était une grande attraction et le petit convoi qui livrait le matériel nécessaire, les traverses, les rails, emplissait la vallée de son bruit de mécanique dont l'écho, avec le vent, surprenait les vieux restés au village. À la veillée, l'été, on se réunissait sur le perron, avec trois personnes sur chaque marche, on discutait technique. On apprenait que les rails étaient de type Vignole et qu'ils pesaient vingt kilos au mètre, que les traverses seraient placées tous les quatre-vingts centimètres et que dans la traversée du village le rail serait double plus tard.

GEORGES J. ARNAUD, *Les Moulins à Nuages*,
Éd. Calmann-Lévy.

Choisir entre des homophones :
peu, peux, peut - près, prêt - plus tôt, plutôt

NOSTALGIE

Repère dans le texte les homophones signalés dans le titre de la leçon.

Essaie de déterminer pour chacun des groupes une règle qui permette de différencier leur orthographe.

• *Écris une courte phrase avec chacun d'eux.*

Dans peu de temps, l'année scolaire s'achèvera. Ma dernière année d'école ! Je suis triste et je peux difficilement imaginer que je ne jouerai plus dans cette cour. Près de cinq ans me séparent de cet instant où j'ai franchi pour la première fois, et prêt à fondre en larmes à tout moment, la porte de la « grande école ». Que de souvenirs, plutôt heureux toutefois, se bousculent dans ma mémoire.

Maintenant, le collège, la sixième, dont on a tant parlé tout au long de l'année. L'entrée dans une nouvelle « grande école ». Je ressens, lorsque j'y pense, les mêmes angoisses que celles de mon entrée au CP quelques années plus tôt... Les grandes personnes aiment toujours faire peur aux enfants !...

• **Peu,** adverbe de quantité, est le contraire de **beaucoup :**
Il mange peu.

Peux, peut (verbe **pouvoir**) peuvent se conjuguer : *je pouvais, il pouvait.*

• **Près de,** préposition, est le contraire de **loin de :** *Il habite **près** d'ici.*

Prêt à, adjectif qualificatif, peut se mettre au **féminin :**
*Il est **prêt** à venir → Elle est **prête** à venir.*

• **Plus tôt,** locution adverbiale, est le contraire de **plus tard :**
*En semaine, il se lève **plus tôt.***

Plutôt, adverbe, marque **la préférence :**
*Elle achète **plutôt** des roses que des tulipes.*

---

1 *Complète par un des homophones étudiés.*

Dans ... de temps, l'arbitre sifflera la fin du match. - Cécile doit redoubler le CM2 ; elle ne ... passer en sixième. - Il est arrivé ... que prévu. Je suis ... à partir, ...-tu te presser un ... ? - Mangez ... des fruits mûrs, ils sont meilleurs.

2 *Même exercice.*

Sandra est ... bavarde. - N'approche pas trop ... du feu, tu ... te brûler. - ... que de dire n'importe quoi, réfléchis. - L'avion est ... à atterrir, les passagers sont ... calmes. - On aurait dû me donner cette information ... .

3 *Écris le contraire des mots en italique.*

Il suit *de loin* les événements. - Chaque jour le soleil se couche un peu *plus tard*. - Il y a *beaucoup* de vent sur cette côte. - Romain a besoin de lunettes, il voit mal *de loin*. - Cette année, *beaucoup* d'enfants entrent au CP. - Le défilé débutera *plus tard* que prévu.

4 *Dictées à préparer*
• *Autodictée : le texte d'étude, du début à « grande école ».*

• LA RENTRÉE
Le matin de la rentrée des classes, Élisabeth ouvrit la fenêtre de la cuisine, pour guetter l'arrivée des premiers élèves. Il en venait des deux extrémités de la rue, grise, mouillée, plutôt brumeuse. Isolément ou par groupes, ils convergeaient vers le même point. Des petits se laissaient traîner, à bout de bras, en pleurnichant, par une mère peu attentive qui marchait trop vite, ou par un frère aîné, qui les abandonnait, près de la grille, pour rejoindre des camarades de son âge.

D'après HENRI TROYAT, *Les Semailles et les moissons,*
Éd. Plon.

Les verbes impersonnels

• *Observe :*
Il faut que le problème soit fait.
— *Que remplace le pronom il sujet du verbe souligné ?*
— *Quel est l'infinitif de ce verbe ?*
— *Ce verbe peut-il être conjugué à une autre personne que la 3ᵉ personne du singulier ?*
• *Trouve dans le texte d'autres exemples de verbes dont le sujet ne remplace ni une personne, ni un animal ni une chose.*

LE PROBLÈME

« Avec vous, c'est toujours la même chose. Pour s'amuser, jamais en retard, mais pour travailler, plus personne et pas plus de tête que mes sabots. Il va pourtant falloir que ça change. Regardez-moi ces deux grandes bêtes de dix ans. Ne pas pouvoir faire un problème.

— Il y a deux heures qu'on cherche, dit Marinette.

— Eh bien, vous chercherez encore... Il faut que le problème soit fait ce soir. Et si jamais il n'est pas fait, ah ! s'il n'est pas fait ! Tenez, j'aime autant ne pas penser à ce qui pourrait vous arriver. »

D'après MARCEL AYMÉ, *Les Contes du Chat perché*, Éd. Gallimard

---

• Un **verbe impersonnel** ne se conjugue qu'à la **3ᵉ personne du singulier,** avec le pronom sujet *il.* Dans ce cas, celui-ci ne remplace ni une personne, ni un animal, ni une chose :
Il faut - Il pleut - Il neige.

• Les verbes : *falloir, pleuvoir, neiger* sont essentiellement impersonnels.

• Certains verbes personnels peuvent être employés à la forme impersonnelle :
Il était une fois... - Il manque un verbe.

---

1 *Parmi les verbes suivants, relève ceux qui sont essentiellement impersonnels. Écris-les à la 3ᵉ pers. du sing. du présent de l'indicatif.*

aller - grêler - tonner - falloir - sortir - venter - pleuvoir - attendre.

2 *Indique à la fin de chaque phrase si le verbe est à la forme active ou s'il est à la forme impersonnelle.*
Ex. : **Il arrive à cinq heures** (*active*).
Il arrive du mauvais temps (*impersonnelle*).

Il était fatigué. (...) - Il était une fois. (...) - Il tombe de sommeil. (...) - Il tombe une pluie fine. (...) - Il faisait nuit. (...) - Il faisait un discours. (...) - Il vaut mieux s'installer plus loin. (...) - Il vaut 25 F. (...)

3 *Même exercice.*

Il manque le but. (...) - Il manque une page à ce livre. (...) - Il doit faire beau. (...) - Il doit dix francs à Pierre. (...) - Il peut pleuvoir. (...) - Il peut mieux faire. (...) - Il faut attendre. (...) - Il n'y a rien à faire. (...)

4 *Écris une forme active à la suite de chaque forme impersonnelle.*
Ex. : **Il reste des places → Il reste une semaine avec moi.**

Il courait un bruit bizarre. →
Il paraît que c'est vrai. →
Il viendra beaucoup de touristes cet été. →
Il monte du sol un épais brouillard. →

5 *Transforme chaque phrase en utilisant la tournure impersonnelle.*
Ex. : **De nombreux touristes sont venus.**
Il est venu de nombreux touristes.

Une pièce manque à ce puzzle. - De grandes flammes s'élèvent dans le ciel. - Une lettre est arrivée pour vous. - Des orties poussent dans le chemin. - Un ours s'est échappé du zoo.

6 *Passe de la forme impersonnelle à la forme active.*

Il reste encore beaucoup de fruits sur cet arbre. - Il sortait de nombreuses guêpes de ce trou. - Il se dégage un doux parfum de ce bouquet. - Il arrivera de gros nuages de l'ouest. - Il tombait de fortes pluies au mois d'août.

Le récit policier (2)

UNE ATMOSPHÈRE INQUIÉTANTE

Un personnage peu sympathique...

Ils voient un petit chauve trapu et en colère sortir d'une Cadillac. Sa main droite s'est perdue dans son veston de tweed sombre à gros chevrons, à hauteur de sa poche de poitrine.

L'homme disparaît.

Tout à coup, une silhouette se dresse à côté d'eux. Un homme chauve. Un chauve qui braque un pistolet sur eux. (...)

Un lieu peu accueillant...

Il y a dans cette partie du onzième arrondissement de Paris tout un labyrinthe de ruelles, de passages, d'impasses, de voies carrossables ou non, privées et publiques, de cours intérieures, certaines fermées en cul-de-sac, d'autres qui communiquent avec les voisines par une grille, un portail, un portillon. On risque à tout moment de s'y perdre ! (...)

Un moment peu rassurant...

Ce qui passe pour le moment, c'est un nuage, devant la lune, et sur la route une voiture tous feux éteints, au ralenti. Deux cents mètres après le carrefour, elle fait demi-tour, revient et se gare à cheval sur le trottoir. Il fait tellement sombre qu'on ne distingue qu'une forme grise. La lune paraît à nouveau.

D'après F. RIVIÈRE, M. LAPORTE, *Bus pour l'enfer*, Éd. Nathan.

Un personnage peu sympathique... : *quelle est la caractéristique du personnage qui permet de le reconnaître à coup sûr ? Est-ce que quelque chose permettait de deviner qu'il avait une arme ?*

Un lieu peu accueillant... : *quelqu'un peut-il se sauver ou se cacher facilement dans le lieu qui est décrit ?*

● **Un moment peu rassurant... :** *qu'est-ce qui rend le moment inquiétant ?*

Pour mettre en valeur l'intrigue de ton récit policier, il faut :

● **des personnages :** que ce soit l'enquêteur ou le coupable, il est conseillé de leur donner un détail caractéristique : *un petit chauve trapu...*

● **des lieux :** il faut les choisir adaptés à l'intrigue. Par exemple, il vaut mieux situer une filature dans *un labyrinthe de ruelles...*

● **des moments :** le temps est très important dans un récit policier. Et les crimes ont souvent lieu *la nuit...*

1 *Tu vas t'entraîner à préciser les personnages, les lieux et les moments d'un récit policier.*

● *Tu as certainement déjà vu des films policiers. Donne le nom de deux ou trois policiers que tu connais. Puis décris-les en insistant sur leurs caractéristiques particulières : apparence physique, tics, manies, façon de parler, etc.*

● *Décris un ou deux lieux que tu connais et où il est facile de se cacher.*

● *Bien sûr, il est courant d'avoir peur la nuit. Est-il possible d'avoir peur le jour ? Trouve une ou deux situations où tu as peur, ou bien une ou deux situations dans lesquelles tu n'aimerais pas te trouver.*

2 *Décris ces deux personnages célèbres de la littérature policière et du cinéma : Sherlock Holmes, le commissaire Maigret.*

● *Parle du physique, des vêtements, mais aussi du caractère de ces personnages, et de leurs manies éventuelles...*

3 *Décris un lieu réel ou imaginaire où il est possible d'avoir très peur. Tu peux aussi t'inspirer du texte suivant.*

Derrière lui, une porte se ferme. Et sur nos quatre prisonniers tombe une chape de silence. Un silence absolu. (...) L'obscurité est totale.

F. RIVIÈRE, M. LAPORTE, *Bus pour l'enfer*, Éd. Nathan.

4 *Voici le début d'une enquête. Écris la suite.*

Deux enfants *(dont tu inventeras les noms)* son en vacances à la campagne chez leurs grands parents. À la sortie du village se dresse un grand château, surveillé par un gardien à la mine patibulaire et trois gros chiens. Parfois, le soir, on entend des cris...
Les enfants veulent enquêter...

5 *Voici le début d'une autre enquête. Écris la suite.*

Jean et Jeanne sont en vacances au bord de la mer. En jouant dans les rochers, ils découvrent une grotte. Au fond de cette grotte, des marches descendent dans l'obscurité...
Ils décident d'enquêter...

● *Comment vont-ils s'organiser ?*

● *Imagine leurs émotions, leurs peurs. Que vont-ils trouver ?*

6 *Reprends l'intrigue policière que tu as écrite pour l'exercice 1 de la page 178. Développe ton texte en donnant des caractéristiques précises aux personnages, en décrivant les lieux et en insistant sur ce qu'ils ont d'étrange, en choisissant des moments particulièrement inquiétants.*

7 *Invente une intrigue policière dont tu pourrais être le héros. Tu seras, à ton choix, l'enquêteur, le coupable ou la victime.*

Bilan 3

Chaque fois que tu as réussi l'exercice, tu marques le nombre de points indiqué sur le domino.
Tu fais le total de tes points à la fin.
Si tu ne réussis que la moitié de l'exercice, tu ne marques que la moitié des points !

Grammaire

1 *Complète par un nom ou un groupe du nom attribut du sujet.*

Avec ces vêtements bariolés, Joël a l'air .... — Notre-Dame de Paris est .... — Ce lionceau inoffensif et pataud deviendra .... — Traverser ce désert nous semblait .... — L'ascension de ce pic demeurait ....

2 *Souligne d'un trait bleu les* COD, *d'un trait rouge les attributs du sujet.*

Ce personnage est devenu un héros national. — D'Artagnan reste le plus célèbre des mousquetaires. — Ce roman passionne tous les enfants. — Jérôme a commandé ce livre.

3 *Souligne le complément circonstanciel. Indique entre parenthèses la circonstance de l'action exprimée (temps, lieu, manière).*

La danseuse salue avec grâce. (...) — Julien habite près de l'école. (...) — Chaque mois, Céline écrit à son grand-père. (...)

4 *Complète par un complément circonstanciel répondant à l'idée demandée.*

Les gendarmes arrêtent l'automobiliste. *(lieu)* — Nous construirons une cabane. *(manière)* — Les voyageurs ont été retardés. *(temps).*

5 *Récris des phrases en coordonnant un élément de A avec un élément de B.*

A. Pierre ne m'a pas téléphoné. — Elle m'a salué. — J'aurais bien voulu le voir.
B. Je ne la connais pas. — Il passera me voir. — Il était déjà parti.

6 *Récris des phrases en subordonnant un élément de B à un élément de A.*

A. L'hiver sera terminé. — On balise la piste. — Le capitaine a lancé un S.O.S.
B. Les concurrents partent. — Les hirondelles reviendront. — La tempête s'est levée.

7 *Fais l'analyse en propositions des phrases suivantes :*

J'ai retrouvé la clef que j'avais perdue. — La boulangerie où il achète son pain est fermée. — L'automobiliste attend que le feu passe au vert.

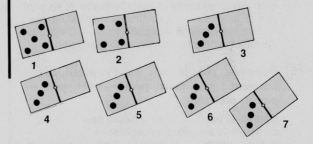

Vocabulaire

1 *Indique les divers sens du mot* **balle** *dans les expressions :*

Jouons à la balle — une balle de paille — je vous renvoie la balle — la balle a sifflé à mes oreilles.

2 *Choisis le sens qui convient au mot* **poignée** *dans chacune des phrases. (Indique le n°.)*

> **poignée** n.f.
> 1. Ce que peut contenir une main fermée.
> 2. Serrer la main : une *poignée de mains.*
> 3. Partie qui sert à tenir un objet.

Sur la plage, mon petit frère m'a lancé une poignée de sable. *(sens . . .)* — La poignée de la porte est cassée. *(sens . . .)* — Prenez la valise par la poignée. *(sens . . .)* — Le Président a donné une poignée de mains à tous ses invités. *(sens . . .)* — Dans le jardin, j'ai arraché une poignée de mauvaises herbes. *(sens . . .).*

3 *Réunis les couples de mots de sens contraire :*

avouer	nerveusement	éloigné
réfléchi	étourdi	nier
rassembler	calmement	éparpiller
réussir	proche	échouer

4 *Remplace le verbe par le nom correspondant :*

As-tu entendu la *(déclarer)* du vainqueur du match ? — Dans cet atelier, on apprend la *(coudre).* — Ce pays a connu un *(développer)* important. — Serge a reçu un *(hériter)* important. — Les journaux parlent de la *(découvrir)* faite par des biologistes. — La *(perdre)* de sa carte d'identité lui a causé de nombreux ennuis.

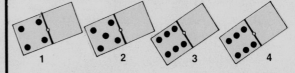

Orthographe

1 *Accorde les participes passés comme il convient.*

Je n'ai pas *(reçu)* la revue que j'ai *(commandé)*. — Les histoires qu'elle lui a *(raconté)* l'ont *(enthousiasmé)*. — Les décisions qu'elle a *(pris)*, elle les a *(respecté)*. — Voilà la toile qu'il a *(peint)* et *(vendu)*.

2 *Remplace le complément souligné par un adverbe en* -emment *ou* -amment.

Il avançait <u>avec prudence</u>. — Elle est toujours vêtue <u>avec élégance</u>. — Tu as affronté cette épreuve <u>avec vaillance</u>. — Ils ont heurté le mur <u>avec violence</u>.

3 *Participe passé ou infinitif? Mets la terminaison qui convient.*

Nous avons longtemps cherch... et nous avons fini par trouv... — Elle n'est pas décid... à particip... à ce jeu. — Avant d'escalad... le pic, il faut travers... le champ de glace. — Regardez pass... ces oiseaux, ils vont quitt... notre pays. — La pluie a cess... de tomb....

4 *Accorde les participes passés comme il convient.*

La fête s'est *(terminé)* très tard. Les enfants se sont *(couché)* après minuit. Ce matin ils se sont *(levé)* fatigués. — Les timbres qu'ils se sont *(offert)* ont *(enrichi)* leur collection. — C'est à ce carrefour qu'ils nous ont *(donné)* rendez-vous.

5 *Complète par le mot ou l'expression qui convient :* peu, peux, peut — prêt, près — plutôt, plus tôt.

Il aurait dû partir ... mais il n'était pas .... — ... du fleuve, le brouillard s'épaississait ... à .... — Si tu ..., viens ... demain. — Il se ... que nous arrivions ... que prévu. — C'est ..., on ne ... plus attendre !

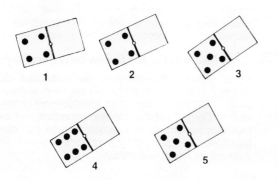

Conjugaison

1 *Écris à la forme passive.*

Les élèves élisent leurs délégués. Le professeur principal a organisé le vote. Chaque délégué représentera sa classe. Les professeurs écoutaient attentivement les remarques des élèves.

2 *Écris à la 2ᵉ personne du singulier au présent de l'impératif.*

Être raisonnable — Ne pas avoir de regrets — Y renoncer — Ne plus en parler — Savoir oublier — Ne pas prendre de risques — Suivre ses conseils.

3 *Écris le second verbe comme il convient : au futur ou au conditionnel.*

Si je pars, je te *(prévenir)*. — Si le vent se levait, le ciel *(se dégager)*. — S'il acceptait cette invitation, nous *(être)* ravis. — S'il le fallait, nous *(aller)* le chercher.

4 *Écris au présent du subjonctif.*

Je reçois de ses nouvelles. — Nous allons au cinéma. — Il veut partir. — Elles viennent le voir. — Nous faisons une promenade. — Vous avez le temps. — Ils sont attentifs. — Je peux t'aider.

5 *Mots croisés.*

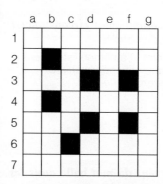

1. Prendre des mesures.
2. Participe passé du verbe *opérer*.
3. *Dire* à la 3ᵉ per. du sing. du présent.
4. Il essaie ou il ......
5. Participe passé du verbe *lire*.
6. Verbe *être*. Chaque acteur a le sien.
7. Verbe signifiant *rentrer*.

a. Donner une forme à de la pâte c'est la ....
b. Participe passé du verbe *user*.
c. Elle n'est pas intelligente.
d. Bout de *coup*. Note de musique.
e. Assemblée de personnes.
f. Terminaison des verbes du 1ᵉʳ groupe. Tête de *limace*.
g. Remettre debout.

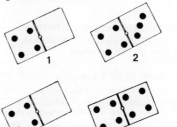

Production de textes

1 *Continue ce début de poème en jouant avec les rimes en -ar, -car, -ot, -got, -goth.*

> Quel est ce lascar,
> quel est l'Ostrogoth,
> qui hurle en argot ?

HENRI PHILIBERT, *Écholégrammes*,
Éd. du Petit Véhicule.

2 *Lis ce poème.*

LES HIBOUX

> Ce sont les mères des hiboux
> Qui désiraient chercher les poux
> De leurs enfants, leurs petits choux.
> En les tenant sur les genoux.
>
> Leurs yeux d'or valent des bijoux
> Leur bec est dur comme des cailloux,
> Ils sont doux comme des joujoux.
> Mais aux hiboux, point de genoux !
>
> Votre histoire se passait où ?
> Chez les Zoulous ? Les Andalous ?
> Ou dans la cabane bambou ?
> À Moscou ? Ou à Tombouctou ?
> En Anjou ou dans le Poitou ?
> Au Pérou ou chez les Mandchous ?
> Hou ! Hou !
> Pas du tout, c'était chez les fous.

ROBERT DESNOS, *Chantefables et chantefleurs*,
Éd. Gründ.

- *Inspire-toi de ce poème pour écrire un court poème intitulé* **Les corbeaux** *ou* **Les moineaux.**

- *Inspire-toi de ce poème pour écrire un court poème intitulé* **Les bijoux,** *ou* **Les cailloux,** *ou* **Les choux,** *etc.*

3 *À partir de ce texte, imagine une intrigue policière.*

Dans un bruit de freins terrible qui m'a fait me cacher, une voiture BMW noire a pilé sec à mon niveau. J'ai d'abord imaginé qu'on allait me kidnapper. Mais papa est inconnu et je m'étais caché. Deux types louches sont sortis de la BM.
Le premier, un sinistre à lunettes noires, faisait semblant d'aérer le chien miniature qu'il avait aux bras. (…) En vrai, il faisait le guet pendant que le deuxième fonçait sur MA poubelle. (…)
Un troisième était resté au volant.
Ils sont repartis en trombe.

J.-L. CRAIPEAU, *Gare au carnage*, Amédée Petipotage,
Éd. Nathan.

4 *À partir de ce texte, imagine une intrigue policière avec un voleur et un enquêteur.*

Le chantier ! Un ouragan avait dévasté la maison. On nous avait cambriolés.
Nous avons traversé le séjour en marchant sur des œufs. Buffet, bibliothèque, canapé…, ils avaient tout éparpillé, vidé, jeté, éventré, on ne savait même plus où se poser pour se remettre ou s'effondrer. (…)
— Curieux cambrioleurs, disait maman. Je ne vois pas ce qu'ils ont emporté.

J.-L. CRAIPEAU, *Gare au carnage*, Amédée Petipotage,
Éd. Nathan.

5 *Voici des cartes qui te présentent des personnages, des objets, des lieux, des moments. Choisis une carte de chaque sorte, puis construis un récit policier.*

LES OBJETS

LES ENQUÊTEURS

LES VICTIMES

LES SUSPECTS

LES MOMENTS

LES LIEUX

Test - Bilan II

Tu entres en 6ᵉ dans quelques mois. Tu dois être capable de faire les exercices qui suivent.
Si tu obtiens de 40 à 50 points, tout va bien. De 30 à 40, tu dois redoubler d'efforts. Au-dessous de 30, revois vite les chapitres de ton livre correspondant aux exercices que tu n'as pas réussis, et n'hésite pas, pendant tes vacances, à faire les révisions indispensables. (Ton maître te conseillera.)

1 **Donne la fonction des groupes en italique.**

Jérôme était *un petit garçon posé et raisonnable.* — Jean-Michel deviendra *pilote ou chef d'orchestre.* — Cette revue paraît *chaque mercredi.* — Sa voiture est *dans le garage.* — À leur retour, les alpinistes paraissent *très fatigués.*

5 points

2 **Isole en les plaçant entre crochets les compléments circonstanciels du texte. Indique ensuite la circonstance exprimée par chacun d'eux.**

Le facteur rural traversait, par des sentiers étroits, des champs de colza. Il entrait dans les fermes par la barrière de bois. Le fermier essuyait sa main à son fond de culotte, recevait la feuille de papier et la glissait dans la poche de sa veste.

(GUY DE MAUPASSANT)

5 points

3 **Souligne les propositions subordonnées. Indique leur fonction.**

Les hommes qui avaient été lâchés dans la côte arrivaient par groupes de deux ou trois. (R. Vailland) — Je pensais que c'était la femme qui répondait à son mari. (M. Pagnol) — Quand nous serons grands, nous changerons toutes les lois. (G. Richelson) — Georges se précipita dans l'atelier où son père rangeait les peintures. (R. Dahl) — Quand la fumée et l'écume se calmèrent, il jeta un coup d'œil dans le chaudron. (R. Dahl)

5 points

4 **Dans chaque phrase, complète avec un synonyme pour chacun des mots en italique.**

Le mauvais temps a obligé l'équipe de France à *interrompre* son entraînement. — Le boxeur a *esquivé* un coup qui aurait pu lui faire mal. — Le principal *obstacle* à ce projet routier est la présence de nombreux et très beaux arbres protégés. — Ton couteau a besoin d'être *affûté* pour bien couper. — Pendant notre travail, nous ferons *une pause* pour déjeuner.

5 points

5 **Dans chaque phrase, complète avec le nom qui correspond au verbe en italique.**

La *(mettre en scène)* de ce film a demandé un important travail de recherche. — Le dentiste a pratiqué l' *(extraire)* d'une molaire. — Il a demandé un délai pour le *(payer)* de ses impôts.

— Sa *(connaître)* de la langue du pays lui a été très utile. — La conférence a été consacrée à l' *(évoquer)* de ses souvenirs de jeunesse.

5 points

6 **Complète par le son [e] écrit comme il convient. Attention aux accords du participe passé.**

Renard s'était li. . . d'amiti. . . avec le Chacal et le Chameau. Ils voyageaient ensemble et n'avaient emport. . . pour provision qu'une galette de bl. . .. Après avoir longuement march. . ., ils s'assirent au bord de l'eau. Le voyage les avait fatigu. . . et tous trois étaient affam. . .. La galette étant trop petite pour être partag. . ., ils commencèrent à se disput. . .. Après de longues palabres, ils décidèrent qu'elle reviendrait au plus âg. . . d'entre eux.

5 points

7 **Accorde les participes passés comme il convient :**

Il écrit souvent à l'amie qu'il a rencontr. . .. — Nathalie est enchant. . . des cadeaux qu'elle a reç. . .. — Nous avons rev. . . avec plaisir cette pièce que nous avions tant aim. . ..

5 points

Elles n'ont pas gard. . . les fleurs qu'elles avaient cueill. . .. — Moi, son père, je l'avais préve. . ., mais Sophie ne m'a pas écout. . .. Elle l'a regrett. . ..

5 points

8 **Récris le texte au présent du conditionnel.**

Isabelle cousait, attentive. Je collais du papier d'argent sur la lame d'un sabre de bois, et je la regardais de temps à autre. Ses tresses noires pendaient sur son ouvrage, le minuscule dé poussait la fine aiguille.

(MARCEL PAGNOL)

5 points

9 **Complète en faisant concorder les temps comme il convient (temps simples).**

Bien qu'il *(lire)* beaucoup, il n'écrit pas très bien. — S'il suivait mes conseils, il *(avoir)* moins d'ennuis. — Nous *(faire)* une promenade si le temps le permet. — Si nous *(être)* entraînés, nous ferions cette ascension. — Je ne crois pas qu'il *(être)* sot ; je pense plutôt qu'il est paresseux.

5 points

Récapitulons

a **à**	verbe *avoir*, peut se remplacer par **avait.** est une préposition.	*Pascal* **a** *gagné la partie.* *Il arrive* **à** *huit heures.*
ou **où**	peut se remplacer par **ou bien.** indique le lieu.	*Je viendrai lundi* **ou** *mardi.* *Je sais* **où** *il habite.*
et **est**	peut se remplacer par **et aussi, et puis.** verbe *être*, peut se remplacer par **était.**	*Je mange du pain* **et** *du chocolat.* *Pierre* **est** *en retard.*
son **sont**	déterminant, signifie **le sien.** verbe *être*, peut se remplacer par **étaient.**	*Il quitte* **son** *village.* *Les routes* **sont** *glissantes.*
on **ont**	pronom, peut se remplacer par **il.** verbe *avoir*, peut se remplacer par **avaient.**	**On** *frappe à la porte.* *Ils* **ont** *bien travaillé.*
ce **se**	déterminant démonstratif, accompagne un nom singulier. Il peut avoir le sens de **cela.** pronom, accompagne toujours un verbe.	*J'aime* **ce** *tableau.* **Ce** *fut agréable.* (**Cela** *fut agréable.*) *Marc* **se** *lève.*
ces **ses**	déterminant démonstratif, est le pluriel de **ce.** déterminant possessif, est le pluriel de **son.**	*J'aime* **ces** *paysages.* *Il me présente* **ses** *amis.*
s'est/s'était **c'est/c'était**	Peuvent se conjuguer : **Je me suis, tu t'es...** Ils sont toujours suivis d'un participe passé. Ne se conjuguent qu'à la 3ᵉ personne. Ils sont généralement suivis d'un nom, d'un adjectif, d'un pronom...	*Il* **s'est** *perdu. Elle* **s'était** *inquiétée.* **C'est** *Pierre.* **C'est** *lui qui me l'a dit.* **C'était** *magnifique.*
leur/leurs **leur**	devant un nom est un déterminant possessif. devant un verbe est un pronom personnel, pluriel de *lui.* Il est invariable.	*Voilà* **leur** *maison,* **leurs** *enfants.* *Ils* **leur** *rendent visite.*
la **là** **l'a/l'as**	déterminant, article défini, accompagne le nom. est un adverbe de lieu. verbe *avoir*, peuvent se remplacer par **l'avait, l'avais.**	**La** *maison.* *C'est* **là** *qu'il habite.* *Il* **l'a** *lancé et tu* **l'as** *attrapé.*
quel/quelle **qu'elle**	adjectif, s'accorde avec le nom. peut se remplacer par **qu'il.**	**Quel** *beau film !* **Quelle** *belle histoire !* *Je pense* **qu'elle** *viendra.*
quand **quant** **qu'en**	exprime le temps, peut souvent se remplacer par **lorsque.** s'écrit devant **à** et **aux.** peut se décomposer en **que en.**	*Il viendra* **quand** *tu l'inviteras.* **Quant** *à lui, c'est un champion.* *Nous ne savons* **qu'en** *faire.*
peu **peux, peut**	adverbe de quantité. verbe **pouvoir.**	*Je suis un* **peu** *fatigué.* *Tu* **peux** *venir. Elle* **peut** *sortir.*
près **prêt**	préposition, a le sens de **à côté de** adjectif, féminin : **prête.**	*Viens* **près** *de moi.* *Es-tu* **prêt** *à partir ?*
plus tôt **plutôt**	contraire de **plus tard** (en deux mots). marque la préférence (en un mot).	*Ce soir, je rentrerai* **plus tôt.** *Il est* **plutôt** *bavard.*

Les marques du féminin et du pluriel

Le féminin	Le pluriel
Cas général → **e** (une amie jolie)	Cas général → **-s** (des amis)
Mots terminés par :	Mots terminés par :
er → **-ère** (la bergère, légère)	**-al** → **-aux** (des journaux)
-eur → **-euse** (la danseuse, heureuse)	Exceptions : bal, carnaval, chacal, festival, régal, récital (des bals)
-teur → **-trice** (l'actrice, protectrice)	**-ail** → **-ails** (des rails)
-e → **-esse** (l'ogresse)	Exceptions : bail, corail, émail, soupirail, travail, van-tail, vitrail → -aux (des travaux)
-f → **-ve** (la veuve, neuve)	**-au, -eau, -eu** → **-x** (des troupeaux, des feux)
-el, -eau → **elle** (la colonelle, nouvelle)	Exceptions : landau, bleu, pneu → s (des pneus)
-en, -on → **-enne, -onne** (la chienne, bonne)	**-ou** → **-s** (des trous)
-s → **-sse** (grosse)	Exceptions : bijou, caillou, chou, genou, hibou, jou-jou, pou → -x (des choux)
Pas de changement pour les mots terminés par -e au masculin (l'élève).	Pas de changement pour les mots terminés par -s, -x, -z au singulier.

Le pluriel des noms composés

nom + nom : pluriel pour les deux	→ un wagon-lit, des **wagons-lits.**
nom + adjectif : pluriel pour les deux	→ une longue-vue, des **longues-vues.**
nom + préposition + nom :	
seul le premier nom se met au pluriel	→ une pomme de terre, des **pommes de terre.**
verbe + nom : le nom peut rester invariable	→ un abat-jour, des **abat-jour.**
le nom se met au pluriel	→ un tire-bouchon, des **tire-bouchons.**
deux formes possibles	→ un porte-savon, des **porte-savon.**
	des **porte-savons.**

L'accord des adjectifs de couleur

Généralement, accord avec le nom	→	des robes **blanches.**
Noms employés comme adjectifs de couleur	invariables →	des tissus **marron.** / des yeux **noisette.**
Adjectifs composés	invariables →	des jupes **bleu-marine.**

L'accord du participe passé

employé seul	avec l'auxiliaire *être*	avec l'auxiliaire *avoir*
Il s'accorde comme un adjectif qualificatif, avec le nom qu'il accompagne. *Les fleurs* **cueillies** *fanent vite.*	Il s'accorde avec le sujet du verbe. *Les fleurs sont* **cueillies.**	• Il s'accorde avec le complément d'objet direct C.O.D. si celui-ci est placé avant le verbe. *Les fleurs* qu'elle a **cueillies.** C.O.D. • Il reste invariable si le C.O.D. est placé après le verbe. *Elle a cueilli* **des fleurs.** C.O.D.

Les pronoms

personnels	relatifs
Ils évitent les répétitions. — Ils désignent le sujet : **je - tu - nous - vous.** **Je** parle. — Ils remplacent le sujet : **il - ils - elle - elles - on.** Pierre entre, **il** est pâle. — Ils remplacent le complément d'objet : **le, la, les, l', lui, leur, eux...** Sophie a une robe neuve ; elle **la** montre.	Ils relient les propositions subordonnées relatives aux propositions principales. L'acteur saluait le public **qui** applaudissait. Ils évitent les répétitions. Les principaux pronoms relatifs sont : **qui - que -quoi - dont - où - lequel - laquelle - duquel -auquel - à laquelle...**
démonstratifs	**possessifs**
Ils remplacent les GN formés d'un adjectif démonstratif et d'un nom → ce garçon → **celui-là** - cette fille → **celle-là.** Principaux pronoms : **celui, celle, celui-ci, celui-là, celle-ci, celle-là, ceci, cela, ça, ceux, ceux-ci, ceux-là, celles-ci, celles-là.**	Ils remplacent les GN formés d'un adjectif possessif et d'un nom. mon livre → **le mien** - ma chambre → **la mienne.** Principaux pronoms : **le mien, le tien, le sien, la mienne, la tienne... la nôtre, la vôtre...** **les miens, les tiens, les siens, les miennes, les tiennes... les nôtres...**
indéfinis	
On, personne, certaines, d'autres, plusieurs...	

L'adverbe

Il précise le sens d'un adjectif ou d'un verbe : Il est **trop** petit. Il mange **trop.**

Il est invariable. Il peut exprimer :

   la quantité : beaucoup, peu...
   le lieu : ici, là...
   le temps : aujourd'hui, bientôt...
   la manière : lentement, vite...
   etc.

La préposition

Elle introduit dans la phrase un complément (essentiel ou circonstanciel) :
Laure répond **à** Emmanuelle. Thomas traverse la rue **avec** précaution.

Elle est invariable.

Les principales prépositions sont : **à, de, pour, avec, dans, sur, contre, sous...**

Locutions prépositives : **avant de, près de, afin de, loin de, en raison de...**

La conjonction

Coordination	Subordination
Elle sert à réunir des éléments de même nature : des noms, des adjectifs, des verbes, des propositions... Pierre **et** Paul. - Grand **mais** timide. Parler **ou** se taire. Le vent se levait **et** le ciel se couvrait. Les principales conjonctions de coordination sont : **et - ou - ni - mais - or - car - donc.**	Elle sert à réunir une proposition subordonnée à une proposition principale. Il venait de rentrer **quand** l'orage éclata. Les principales conjonctions de subordination sont : **comme, si, que, quand, lorsque, quoique...** Locutions conjonctives : **avant que, pour que, tandis que, parce que, afin que...**

Les fonctions dans la phrase simple : les compléments

essentiels	circonstanciels
Ils font partie du groupe verbal GV. Ils ne peuvent être ni déplacés, ni supprimés. Ils font partie de la phrase minimale. *Cédric porte **des lunettes.*** (compl. objet direct) *Le chien ronge **un os.*** (compl. objet direct) *Julien pense* (à) ***son grand-père.*** (compl. objet indirect) *Sophie rêve* (de) ***voyages.*** (compl. objet indirect)	Ils sont déplaçables, supprimables. Ils peuvent indiquer : ● **le temps :** ***Cet hiver** nous ferons du ski.* ● **le lieu :** *Nous ferons du ski **dans les Alpes.*** ● **la manière :** *il descend la piste **avec prudence.*** ● **la cause :** *On respire mal **à cause de la fumée.*** ● **le but :** *On a coupé la route **pour la réparer.*** ● **le moyen :** *On décore le sapin **avec des guirlandes.***

Les fonctions dans la phrase simple : l'attribut du sujet

Il indique une qualité, une manière d'être du sujet.
Il est relié au sujet par un des verbes : *être, sembler, devenir, paraître, demeurer, rester, avoir l'air, passer pour...*
Il peut être un adjectif qualificatif, un nom ou un groupe du nom.
L'air est un gaz. — L'air devient irrespirable.

L'analyse de la phrase : les propositions

La proposition indépendante.
Elle se suffit à elle-même. Elle ne dépend d'aucune autre : *Les passagers attachent leur ceinture.*

— **Indépendantes juxtaposées :** *Les passagers attachent leur ceinture, éteignent leur cigarette.*
— **Indépendantes coordonnées :** *L'avion prend de l'altitude et disparaît dans les nuages.*

La proposition principale et la proposition subordonnée.
La proposition subordonnée dépend de la proposition principale, qu'elle complète.

— **Principale et subordonnée relative :**
Mon frère se trouve dans le vol 427, / *qui atterrit à 15 heures.*
   principale   / subordonnée relative complément de l'antécédent *vol.*

— **Principale et subordonnée conjonctive :**
Je pense / *que nous décollerons bientôt.*
principale / subordonnée conjonctive C.O.D. du verbe *penser* (ou encore : subordonnée complétive)

L'avion décolle / *quand la piste est libre.*
principale / subordonnée conjonctive complément circonstanciel de temps du verbe *décoller.*

INFINITIF	INDICATIF					
	présent	**imparfait**	**passé simple**	**futur simple**	**futur immédiat**	**passé composé**
AVOIR (auxiliaire)	j' ai tu as il, elle a nous avons vous avez ils, elles ont	j' avais tu avais il, elle avait nous avions vous aviez ils, elles avaient	j' eus tu eus il, elle eut nous eûmes vous eûtes ils, elles eurent	j' aurai tu auras il, elle aura nous aurons vous aurez ils, elles auront	je vais avoir tu vas avoir il, elle va avoir nous allons avoir vous allez avoir ils, elles vont avoir	j' ai eu tu as eu il, elle a eu nous avons eu vous avez eu ils, elles ont eu
ÊTRE (auxiliaire)	je suis tu es il, elle est nous sommes vous êtes ils, elles sont	j' étais tu étais il, elle était nous étions vous étiez ils, elles étaient	je fus tu fus il, elle fut nous fûmes vous fûtes ils, elles furent	je serai tu seras il, elle sera nous serons vous serez ils, elles seront	je vais être tu vas être il, elle va être nous allons être vous allez être ils, elles vont être	j' ai été tu as été il, elle a été nous avons été vous avez été ils, elles ont été
PARLER (1er groupe)	je parle tu parles il, elle parle nous parlons vous parlez ils, elles parlent	je parlais tu parlais il, elle parlait nous parlions vous parliez ils, elles parlaient	je parlai tu parlas il, elle parla nous parlâmes vous parlâtes ils, elles parlèrent	je parlerai tu parleras il, elle parlera nous parlerons vous parlerez ils, elles parleront	je vais parler tu vas parler il, elle va parler nous allons parler vous allez parler ils, elles vont parler	j' ai parlé tu as parlé il, elle a parlé nous avons parlé vous avez parlé ils, elles ont parlé
RÉUNIR (2e groupe)	je réunis tu réunis il, elle réunit nous réunissons vous réunissez ils, elles réunissent	je réunissais tu réunissais il, elle réunissait nous réunissions vous réunissiez ils, elles réunissaient	je réunis tu réunis il, elle réunit nous réunîmes vous réunîtes ils, elles réunirent	je réunirai tu réuniras il, elle réunira nous réunirons vous réunirez ils, elles réuniront	je vais réunir tu vas réunir il, elle va réunir nous allons réunir vous allez réunir ils, elles vont réunir	j' ai réuni tu as réuni il, elle a réuni nous avons réuni vous avez réuni ils, elles ont réuni
ALLER	je vais tu vas il, elle va nous allons vous allez ils, elles vont	j' allais tu allais il, elle allait nous allions vous alliez ils, elles allaient	j' allai tu allas il, elle alla nous allâmes vous allâtes ils, elles allèrent	j' irai tu iras il, elle ira nous irons vous irez ils, elles iront	je vais aller tu vas aller il, elle va aller nous allons aller vous allez aller ils, elles vont aller	je suis allé(e) tu es allé(e) il, elle est allé(e) nous sommes allé(e)s vous êtes allé(e)s ils, elles sont allé(e)s
FAIRE	je fais tu fais il, elle fait nous faisons vous faites ils, elles font	je faisais tu faisais il, elle faisait nous faisions vous faisiez ils, elles faisaient	je fis tu fis il, elle fit nous fîmes vous fîtes ils, elles firent	je ferai tu feras il, elle fera nous ferons vous ferez ils, elles feront	je vais faire tu vas faire il, elle va faire nous allons faire vous allez faire ils, elles vont faire	j' ai fait tu as fait il, elle a fait nous avons fait vous avez fait ils, elles ont fait
VOIR	je vois tu vois il, elle voit nous voyons vous voyez ils, elles voient	je voyais tu voyais il, elle voyait nous voyions vous voyiez ils, elles voyaient	je vis tu vis il, elle vit nous vîmes vous vîtes ils, elles virent	je verrai tu verras il, elle verra nous verrons vous verrez ils, elles verront	je vais voir tu vas voir il, elle va voir nous allons voir vous allez voir ils, elles vont voir	j' ai vu tu as vu il, elle a vu nous avons vu vous avez vu ils, elles ont vu
DIRE	je dis tu dis il, elle dit nous disons vous dites ils, elles disent	je disais tu disais il, elle disait nous disions vous disiez ils, elles disaient	je dis tu dis il, elle dit nous dîmes vous dîtes ils, elles dirent	je dirai tu diras il, elle dira nous dirons vous direz ils, elles diront	je vais dire tu vas dire il, elle va dire nous allons dire vous allez dire ils, elles vont dire	j' ai dit tu as dit il, elle a dit nous avons dit vous avez dit ils, elles ont dit

	CONDITIONNEL	SUBJONCTIF	IMPÉRATIF	PARTICIPE	
plus-que-parfait*	présent	présent	présent	présent	passé
j' avais eu tu avais eu il, elle avait eu nous avions eu vous aviez eu ils, elles avaient eu	j' aurais tu aurais il, elle aurait nous aurions vous auriez ils, elles auraient	que j' aie que tu aies qu'il, elle ait que nous ayons que vous ayez qu'ils, elles aient	aie ayons ayez	ayant	eu
j' avais été tu avais été il, elle avait été nous avions été vous aviez été ils, elles avaient été	je serais tu serais il, elle serait nous serions vous seriez ils, elles seraient	que je sois que tu sois qu'il, elle soit que nous soyons que vous soyez qu'ils, elles soient	sois soyons soyez	étant	été
j' avais parlé tu avais parlé il, elle avait parlé nous avions parlé vous aviez parlé ils, elles avaient parlé	je parlerais tu parlerais il, elle parlerait nous parlerions vous parleriez ils, elles parleraient	que je parle que tu parles qu'il, elle parle que nous parlions que vous parliez qu'ils, elles parlent	parle parlons parlez	parlant	parlé
j' avais réuni tu avais réuni il, elle avait réuni nous avions réuni vous aviez réuni ils, elles avaient réuni	je réunirais tu réunirais il, elle réunirait nous réunirions vous réuniriez ils, elles réuniraient	que je réunisse que tu réunisses qu'il, elle réunisse que nous réunissions que vous réunissiez qu'ils, elles réunissent	réunis réunissons réunissez	réunissant	réuni
j' étais allé(e) tu étais allé(e) il, elle était allé(e) nous étions allé(e)s vous étiez allé(e)s ils, elles étaient allé(e)s	j' irais tu irais il, elle irait nous irions vous iriez ils, elles iraient	que j' aille que tu ailles qu'il, elle aille que nous allions que vous alliez qu'ils, elles aillent	va allons allez	allant	allé
j' avais fait tu avais fait il, elle avait fait nous avions fait vous aviez fait ils, elles avaient fait	je ferais tu ferais il, elle ferait nous ferions vous feriez ils, elles feraient	que je fasse que tu fasses qu'il, elle fasse que nous fassions que vous fassiez qu'ils, elles fassent	fais faisons faites	faisant	fait
j' avais vu tu avais vu il, elle avait vu nous avions vu vous aviez vu ils, elles avaient vu	je verrais tu verrais il, elle verrait nous verrions vous verriez ils, elles verraient	que je voie que tu voies qu'il, elle voie que nous voyions que vous voyiez qu'ils, elles voient	vois voyons voyez	voyant	vu
j' avais dit tu avais dit il, elle avait dit nous avions dit vous aviez dit ils, elles avaient dit	je dirais tu dirais il, elle dirait nous dirions vous diriez ils, elles diraient	que je dise que tu dises qu'il, elle dise que nous disions que vous disiez qu'ils, elles disent	dis disons dites	disant	dit

INFINITIF	INDICATIF					
	présent	**imparfait**	**passé simple**	**futur simple**	**futur immédiat**	**passé composé**
VENIR	je viens tu viens il, elle vient nous venons vous venez ils, elles viennent	je venais tu venais il, elle venait nous venions vous veniez ils, elles venaient	je vins tu vins il, elle vint nous vînmes vous vîntes ils, elles vinrent	je viendrai tu viendras il, elle viendra nous viendrons vous viendrez ils, elles viendront	je vais venir tu vas venir il, elle va venir nous allons venir vous allez venir ils, elles vont venir	je suis venu(e) tu es venu(e) il, elle est venu(e) nous sommes venu(e)s vous êtes venu(e)s ils, elles sont venu(e)s
VOULOIR	je veux tu veux il, elle veut nous voulons vous voulez ils, elles veulent	je voulais tu voulais il, elle voulait nous voulions vous vouliez ils, elles voulaient	je voulus tu voulus il, elle voulut nous voulûmes vous voulûtes ils, elles voulurent	je voudrai tu voudras il, elle voudra nous voudrons vous voudrez ils, elles voudront	je vais vouloir tu vas vouloir il, elle va vouloir nous allons vouloir vous allez vouloir ils, elles vont vouloir	j' ai voulu tu as voulu il, elle a voulu nous avons voulu vous avez voulu ils, elles ont voulu
POUVOIR	je peux tu peux il, elle peut nous pouvons vous pouvez ils, elles peuvent	je pouvais tu pouvais il, elle pouvait nous pouvions vous pouviez ils, elles pouvaient	je pus tu pus il, elle put nous pûmes vous pûtes ils, elles purent	je pourrai tu pourras il, elle pourra nous pourrons vous pourrez ils, elles pourront	je vais pouvoir tu vas pouvoir il, elle va pouvoir nous allons pouvoir vous allez pouvoir ils, elles vont pouvoir	j' ai pu tu as pu il, elle a pu nous avons pu vous avez pu ils, elles ont pu
SAVOIR	je sais tu sais il, elle sait nous savons vous savez ils, elles savent	je savais tu savais il, elle savait nous savions vous saviez ils, elles savaient	je sus tu sus il, elle sut nous sûmes vous sûtes ils, elles surent	je saurai tu sauras il, elle saura nous saurons vous saurez ils, elles sauront	je vais savoir tu vas savoir il, elle va savoir nous allons savoir vous allez savoir ils, elles vont savoir	j' ai su tu as su il, elle a su nous avons su vous avez su ils, elles ont su
DEVOIR	je dois tu dois il, elle doit nous devons vous devez ils, elles doivent	je devais tu devais il, elle devait nous devions vous deviez ils, elles devaient	je dus tu dus il, elle dut nous dûmes vous dûtes ils, elles durent	je devrai tu devras il, elle devra nous devrons vous devrez ils, elles devront	je vais devoir tu vas devoir il, elle va devoir nous allons devoir vous allez devoir ils, elles vont devoir	j' ai dû tu as dû il, elle a dû nous avons dû vous avez dû ils, elles ont dû
PRENDRE	je prends tu prends il, elle prend nous prenons vous prenez ils, elles prennent	je prenais tu prenais il, elle prenait nous prenions vous preniez ils, elles prenaient	je pris tu pris il, elle prit nous prîmes vous prîtes ils, elles prirent	je prendrai tu prendras il, elle prendra nous prendrons vous prendrez ils, elles prendront	je vais prendre tu vas prendre il, elle va prendre nous allons prendre vous allez prendre ils, elles vont prendre	j' ai pris tu as pris il, elle a pris nous avons pris vous avez pris ils, elles ont pris
VIVRE	je vis tu vis il, elle vit nous vivons vous vivez ils, elles vivent	je vivais tu vivais il, elle vivait nous vivions vous viviez ils, elles vivaient	je vécus tu vécus il, elle vécut nous vécûmes vous vécûtes ils, elles vécurent	je vivrai tu vivras il, elle vivra nous vivrons vous vivrez ils, elles vivront	je vais vivre tu vas vivre il, elle va vivre nous allons vivre vous allez vivre ils, elles vont vivre	j' ai vécu tu as vécu il, elle a vécu nous avons vécu vous avez vécu ils, elles ont vécu
CRAINDRE	je crains tu crains il, elle craint nous craignons vous craignez ils, elles craignent	je craignais tu craignais il, elle craignait nous craignions vous craigniez ils, elles craignaient	je craignis tu craignis il, elle craignit nous craignîmes vous craignîtes ils, elles craignirent	je craindrai tu craindras il, elle craindra nous craindrons vous craindrez ils, elles craindront	je vais craindre tu vas craindre il, elle va craindre nous allons craindre vous allez craindre ils, elles vont craindre	j' ai craint tu as craint il, elle a craint nous avons craint vous avez craint ils, elles ont craint

	CONDITIONNEL	SUBJONCTIF	IMPÉRATIF	PARTICIPE	
plus-que-parfait*	présent	présent	présent	présent	passé
j' étais venu(e) tu étais venu(e) il, elle était venu(e) nous étions venu(e)s vous étiez venu(e)s ils, elles étaient venu(e)s	j' viendrais tu viendrais il, elle viendrait nous viendrions vous viendriez ils, elles viendraient	que je vienne que tu viennes qu' il, elle vienne que nous venions que vous veniez qu' ils, elles viennent	viens venons venez	venant	venu
j' avais voulu tu avais voulu il, elle avait voulu nous avions voulu vous aviez voulu ils, elles avaient voulu	je voudrais tu voudrais il, elle voudrait nous voudrions vous voudriez ils, elles voudraient	que je veuille que tu veuilles qu' il, elle veuille que nous voulions que vous vouliez qu' ils, elles veuillent	veuille veuillons veuillez	voulant	voulu
j' avais pu tu avais pu il, elle avait pu nous avions pu vous aviez pu ils, elles avaient pu	je pourrais tu pourrais il, elle pourrait nous pourrions vous pourriez ils, elles pourraient	que je puisse que tu puisses qu' il, elle puisse que nous puissions que vous puissiez qu' ils, elles puissent		pouvantt	pu
j' avais su tu avais su il, elle avait su nous avions su vous aviez su ils, elles avaient su	je saurais tu saurais il, elle saurait nous saurions vous sauriez ils, elles sauraient	que je sache que tu saches qu' il, elle sache que nous sachions que vous sachiez qu' ils, elles sachent	sache sachons sachez	sachant	su
j' avais dû tu avais dû il, elle avait dû nous avions dû vous aviez dû ils, elles avaient dû	je devrais tu devrais il, elle devrait nous devrions vous devriez ils, elles devraient	que je doive que tu doives qu' il, elle doive que nous devions que vous deviez qu' ils, elles doivent		devant	dû
j' avais pris tu avais pris il, elle avait pris nous avions pris vous aviez pris ils, elles avaient pris	je prendrais tu prendrais il, elle prendrait nous prendrions vous prendriez ils, elles prendraient	que je prenne que tu prennes qu' il, elle prenne que nous prenions que vous preniez qu' ils, elles prennent	prends prenons prenez	prenant	pris
j' avais vécu tu avais vécu il, elle avait vécu nous avions vécu vous aviez vécu ils, elles avaient vécu	je vivrais tu vivrais il, elle vivrait nous vivrions vous vivriez ils, elles vivraient	que je vive que tu vives qu' il, elle vive que nous vivions que vous viviez qu' ils, elles vivent	vis vivons vivez	vivant	vécu
j' avais craint tu avais craint il, elle avait craint nous avions craint vous aviez craint ils, elles avaient craint	je craindrais tu craindrais il, elle craindrait nous craindrions vous craindriez ils, elles craindraient	que je craigne que tu craignes qu' il, elle craigne que nous craignions que vous craigniez qu' ils, elles craignent	crains craignons craignez	craignant	craint

INFINITIF	INDICATIF					
	présent	imparfait	passé simple	futur simple	futur immédiat	passé composé
LIRE	je lis tu lis il, elle lit nous lisons vous lisez ils, elles lisent	je lisais tu lisais il, elle lisait nous lisions vous lisiez ils, elles lisaient	je lus tu lus il, elle lut nous lûmes vous lûtes ils, elles lurent	je lirai tu liras il, elle lira nous lirons vous lirez ils, elles liront	je vais lire tu vas lire il, elle va lire nous allons lire vous allez lire ils, elles vont lire	j' ai lu tu as lu il, elle a lu nous avons lu vous avez lu ils, elles ont lu
ÉCRIRE	j' écris tu écris il, elle écrit nous écrivons vous écrivez ils, elles écrivent	j' écrivais tu écrivais il, elle écrivait nous écrivions vous écriviez ils, elles écrivaient	j' écrivis tu écrivis il, elle écrivit nous écrivîmes vous écrivîtes ils, elles écrivirent	j' écrirai tu écriras il, elle écrira nous écrirons vous écrirez ils, elles écriront	je vais écrire tu vas écrire il, elle va écrire nous allons écrire vous allez écrire ils, elles vont écrire	j' ai écrit tu as écrit il, elle a écrit nous avons écrit vous avez écrit ils, elles ont écrit
PARTIR	je pars tu pars il, elle part nous partons vous partez ils, elles partent	je partais tu partais il, elle partait nous partions vous partiez ils, elles partaient	je partis tu partis il, elle partit nous partîmes vous partîtes ils, elles partirent	je partirai tu partiras il, elle partira nous partirons vous partirez ils, elles partiront	je vais partir tu vas partir il, elle va partir nous allons partir vous allez partir ils, elles vont partir	je suis parti(e) tu es parti(e) il, elle est parti(e) nous sommes parti(e)s vous êtes parti(e)s ils, elles sont parti(e)s
CROIRE	je crois tu crois il, elle croit nous croyons vous croyez ils, elles croient	je croyais tu croyais il, elle croyait nous croyions vous croyiez ils, elles croyaient	je crus tu crus il, elle crut nous crûmes vous crûtes ils, elles crurent	je croirai tu croiras il, elle croira nous croirons vous croirez ils, elles croiront	je vais croire tu vas croire il, elle va croire nous allons croire vous allez croire ils, elles vont croire	j' ai cru tu as cru il, elle a cru nous avons cru vous avez cru ils, elles ont cru
TENIR	je tiens tu tiens il, elle tient nous tenons vous tenez ils, elles tiennent	je tenais tu tenais il, elle tenait nous tenions vous teniez ils, elles tenaient	je tins tu tins il, elle tint nous tînmes vous tîntes ils, elles tinrent	je tiendrai tu tiendras il, elle tiendra nous tiendrons vous tiendrez ils, elles tiendront	je vais tenir tu vas tenir il, elle va tenir nous allons tenir vous allez tenir ils, elles vont tenir	j' ai tenu tu as tenu il, elle a tenu nous avons tenu vous avez tenu ils, elles ont tenu
RECEVOIR	je reçois tu reçois il, elle reçoit nous recevons vous recevez ils, elles reçoivent	je recevais tu recevais il, elle recevait nous recevions vous receviez ils, elles recevaient	je reçus tu reçus il, elle reçut nous reçûmes vous reçûtes ils, elles reçurent	je recevrai tu recevras il, elle recevra nous recevrons vous recevrez ils, elles recevront	je vais recevoir tu vas recevoir il, elle va recevoir nous allons recevoir vous allez recevoir ils, elles vont recevoir	j' ai reçu tu as reçu il, elle a reçu nous avons reçu vous avez reçu ils, elles ont reçu
SENTIR	je sens tu sens il, elle sent nous sentons vous sentez ils, elles sentent	je sentais tu sentais il, elle sentait nous sentions vous sentiez ils, elles sentaient	je sentis tu sentis il, elle sentit nous sentîmes vous sentîtes ils, elles sentirent	je sentirai tu sentiras il, elle sentira nous sentirons vous sentirez ils, elles sentiront	je vais sentir tu vas sentir il, elle va sentir nous allons sentir vous allez sentir ils, elles vont sentir	j' ai senti tu as senti il, elle a senti nous avons senti vous avez senti ils, elles ont senti
CONNAÎTRE	je connais tu connais il, elle connaît nous connaissons vous connaissez ils, elles connaissent	je connaissais tu connaissais il, elle connaissait nous connaissions vous connaissiez ils, elles connaissaient	je connus tu connus il, elle connut nous connûmes vous connûtes ils, elles connurent	je connaîtrai tu connaîtras il, elle connaîtra nous connaîtrons vous connaîtrez ils, elles connaîtront	je vais connaître tu vas connaître il, elle va connaître nous allons connaître vous allez connaître ils, elles vont connaître	j' ai connu tu as connu il, elle a connu nous avons connu vous avez connu ils, elles ont connu

plus-que-parfait*	CONDITIONNEL présent	SUBJONCTIF présent	IMPÉRATIF passé	PARTICIPE présent	PARTICIPE présent
j' avais lu tu avais lu il, elle avait lu nous avions lu vous aviez lu ils, elles avaient lu	je lirais tu lirais il, elle lirait nous lirions vous liriez ils, elles liraient	que je lise que tu lises qu'il, elle lise que nous lisions que vous lisiez qu'ils, elles lisent	lis lisons lisez	lisant	lu
j' avais écrit tu avais écrit il, elle avait écrit nous avions écrit vous aviez écrit ils, elles avaient écrit	j' écrirais tu écrirais il, elle écrirait nous écririons vous écririez ils, elles écriraient	que j' écrive que tu écrives qu'il, elle écrive que nous écrivions que vous écriviez qu'ils, elles écrivent	écris écrivons écrivez	écrivant	écrit
j' étais parti(e) tu étais parti(e) il, elle était parti(e) nous étions parti(e)s vous étiez parti(e)s ils, elles étaient parti(e)s	je partirais tu partirais il, elle partirait nous partirions vous partiriez ils, elles partiraient	que je parte que tu partes qu'il, elle parte que nous partions que vous partiez qu'ils, elles partent	pars partons partez	partant	parti
j' avais cru tu avais cru il, elle avait cru nous avions cru vous aviez cru ils, elles avaient cru	je croirais tu croirais il, elle croirait nous croirions vous croiriez ils, elles croiraient	que je croie que tu croies qu'il, elle croie que nous croyions que vous croyiez qu'ils, elles croient	crois croyons croyez	croyant	cru
j' avais tenu tu avais tenu il, elle avait tenu nous avions tenu vous aviez tenu ils, elles avaient tenu	je tiendrais tu tiendrais il, elle tiendrait nous tiendrions vous tiendriez ils, elles tiendraient	que je tienne que tu tiennes qu'il, elle tienne que nous tenions que vous teniez qu'ils, elles tiennent	tiens tenons tenez	tenant	tenu
j' avais reçu tu avais reçu il, elle avait reçu nous avions reçu vous aviez reçu ils, elles avaient reçu	je recevrais tu recevrais il, elle recevrait nous recevrions vous recevriez ils, elles recevraient	que je reçoive que tu reçoives qu'il, elle reçoive que nous recevions que vous receviez qu'ils, elles reçoivent	reçois recevons recevez	recevant	reçu
j' avais senti tu avais senti il, elle avait senti nous avions senti vous aviez senti ils, elles avaient senti	je sentirais tu sentirais il, elle sentirait nous sentirions vous sentiriez ils, elles sentiraient	que je sente que tu sentes qu'il, elle sente que nous sentions que vous sentiez qu'ils, elles sentent	sens sentons sentez	sentant	senti
j' avais connu tu avais connu il, elle avait connu nous avions connu vous aviez connu ils, elles avaient connu	je connaîtrais tu connaîtrais il, elle connaîtrait nous connaîtrions vous connaîtriez ils, elles connaîtraient	que je connaisse que tu connaisses qu'il, elle connaisse que nous connaissions que vous connaissiez qu'ils, elles connaissent	connais connaissons connaissez	connaissant	connu

Tableau de phonétique

Sons-voyelles	Sons-consonnes
[a] le chat	[p] par, prendre
[ɑ] un âne	[b] bien, le bateau
[o] bientôt	[t] très, le toit
[ɔ] l'école	[d] Didier, donner
[y] la rue	[k] quatre, comme, le képi
[u] la roue	[g] goûter, gai
[e] du café	[f] François, fort
[ɛ] après, jamais	[v] avec, venir
[œ] un œuf	[s] souvent, dessus
[ø] heureux	[z] zéro, un oiseau
[ə] je, le, regarder	[ʒ] jouer, je, il nage
[i] ami	[ʃ] chercher, le chemin
[ɑ̃] grand	[l] Lucien, une balle
[ɔ̃] le pont	[r] rire, René
[ɛ̃] le timbre	[m] maman
[œ̃] brun, le parfum	[n] notre, bonne
	[ɲ] la campagne, cogner
	[j] le crayon, l'abeille
	[w] ouest
	[ɥ] la nuit

Mots et expressions invariables

(qui devront être écrits sans erreur à la fin du CM2)

ailleurs
afin de, que
ainsi
alors
après
assez
au-dessous
au-dessus
aujourd'hui
auparavant
auprès
aussi
aussitôt
autant
autour
autrefois
autrement
avant
avec
beaucoup
bien
bientôt
car
ceci
cela
cependant
certes
chez
comme
comment
d'abord

dans
davantage
dedans
dehors
déjà
demain
depuis
dès lors
dès que
désormais
dessous
dessus
devant
donc
dont
dorénavant
durant
encore
enfin
ensuite
entre
envers
exprès
guère
gré
hélas
hier
hors
ici
jamais
là-bas

loin
longtemps
lorsque
maintenant
mais
malgré
mieux
moins
naguère
néanmoins
non
par
parce que
par-dessous
par-dessus
parfois
parmi
pas
pendant
personne
peu
plus
plusieurs
plutôt
pour
pourquoi
pourtant
près
presque
puis
quand

quelquefois
quoi
quoique
sans
sauf
selon
seulement
sinon
sitôt
soudain
sous
souvent
sur
surtout
tant
tant mieux
tantôt
tant pis
tard
tôt
toujours
toutefois
travers
très
trop
vers
voici
voilà
volontiers
vraiment

TABLE DES MATIÈRES

3ᵉ partie : **L'attribut. L'adverbe. Les compléments circonstanciels. La phrase complexe. Les subordonnées relatives, complétives, circonstancielles de temps. — La dérivation. Les synonymes. Les sens d'un mot. Quelques champs sémantiques. Les emprunts. — L'adverbe. Le participe présent. Le participe passé. La consonne finale muette. Quelques homophones. — La transformation passive. La forme pronominale. L'impératif, le conditionnel, le subjonctif. — Écrire un texte poétique. Le récit policier.**

Références iconographiques :
44 : Peugeot. - **109** : *Sud-Ouest.* - **110** : *Sud-Ouest.* - **129** : *Sud-Ouest.* - **130, haut** : Scorcelletti ; **bas :** Yves Saint-Laurent, photo
Alexis Duclos. - **134, g.ht :** Christophe L ; **g.m. :** JR/SNAP/Cosmos ; **g.b. :** Claude Gassian ; **dr. :** European Champs. – **135, g. :**
Thierry Seray/Cosmos ; **dr. ht :** Fablet/Fèvre ; **dr. b. :** Alain Benainous.